L'ÉNIGME DE RACKMOOR

Martha Grimes

L'ÉNIGME DE RACKMOOR

Roman

FRANCE LOISIRS
123, boulevard de Grenelle, Paris

Titre original : *The Old Fox Deceiv'd*

Une édition du Club France Loisirs, Paris
réalisée avec l'autorisation des Presses de la Cité

© 1982 by Martha Grimes
Édition originale : Little Brown and Company, Inc.

© Presses de la Cité 1991 pour la traduction française
ISBN 2-7242-7717-1

A mon frère, Bill.

I

Soirée au Pas de l'Ange

1

Elle descendait le Passage de la Treille et surgit du brouillard, le visage fardé, moitié de noir, moitié de blanc. On était au début de janvier et, venue de l'est, la brume de mer transformait la ruelle pavée en un tunnel ouaté s'incurvant jusqu'à l'eau. La baie s'ouvrait sans frein à la pleine force des tempêtes et le Passage de la Treille, avec son tracé en lame de faux, canalisait les vents du large. Au loin, la corne de brume d'une balise, le Taureau de Whitby, lança ses quatre mugissements sinistres.

Le vent enfla sa cape noire, qui se rabattit autour de ses chevilles dans un mouvement de vague tourbillonnante. De satin blanc était sa chemise, ainsi que son pantalon aux jambes prises dans des bottes noires à talon haut. Le claquement des talons sur les pierres humides répondait seul au cri aigu des goélands. L'un d'eux paradait sur une corniche au-dessus d'elle, donnant des coups de bec dans les fenêtres. Pour se protéger du vent, elle longeait au plus près la façade des maisons basses. Elle jetait un œil dans chacune des venelles qui semblaient en cul-de-sac mais d'où des marches, comme des ressorts cachés, descendaient en spirale vers d'autres passages. La ruelle étroite se frayait une voie au ras des portes des cottages et de leurs gratte-pieds de fonte noire. Elle s'arrêta un instant dans le faible halo d'un réverbère quand quelqu'un la croisa, de l'autre côté du chemin. Mais, dans ce brouillard, personne n'était reconnaissable. Elle apercevait le pub au fond du passage près du brise-lames, ses fenêtres luisant vaguement comme des opales dans la nuit noire.

Parvenue aux grilles de fer du Pas de l'Ange, elle s'immobilisa : le vaste escalier qui partait sur sa gauche reliait le Passage de la Treille et la Rue-Qui-Grince à Notre-Dame-du-Voile, l'église dominant le village. Elle souleva le loquet des grilles et monta, une longue ascension jusqu'à un petit palier où un banc servait de lieu de repos. Quelqu'un y était assis.

La femme en noir et blanc redescendit d'une marche, surprise. Elle ouvrit la bouche pour dire quelque chose. La silhouette se dressa, ses deux bras soudain brandis comme mûs par des ficelles – ils s'écartèrent, se levèrent, s'abattirent. Frappée, frappée encore et encore, la femme finit par s'effondrer comme une marionnette, et si elle ne roula pas dans l'escalier c'est que l'autre la rattrapa par sa cape. Le corps gisait, affalé sur les marches, la tête en bas. L'autre se tourna, l'enjamba, presque nonchalamment, et descendit le Pas de l'Ange pour rejoindre le Passage de la Treille, frôlant le mur afin d'éviter de marcher dans le sang.

C'était la Nuit des Rois.

2

– Il y a des gens qui tuent et qui s'en tirent *toujours* !
Adrian Rees fit claquer sa chope sur le bar. Il venait de
célébrer les vertus de la littérature russe et de Raskolnikov.

Au *Vieux Renard Trompé*, personne ne s'y intéressait particulièrement.

Adrian tapota du doigt sa chope vide.

– Une autre, Kitty de mon cœur.

– Finis, les Kitty-de-mon-cœur ! Vous n'en verrez pas la
couleur d'une autre avant que j'aie vu celle de votre argent.
– Kitty Meechem essuya le comptoir à l'endroit où il avait
plaqué sa chope, faisant sauter la bière de son voisin par-
dessus bord comme de l'écume de mer. – Plein comme une
barrique !

– Ivre, moi ? Ah, Kitty ma jolie... – Il avait pris un ton
enjôleur, tendant une main vers les boucles châtain clair de
Kitty, un geste qu'elle écarta d'une tape. – Vous ne voulez
même pas offrir à boire à un de vos compatriotes ?

– Arrh ! Vous n'êtes pas plus irlandais que mon chat
tigré.

Le chat en question était roulé en boule sur un bout de
tapis devant le feu ronflant. Il était toujours là, aussi immobile qu'une figurine de plâtre. Adrian se demanda quand ce
chat trouvait-il le temps de se balader suffisamment pour
récolter toutes les morsures et égratignures qu'il arborait.

– Paraît bien assez paresseux pour être irlandais, commenta Adrian.

– Non mais, vous écoutez cet homme-là ? Lui qui passe sa
vie à titiller le pinceau, à barbouiller de-ci de-là, et à peindre

des femmes sans un fil dessus. – Ce commentaire suscita quelques petits rires contenus chez les consommateurs alignés au comptoir. – Mon chat abat plus d'honnête besogne dans sa journée que beaucoup de gens de ma connaissance.

Adrian se pencha au-dessus du zinc et annonça dans un chuchotement de théâtre :

– Kitty, je vais dire dans tout Rackmoor que vous avez posé nue pour moi !

Petits rires sur la gauche, gloussements sur la droite émanant de Billy Sims et de Corky Fishpool. Imperturbable et ferme comme un roc, Kitty se contenta de continuer à astiquer le comptoir.

– Je ne veux ni de vos saloperies de peintures ni de vos propos salaces. – Elle rasa la mousse qui débordait de deux chopes de bière brune. – Je ne veux que votre sale argent. A moins, p'têt bien, que je n'en voie pas un sou ce soir, hein ? Pas un seul ?

Adrian promena son regard avec espoir de Billy à Corky, lesquels entamèrent aussitôt l'un et l'autre une conversation toute fraîche. Ils n'étaient pas acheteurs. De ses peintures non plus, d'ailleurs. Impitoyable cercle vicieux !

– Vous devriez vous inquiéter de l'état de vos âmes, plutôt que de celui de vos porte-monnaie !

Corky Fishpool le regarda et se cura les dents. Adrian reprit son récit sur Raskolnikov :

– Il revenait constamment chez cette vieille rusée pour mettre en gage ses quelques biens... Dure en affaires, qu'elle était. – Sur quoi il jeta un coup d'œil appuyé à Kitty Meechem, qui l'ignora. – Puis, un jour, il monta tout doucement l'escalier... – Les doigts d'Adrian avancèrent lentement vers la chope de Billy Sims, qui fut aussitôt mise hors de portée. – Puis il entra quand elle eut le dos tourné... *vroum !* il lui a réglé son compte.

Il remarqua qu'il avait attiré quelques autres auditeurs, venus se planter derrière lui. Néanmoins aucun n'offrit de payer. Même Homère n'aurait pu soutirer un verre à ces types-là.

– Pourquoi qu'il a fait ça, ce couillon-là ? C'est pas malin, pour les trois ronds qu'elle avait.

La remarque émanait du cousin de Corky, Ben Fishpool, esprit carré et sans humour, un solide pêcheur pourvu d'une trogne pareille à un morceau de falaise et d'un dragon tatoué sur l'avant-bras. Ben avait sa propre moque d'étain accrochée au-dessus du bar. Il buvait en la tenant d'un doigt passé dans l'anse, et le pouce collé au bord, comme pour s'assurer que personne ne la lui arracherait.

– Parce qu'il voulait comprendre la nature du sentiment de culpabilité, quelque chose dont vous autres, entonnoirs à bière, ne risquez pas d'être atteints !

Adrian allongea la main vers un œuf dur dans une coupe et Kitty lui tapa sur les doigts pour l'arrêter.

– Toqué, qu'y devait être, marmonna Ben, que ne satisfaisait pas cette explication.

– La culpabilité, la rédemption, le péché ! Voilà de quoi il s'agit.

Adrian pivota sur lui-même pour s'adresser à la salle entière. Le mélange stimulant de nombreux tabacs donnait à l'atmosphère un parfum presque fruité. De la fumée planait en nuage au-dessus des tables, comme si la brume marine s'était infiltrée dans la salle, pénétrant à travers les murs, glissant sous la porte et par les jointures des fenêtres. L'endroit aurait été parfait, pensa Adrian, pour parler de la culpabilité et du péché ; à voir l'expression de ceux qui s'accrochaient encore à leurs chopes jusqu'à l'heure de la fermeture, on ne pouvait qu'être fortement convaincu que la vie était une épreuve. Le moindre éclat de rire était vite étouffé, comme si l'offenseur s'était surpris à glousser nerveusement dans un cimetière.

– Raskolnikov voulait démontrer que certaines sortes de gens peuvent commettre un meurtre et ne pas en subir les conséquences.

Personne ne semblait écouter.

– Et n'allez pas extirper de l'argent à Bertie, déclara Kitty comme si elle n'avait pas entendu un mot concernant le péché, la culpabilité ou Raskolnikov. Je vous ai vu l'entortiller pas plus tard que la semaine dernière. Une honte, voilà ce que c'est. – Elle fit claquer sous son nez le torchon du bar. – Une grande personne comme ça, soutirant l'argent de sa bière à un petit gamin, à un pauvre, pauvre petit gars sans mère. Ah, c'est pas joli-joli...

Adrian poussa un cri de protestation.

– Bertie ? Un « pauvre, pauvre petit gars sans mère » ? Miséricorde, il prend plus d'intérêts que les banques ! Je pense que c'est Arnold qui tient les comptes.

Même derrière ses épais verres de lunettes, le gamin avait des yeux aigus comme des pointes d'acier. Il aurait obtenu des aveux de Raskolnikov en moins de deux.

– Et pas la peine non plus de dire des méchancetés sur Arnold. J'ai vu Arnold descendre des falaises par des sentiers minuscules, pas plus larges qu'un petit serpent. Alors que *vous*, vous n'êtes même pas capable de marcher droit jusqu'à la Grand-Rue.

– Ah, ah, ah, dit Adrian, incapable comme d'habitude d'en remontrer à Kitty, ou d'imaginer une réplique spirituelle.

Son regard tomba sur la chope de bière de Percy Blythe, qui plissa ses petits yeux perçants et posa d'un geste vif ses deux mains sur la chope. Adrian revint alors à son sermon.

– Philistins ! Aucun de vous ne sait ce qu'est le péché et la culpabilité !

– Ça et cinquante pence vous paieront une pinte de bière, dit Kitty. C'EST L'HEURE, MESSIEURS, ON FERME, S'IL VOUS PLAÎT !

La porte se referma en claquant derrière lui. Adrian boucla son ciré par-dessus son épais chandail en jersey bleu et s'enfonça sur les oreilles un bonnet de tricot. A Rackmoor en janvier, il faisait un froid de loup.

Le Vieux Renard Trompé avait les pieds dans l'eau ou presque. Des vagues avaient déferlé un jour contre ses murs. Une autre fois, une lame de fond avait projeté l'étrave d'un navire droit dedans. Finalement, on avait construit une digue. Face au pub, une petite baie s'arrondissait, où des barques minuscules clapotaient dans l'eau. Portée par le vent du nord, résonnait la mélopée funèbre du Taureau de Whitby.

Quatre rues étroites convergeaient à cet endroit : la Rue du Retour, la Grand-Rue, le Passage de la Treille et l'Allée du Bigorneau. Seule la Grand-Rue était assez large pour une voiture, si tant est qu'un conducteur intrépide eût montré le courage d'affronter depuis le haut du village l'incroyable angle de déclivité. C'est là qu'habitait Adrian, à l'endroit précis où la chaussée de la Grand-Rue décrivait un virage en épingle à cheveux avant de continuer en montant son défi à la pesanteur. Il choisit prudemment de s'engager dans le Passage de la Treille ; celui-ci n'était pas aussi raide et offrait moins de pièges de pavés rompus. Tout en marchant, il entendait encore derrière lui les habitués du *Renard* qui, jusqu'à la fin du dernier quart d'heure avant la fermeture, s'accrochaient au zinc. Philistins.

Il l'entendit avant de la voir.

Alors qu'il passait devant le Pas de l'Ange, il perçut, bien régulier, le petit martèlement des hauts talons. Elle surgit du brouillard de l'autre côté du Passage de la Treille, se dirigeant vers le Pas de l'Ange et la mer. Le vent plaqua sa cape noire autour de son pantalon blanc. Adrian se croyait apte à supporter dans Rackmoor les visions les plus bizarres. Pourtant, il accusa un léger mouvement de recul qui le plaqua contre la pierre froide d'un cottage. Pendant un très court instant, elle s'arrêta dans l'arc lumineux d'un des rares réverbères et il eut d'elle un bon coup d'œil.

Quand il voulait se rappeler quelque chose – le motif irrégulier des feuilles d'arbres, l'aspect du clair de lune, le pli du velours sur un bras – Adrian n'avait pas besoin d'y regarder deux fois. L'obturateur de son œil captait cela instantanément, le fixait dans sa mémoire, le classait pour s'y référer plus tard. Il avait toujours pensé qu'il ferait un sacrément bon témoin pour la police.

Ainsi, durant ces quelques secondes passées sous la lampe, elle s'était clairement peinte dans son souvenir : la cape noire, la chemise et le pantalon de satin blanc, les bottes noires, la toque de même couleur. Mais c'est le visage qui était le plus mémorable. Comme si une ligne avait été tracée avec une absolue précision le long de l'arête du nez, le côté gauche peint en blanc, et le côté droit en noir. Un petit masque, noir lui aussi, complétait cet étrange damier.

Elle reprit vivement sa marche vers le Pas de l'Ange et la mer, le tambourinement des hauts talons replongeant dans le brouillard. Adrian resta quelques instants le regard perdu dans le vide.

Puis il se rappela que c'était la Nuit des Rois.

3

– Alors, la maman, c'est moi ?

Bertie Makepiece tenait en l'air la théière de grès. L'heure était sans doute bien tardive pour être encore debout à faire du thé mais, comme il n'y avait pas classe demain, Bertie estimait pouvoir se permettre cette petite fantaisie. Le tablier qu'il portait était beaucoup trop grand pour lui, aussi l'avait-il fixé en tournant le cordon autour de sa poitrine et sous ses bras. Debout, la théière au-dessus de la tasse, il attendait patiemment la réponse d'Arnold.

Mais l'occupant de l'autre siège resta muet. On aurait pu croire pourtant, à voir les yeux attentifs d'Arnold, que son manque de réponse était dû au fait non pas qu'il était un chien mais que non, vraiment, il ne tenait pas à jouer le rôle de la maman.

Arnold était un pur terrier du Staffordshire, de la couleur d'un pudding du Yorkshire ou d'un beau xérès sec. L'assurance déroutante du regard de ses yeux noirs incitait à penser qu'il n'était nullement un chien mais quelqu'un qui interprétait ce rôle, revêtu d'un costume de chien à fermeture Éclair. C'était aussi un chien silencieux ; il n'aboyait qu'avec parcimonie. Comme s'il avait conclu qu'on n'arrive à rien dans la vie avec de simples coups de gueule. Les autres chiens du village le suivaient, mais respectueusement, à distance. Arnold était un chien estimé. Chaque fois qu'il s'en allait, flairant les trottoirs et les ruelles, il donnait toujours l'impression de suivre une piste importante.

– Tu as entendu quelque chose, Arnold ?

Arnold avait presque fini le lait dans son bol – additionné

18

d'un peu de thé – et était assis tout droit, les oreilles pointées.

Bertie se glissa hors de son siège et marcha à pas de loup vers la fenêtre. Leur cottage dans la Rue-Qui-Grince était coincé entre deux autres : l'un appartenait à des estivants et l'autre à la vieille Mrs. Fishpool qui plaçait toujours dehors des restes pour Arnold que Bertie interceptait et allait enfouir au plus profond de la boîte à ordures.

Le cottage des Makepiece se trouvait à côté du Pas de l'Ange. Les paroissiens les plus courageux gravissaient ce Golgotha chaque dimanche pour aller à l'église. Regardant vers le bas, Bertie ne distingua rien d'autre que les contours fantomatiques des toits pointus et des cheminées noyées dans le brouillard épais.

Soudain, un tapotement au-dessus de lui, à la fenêtre de sa chambre, fit sursauter Bertie. Un goéland argenté, peut-être, ou un pétrel glacial : son cri saccadé donnait l'impression qu'il riait sous cape, comme si c'était une bonne farce aux dépens du village. Ils faisaient toujours ça, le réveillant parfois le matin, venant comme des visiteurs frapper à la porte. Des goélands et des sternes – ces satanés vieux oiseaux se conduisaient comme s'ils étaient chez eux.

Arnold était derrière lui, attendant pour sortir.

– Eh bien, vas-y alors, Arnold.

Bertie ouvrit la porte et Arnold fila comme une ombre. Bertie lui cria :

– Tâche de revenir vite!

Le chien s'arrêta et tourna la tête vers Bertie ; il comprenait, probablement. Bertie resta là un instant, à regarder la brume mouvante. Ce qu'il avait entendu ressemblait à un cri de terreur. Les oiseaux étaient toujours en train de crier.

Un cri ressemblait beaucoup à un autre, à Rackmoor.

4

C'est le veilleur qui la découvrit.

Longtemps après la fermeture du *Renard*, Billy Sims avait poursuivi sa soirée de réjouissances en compagnie de Corky Fishpool, rendant visite d'abord à un copain dans la Rue du Retour, puis à un autre, Allée du Bigorneau. C'était une nuit de fête, après tout.

A présent, nanti de son tricorne et de sa tunique fauve à pans flottants, il décida de regagner son propre petit cottage dans la Sente du Psautier, derrière Notre-Dame, en passant par le Pas de l'Ange, bien qu'il sût l'escalier sans lumière et dangereux dans l'obscurité hivernale. Sa trompe sous le bras, il commença son ascension.

Son pied heurta quelque chose. Quelque chose qui ne cédait pas à la pression et pourtant mou, pas de la pierre. Billy n'avait pas de torche, mais il avait des allumettes. Il en frotta une.

L'allumette s'enflamma et il vit le visage renversé, couvert de sang, les membres affalés dans des directions invraisemblables, donnant à la silhouette blanche et noire l'apparence d'une énorme poupée.

Billy Sims faillit plonger au bas des marches. Quand il se rappela qu'on était la Nuit des Rois et qu'il ne s'agissait probablement que d'un déguisé revenant d'une réception, cela ne servit qu'à rendre le cauchemar bien réel.

5

L'inspecteur Ian Harkins, de la Police judiciaire de Pitlochary, était furieux. C'était la première affaire vraiment substantielle qui se présentait à lui et le commissaire voulait la refiler à un type de Londres. *Il devra passer d'abord sur mon cadavre,* songea Harkins, en ricanant un brin de son propre humour macabre. Squelettique aux yeux caves, Harkins avait d'ailleurs tout à fait la tête de l'emploi.

Ses jointures blanchirent sur le combiné du téléphone.

– Je ne vois pas de raison d'appeler Londres. Je ne suis même pas encore sur le terrain et vous parlez déjà de Scotland Yard. Ayez la bonté de me laisser une chance.

Il appuya à dessein sur le mot *bonté,* le lestant au passage d'une bonne dose d'acidité. A regret, le commissaire Bates lui accorda vingt-quatre heures. L'affaire s'annonçait d'un genre à provoquer des complications ; Leeds n'allait pas aimer ça.

Harkins acheva de s'habiller. Ian Harkins n'était pas de ceux pour qui cette opération consistait à attraper des chaussettes désassorties et un costume chiffonné. Il s'y affairait devant une psyché. Harkins avait un tailleur dans Jermyn Street et une riche tante dans le quartier de Belgravia qui l'adorait. La brave femme s'étonnait de sa curieuse prédilection pour les frimas du Nord et parlait de son travail comme d'un simple violon d'Ingres qui s'était subitement imposé à lui à la façon d'une drogue dont on ne peut plus se passer.

Ce n'était pourtant pas le cas ; Harkins était un excellent

policier. Il avait un esprit subtil, incisif, dépourvu de sentimentalité.

Il ajusta la ceinture d'un manteau en poil de chameau, doublé tout spécialement en prévision de l'hiver du Yorkshire, et enfila des gants d'un cuir si fin qu'ils se fondaient presque sur sa main. Certes, Harkins était un excellent policier, mais que le diable l'emporte s'il en aurait jamais l'apparence. Un inspecteur de la Police judiciaire, toutefois, n'est pas censé perdre du temps à baguenauder avec sa garde-robe. Pour le prouver, Harkins sauta dans sa Lotus Elan, et se lança à cent cinquante à l'heure, en souhaitant presque qu'un imbécile de motard essaie de l'arrêter sur les vingt-cinq kilomètres de route verglacée qui le conduiraient jusqu'à Rackmoor et la côte.

– Sacré plaquage, hein ?

Le constable Derek Smithies fit la grimace. La description semblait beaucoup plus appropriée pour un match de rugby que pour un meurtre sanguinaire.

Ian Harkins se releva de l'endroit où il s'était agenouillé et rajusta son manteau sur ses épaules. Son visage émacié le faisait paraître de dix ans plus âgé qu'il n'était. Pour atténuer son allure de squelette – ses pommettes saillaient comme deux petites ailes – il portait sa moustache longue et touffue. Il avait retiré ses magnifiques gants de cuir beurre frais pour examiner le corps, en étirant les doigts comme un chirurgien.

En passant à Pitlochary, un bourg cinq fois plus grand que Rackmoor, mais doté seulement d'un petit contingent de police, l'inspecteur Harkins avait réussi à rameuter une demi-douzaine d'hommes, y compris un médecin du pays et l'agent chargé de prendre des notes sous sa dictée. Le photographe était déjà venu et reparti. On n'attendait plus que le spécialiste de l'anthropométrie, un homme capable, disait-on, de relever un indice sur des ailes de mouche. Le médecin se redressa, grogna, s'essuya les mains.

– Eh bien ? dit Harkins qui renfonça dans sa bouche un mince cigare cubain roulé à la main.

Le médecin haussa les épaules.

– Je ne sais pas. On dirait que quelqu'un l'a attaquée à coups de fourche.

Harkins le regarda.

– Une arme assez peu commode à manier. Suggérez autre chose.

Le médecin prit le même ton acerbe que Harkins.

– Des vampires.

– Très drôle.

– Un pic à glace, une alêne, Dieu sait quoi. Elle a l'air trouée comme un tamis. Non, le pic à glace est hors de question parce que l'objet, quel qu'il soit, avait, semble-t-il, plus d'une dent. Je pourrai être plus précis quand j'aurai ramené le corps à la morgue.

Harkins s'accroupit de nouveau.

– La figure... Braquez cette torche par ici, s'il vous plaît, cria-t-il à un des hommes qui passaient l'escalier au peigne fin.

Les trois ou quatre torches en service s'agitaient du haut en bas de l'escalier comme des lucioles géantes. L'une d'elles pivota pour se braquer sur le visage de la femme.

– ... sous le sang on dirait du maquillage, une espèce de fard. Noir d'un côté, blanc de l'autre. Singulier.

Harkins se releva, épousseta son pantalon en claquant ses gants dessus.

– L'heure ? dit-il d'un ton cassant.

D'un geste soigneusement étudié, le médecin extirpa son oignon et déclara :

– Exactement une heure cinquante-neuf.

Harkins jeta son cigare, l'écrasa d'un coup de talon.

– Vous savez fichtrement bien ce que je demande.

D'un claquement sec, le médecin referma sa trousse.

– Je ne travaille pas pour vous, rappelez-vous. A mon avis, elle n'est plus de ce monde depuis au moins deux heures, peut-être trois. Je ne suis qu'un médecin de campagne ; c'est vous qui êtes venu me chercher. Alors soyez poli.

Comme si la politesse était un terme exclusivement réservé au vocabulaire des médecins de campagne, Harkins se tourna vers le constable Smithies.

– Je veux qu'on installe un barrage aux deux extrémités de cet escalier, et des panneaux interdisant d'approcher. Et puis virez-moi ces gens de là.

En bas, dans le Passage de la Treille, des silhouettes fantomatiques continuaient d'apparaître et de disparaître, comme elles le faisaient depuis l'arrivée de Harkins puis des autres voitures de police. De plus en plus nombreux, les villageois sautaient hors du lit pour voir ce qui provoquait tout ce remue-ménage.

– Son nom était Temple, dites-vous ? reprit Harkins.

Simple question qu'il réussit à poser du ton de mépris le plus écrasant : Smithies essaya de se faire tout petit, tâche difficile pour un homme aussi corpulent.

– Oui, monsieur. On m'a dit qu'elle séjournait au *Renard Trompé*, le pub à côté de la digue.

– Étrangère à la ville ?

– Je le suppose.

– Vous le supposez. Eh bien, qu'est-ce qu'une étrangère fait dans ce costume singulier ? Rackmoor a-t-il souvent des visiteurs pareils ?

Smithies parut désigné comme personnellement responsable de l'apparition de la femme en noir et blanc.

– C'est un déguisement, monsieur...

– Pas possible ?

Harkins alluma un autre cigare.

– ... à cause de la Nuit des Rois. Il y avait un bal costumé à la Vieille Maison. Elle devait s'y rendre. Ou en revenir.

– Où diable se trouve cette Vieille Maison ?

Smithies désigna le haut du Pas de l'Ange, secouant le doigt comme pour lui faire dépasser l'église.

– Si vous êtes du pays, vous devez savoir cela, monsieur. C'est le Manoir du Vieux Renard Trompé.

– J'avais cru vous entendre dire que c'était le nom du pub.

– Effectivement, monsieur. Seulement le pub appartient par moitié au colonel et il l'a nommé ainsi d'après la maison. Alors, pour simplifier, nous appelons l'un la Vieille Maison et l'autre le *Renard*. La maison de Kitty s'appelait *la Morue et le Homard*, vous voyez. Seulement, le colonel, le colonel Craël, il est tellement entiché de chasse au renard...

– Qu'il se soit appelé Dugenou ou ma tante Fanny m'indiffère totalement, qu'est-ce... attendez une minute. S'agit-il de Sir Titus Craël ? Ce colonel Craël-là ?

– C'est lui, monsieur.

– Vous voulez dire qu'elle... – Il désignait l'endroit où, au même moment, on enveloppait le corps dans un sac de caoutchouc. – ... Qu'elle était une de ses invitées ?

– Je le suppose, monsieur.

Harkins marmonna quelque chose entre ses dents, contemplant le tracé à la craie sur le sol comme s'il souhaitait pouvoir y redéposer le cadavre.

L'inspecteur Harkins avait peu de considération pour ses supérieurs, qu'ils soient de Pitlochary, de Leeds ou de Londres. Il n'en avait aucune, indubitablement, pour ses *inférieurs*, présumant qu'ils étaient au bas de l'échelle parce qu'ils méritaient d'y être.

Mais il y avait une chose qu'il respectait : le privilège. Les Craël en avaient autant que n'importe qui dans le Yorkshire.

Et maintenant il se retrouvait en conflit avec lui-même : d'un côté, il aurait bien aimé laisser choir le cadavre là où il l'avait trouvé et déléguer à Londres le souci d'éclaircir l'affaire. Mais, d'un autre côté, il était Ian Harkins.

II

Matinée à York

Melrose Plant posa le journal sur son genou et retourna le sablier.

– Où as-tu déniché ce machin ?

Lady Agatha Ardry était séparée de son neveu par le chatoiement d'un tapis d'Axminster et un plat à gâteaux à étages. Elle avait passé cette dernière heure vautrée comme un bébé baleine sur le divan de soie à engloutir des petits fours et des galettes au gingembre, une opération qu'elle avait baptisée son « petit onze-heures ».

Des petits fours à onze heures du matin ? Melrose frissonna mais répondit à sa question.

– Dans une boutique d'antiquités près des Abattoirs.

Il repoussa sur son nez élégant ses lunettes à monture d'or et reprit sa lecture.

– Eh bien ?

Elle tenait sa tasse de thé le petit doigt en l'air. Elle devait en être, calcula-t-il, à la troisième ou quatrième tasse.

– Eh bien, quoi ?

Il tourna la page, à la recherche d'un problème de mots croisés pour dissiper son ennui.

– *Pourquoi* es-tu assis là à le retourner toutes les minutes ?

Melrose Plant la regarda par-dessus la monture de ses lunettes.

– C'est un sablier, chère Agatha. Si je devais le retourner toutes les minutes, il ne servirait plus à rien.

– Ne sois pas sibyllin. Ne goûtes-tu pas à ce thé délicieux que Teddy a préparé pour nous ?

– Teddy ne s'apercevra même pas que je n'ai touché à rien.

Teddy. Toute femme permettant qu'on l'appelle *Teddy* méritait de voir Agatha s'inviter chez elle pour quinze jours. Il se demanda ce que ce *Teddy* pouvait bien signifier : Theodore, si l'on en croyait son physique excessivement corpulent et ses cheveux flamboyants comme un buisson ardent. Ce matin, elle était sortie courir les magasins.

– Tu n'as toujours pas répondu à ma question sur le sablier. Pourquoi l'as-tu retourné ? Il y a une pendule parfaitement exacte sur la cheminée. – Elle examina l'objet en plissant les paupières. – Je me demande combien Teddy l'a payée. Elle m'a l'air italienne.

D'ici dix minutes, elle aura expertisé et évalué la pièce entière, songea Melrose.

– Autrefois, expliqua-t-il, les bancs d'église avaient des rideaux et les pasteurs posaient un sablier sur la chaire. S'il décidait d'abreuver l'assistance d'un supplément d'éloquence, le pasteur retournait le sablier. Si quelqu'un en avait assez de ces prêchi-prêcha il tirait le rideau. Lord Byron, à ce que j'ai cru comprendre, alors qu'il était en visite chez des amis du Yorkshire, s'est rendu à l'église avec eux et a aussitôt tiré le rideau.

Agatha rumina la chose, sur le plan aussi bien littéral que figuratif, tout en mangeant un petit four nappé d'un affreux glaçage bleu. Après un de ses rares silences, elle dit :

– Melrose, te rappelles-tu cet étrange oncle Davidson ? Celui du côté de ta chère maman ? Lady Marjorie ?

– Je me rappelle le nom de ma mère, effectivement. Quant à cet oncle, eh bien, qu'a-t-il de particulier ?

– Il était complètement *fou*, tout le monde le savait. Il s'exprimait d'une façon très bizarre et je me demande parfois... – Elle dépouillait un autre petit four de son délicat emballage de papier. – C'est simplement, vois-tu, que tu dis et fais les choses les plus singulières. Voilà maintenant que tu t'avises d'aller dans un affreux village de pêcheurs au bord de la *mer*...

– C'est là, généralement, que sont installés les villages de pêcheurs.

Il se souvint qu'elle avait d'abord parlé d'un « pittoresque hameau de pêcheurs » avant de découvrir que l'invitation ne l'incluait pas.

Elle frissonna.

– La mer du Nord, en plein cœur de l'hiver ! Ah, s'il s'agissait de Scarborough en été, ne serait-ce pas plus agréable ?

Catégoriquement désagréable, songea Melrose. Scarborough en été, ce serait des planches sur la plage, des baigneurs, et Agatha lui collant aux trousses comme une moule de bouchot. Melrose bâilla et tourna une autre page du *York Mail.*

– Je ne comprends toujours pas pourquoi tu *songes* même à y aller.

– Parce que j'ai été invité, chère tante. C'est la raison pour laquelle on se rend généralement quelque part.

Naturellement, la flèche manqua son but : Agatha s'était invitée *elle-même* chez Teddy quand elle avait découvert que Melrose se rendait en voiture dans le Yorkshire. Ma foi, il s'était dit qu'il pouvait difficilement refuser de l'emmener jusqu'à York ; c'était sur son chemin. L'étape ne lui déplaisait pas franchement non plus. York était une ville merveilleuse. Il y avait la cathédrale avec sa chaire dorée, et le quartier des Abattoirs avec ses boutiques et ses vieux cottages de guingois, pressés les uns contre les autres. Et il avait même découvert hier dans un recoin perdu de la ville un charmant club pour hommes où il pourrait se relaxer dans un fauteuil de cuir craquelé jusqu'à ce que mort s'ensuive. Ce matin, il s'était promené un peu autour des remparts. Magnifique vieille ville.

– ... seulement un baronet.

Melrose émergea de ses réflexions sur les remparts et les portes de la cité d'York.

– Quoi ?

– Ce Sir Titus Craël. Ce n'est qu'un baronet. Tandis que *toi...*

– Tandis que moi je ne suis qu'un roturier. Nous sommes légion. Nous surgissons partout en Grande-Bretagne. J'ai entendu dire, mais ce n'est peut-être qu'un bruit sans fondement, que nous avions cerné Londres et déjà capturé la Cornouaille. Bien qu'il se puisse que nous la rendions.

Il fit claquer son journal.

– Oh, cesse donc de dire des bêtises, Melrose. Tu sais pertinemment de quoi je parle. Personne ne te laissera t'en tirer en étant simplement Melrose Plant. Au lieu de comte de

Caverness, j'entends. *Et* douzième vicomte d'Ardry, petit-fils de...

Elle embrayait comme un joueur d'orgue de Barbarie et aurait tourné sa manivelle jusqu'à épuisement de tout le lot de ses titres s'il ne l'avait interrompue :

— On sera bien obligé de me laisser m'en tirer ainsi, puisque je l'ai fait moi-même. Bizarre comme ce vieux globe continue à tourner sans mon titre.

— Je ne vois toujours pas pourquoi tu affectes d'y renoncer. Tu ne fais pas de politique. Ton père aurait pu, mais pas toi. Tu ne sollicites rien.

Sauf de prendre la porte, songea Melrose. Elle insistait toujours sur le sujet, mais il n'avait pas l'intention de lui donner des explications. Il se renversa en arrière dans son fauteuil et contempla le plafond, songeant à son père qu'il avait beaucoup aimé et admiré. Sauf pour toutes ces stupides histoires de chasse. C'est la chasse, supposa-t-il, qui en avait fait un ami si cher de Titus Craël, que Melrose n'avait pas vu depuis trente ans. Le seul souvenir qu'il conservait de Sir Titus remontait au jour où Melrose était allé à la chasse au renardeau. Il se revit, le renard mort dans les mains, une haute et imposante silhouette à côté de lui. Ils procédaient à cette abominable initiation, lorsqu'on asperge l'apprenti chasseur du sang de la bête. Melrose se retrouva avec son visage d'enfant de dix ans barbouillé du sang du renard.

Où cela s'était-il passé ? Il était incapable de s'en souvenir. Quelque part dans les comtés du centre de l'Angleterre ? Dans le Rutland, peut-être ? Ou même ici, dans les *moors*, les landes du Yorkshire. Il se rappelait seulement des gouttes de sang sur la neige. Après cela, chasser ne l'avait plus jamais tenté...

— La maison de Teddy me paraît une vieille demeure très convenable, conclut Agatha, interrompant de nouveau la rêverie de son neveu. Elle vaudrait, à mon avis, une petite fortune au prix actuel du marché. Ceci est un plafond des frères Adam. Fin XVIIIᵉ...

Melrose avait déjà longuement étudié ses pastels délicats et ses moulures blanches.

— Une copie.

Sur les plafonds, il était incollable. Il connaissait tous ceux d'Ardry End, sa propre demeure, centimètre par centimètre. A force sans doute de les contempler, quand sa tante venait prendre le thé.

– Je peux te dire, en tout cas, que les assiettes sont du Crown Derby. Et cette table est une très jolie Sheraton, commenta Agatha.

Melrose regarda ces deux petits yeux aigus parcourir la pièce de long en large, repérant les figurines du Staffordshire, les papiers mâchés, les verreries au décor en camée. Telle une caisse enregistreuse, l'esprit de sa tante additionnait le tout. Dans sa précédente incarnation, elle avait probablement dû être commissaire-priseur.

– Et as-tu remarqué la dimension de la *bague* que Teddy portait ce matin ? Quelle sorte de pierre supposes-tu que c'était ?

Melrose reporta son attention sur la première page de son journal.

– Un calcul biliaire.

– Tu n'arrives pas à supporter, n'est-ce pas, Melrose, que quelqu'un possède davantage que toi. – Elle regarda le plat à gâteaux. – Faisons venir ce maître d'hôtel ; il n'y a plus de biscuits au gingembre. Elle tira la sonnette, puis se réinstalla bien adossée sur le divan, après en avoir regonflé les coussins.

– Je ne me doutais pas que Teddy avait réalisé une aussi bonne affaire avec son mariage. Je pense que ses possessions sont aussi belles que celles d'Ardry End.

– Tu veux dire, depuis la mort de feu son mari, le regretté Mr. Harries-Stubbs.

– Quel cynisme de ta part, Melrose. Mais je pouvais m'attendre à ce que tu attaques aussi le mariage de ce point de vue.

Il refusait d'engager toute discussion concernant le mariage. Il commençait à désespérer de jamais trouver cet être insaisissable avec qui partager sa personne et Ardry End. C'est au sujet d'Ardry End, bien sûr, qu'Agatha se tourmentait. Elle se plaisait à effectuer des sondages, lançait toujours dans la conversation de vieux noms, de vieux souvenirs de femmes qu'il avait connues, comme elle aurait traîné des cadavres en travers de son chemin, pour tenter de le surprendre, pour l'obliger peut-être à dévoiler quelque amour secret dont elle n'était pas instruite et qui lui soufflerait, à elle son unique parente, le manoir d'Ardry End – ses véritables plafonds Adam, son mobilier du xviiie, ses porcelaines de Meissen et ses verreries de Baccarat. Comment

Agatha avait-elle pu se convaincre que cet héritage lui reviendrait ? Melrose était incapable de l'imaginer. Bien qu'ayant dépassé la soixantaine alors que Melrose n'avait que quarante et un ans, elle ne semblait pas s'aviser qu'il lui survivrait. Sans doute prenait-elle ses désirs pour des réalités.

– Est-ce que Vivian Rivington reviendra un de ces jours d'Italie, je me le demande ?

Encore une de ses questions obliques.

Mais Melrose n'y répondit pas ; son œil était rivé sur un article en première page du *York Mail*.

Il y avait eu meurtre à Rackmoor.

D'après le compte rendu, le corps d'une femme vêtue d'une espèce de costume de comédie avait été découvert gisant dans une rue écartée. La police du Yorkshire allait sûrement procéder bientôt à une arrestation. (Ce qui signifiait qu'on ne savait rien sur ce meurtre.) La femme, présumait-on, était une parente de Sir Titus Craël, député et grand veneur – un des citoyens les plus influents et les plus fortunés du Yorkshire.

Une parente de Sir Titus – du coup, Melrose ne savait vraiment plus que faire. Survenir dans ce moment sinistre de l'existence des Craël, invité ou pas... peut-être devrait-il simplement boucler sa valise pour retourner à Northants et envoyer ses excuses... Northants, Agatha, et le malaise général. Il n'y avait pas de malaise à Rackmoor actuellement, il l'aurait parié.

Il y avait du sang sur la neige...

– Qu'est-ce que tu as, Melrose ? Tu es blanc comme un mort.

Par chance, tout commentaire lui fut épargné grâce à l'entrée de Miles, le majordome de la maison Harries-Stubbs, à qui Agatha déclara :

– J'aimerais d'autre thé et un ou deux de ces biscuits au gingembre. Mais veuillez prier la cuisinière de veiller à ce que la crème Chantilly soit plus mousseuse. Dites-lui de la battre davantage.

Miles la regarda avec des yeux à l'épreuve des balles. Agatha réussissait toujours à perdre très vite sa popularité auprès des domestiques.

– Bien, Madame, fut sa réponse glacée.

D'un ton plus cordial, il s'adressa à Melrose :

– Et vous, *my lord*. Y a-t-il quelque chose dont vous ayez besoin ?

– Le téléphone, répliqua Melrose. Je veux dire... cela vous dérangerait-il d'appeler pour moi ce numéro et de voir si cette personne est là ?

Il arracha une feuille de son agenda et la tendit au majordome.

– Je vous en prie, *my lord*.

– Qui appelles-tu, Melrose ?

– Des esprits du fin fond de l'abîme, dit-il en essayant de cacher le journal entre les bras et le coussin du fauteuil.

Si elle apprenait qu'un meurtre avait été commis dans l'endroit même où il se rendait, elle ne le quitterait pas d'une semelle, piétinant le plus maigre indice qu'on pût encore y trouver. Agatha se prenait pour un auteur de romans policiers. Elle ne s'était jamais remise de ce qu'elle appelait « sa solution » des assassinats commis dans leur propre village.

Le majordome entra d'un pas majestueux.

– J'ai... – Il jeta un coup d'œil vers Agatha. – ... votre correspondant en ligne.

– Merci. Je vais le prendre dans l'autre pièce.

Ces majordomes étaient étonnants. Melrose songea au sien, Ruthven. Ils étaient capables de lire dans vos pensées même quand il n'y avait pas de pensées à lire. Il regarda Agatha et quitta la pièce.

Oui, bien sûr que Sir Titus tenait toujours à ce que Melrose vienne, peut-être maintenant plus que jamais. Il y avait des policiers plein la maison, plein Rackmoor. Il était même question de faire appel à Scotland Yard. Titus Craël rit, mais sans beaucoup de conviction. A la façon dont ils questionnaient Julian, eh bien, on croirait qu'il est un suspect.

– Écoutez, mon cher garçon, reprit Titus Craël. Vous pourriez nous aider, vous savez. Je suis un peu inquiet.

– A quel sujet, Sir Titus ?

– Je ne sais pas, à franchement parler. C'est très déroutant. Elle était... ma foi, nous parlerons de tout cela quand vous viendrez ici.

Melrose eut beau essayer de se rappeler Julian Craël, il n'y réussit pas. A son avis, ils ne s'étaient jamais rencontrés, même dans leur enfance. Néanmoins, il accepta de venir comme prévu et d'apporter toute l'aide dont il serait capable.

— A qui parlais-tu ? questionna Agatha quand il rentra.

— A Sir Titus Craël. Pour lui annoncer le moment de mon arrivée. Je compte que le trajet prendra deux heures.

Quand le majordome reparut avec le thé, les friandises et quelques coups d'œil meurtriers à l'intention d'Agatha, Melrose demanda :

— Voudriez-vous fourrer mes affaires dans mon sac, Miles ? Je ne vais pas tarder à partir.

Miles hocha la tête et sortit.

— Veux-tu dire que tu pars maintenant ? — Le biscuit au gingembre restait en l'air, comme un petit avion. Melrose hocha la tête. — Que tu vas traverser en plein hiver les *moors* du comté d'York ?

— Cet « au-delà d'où nul ne revient » ? Ce n'est peut-être pas une mauvaise idée, somme toute.

Elle le dévisagea.

— A propos de ton oncle Davidson, tiens, je me rappelle...

Melrose Plant retourna le sablier.

III

Après-midi à Islington

1

Des êtres minuscules tentaient de le clouer au sol, comme Gulliver, quand l'inspecteur principal Richard Jury fut brutalement tiré de son rêve par la sonnerie du téléphone. D'un mouvement somnolent, il vérifia si ses bras étaient retenus par des cordes et, les trouvant dégagés, souleva le récepteur. Onctueuse de sarcasme, la voix du commissaire Racer glissa le long du fil.

– Il est une heure passée et vous êtes encore en train de vous refaire une beauté en dormant, hein, Jury ? Ces dames de la police vont en perdre la tête. Ne soyez pas cruel, mon ami.

Jury bâilla. Inutile de rappeler à son chef qu'il n'avait pratiquement pas fermé l'œil au cours des dernières quarante-huit heures. Et pas la peine non plus de recourir à Freud pour mettre un nom sur les Lilliputiens qui l'avaient ligoté dans son rêve.

– Vous voulez quelque chose, monsieur ?

– Non, Jury, je ne veux rien de spécial, énonça Racer avec un calme affecté. Je téléphonais pour bavarder un peu. Jury, vous figurez sur le tableau, bon Dieu !

Jury savait qu'il était de service. Mais il ne venait qu'en troisième position ; il y avait au moins deux hommes avant lui. Il se redressa péniblement dans son lit et se frotta énergiquement les cheveux, s'efforçant d'éveiller son cuir chevelu avec l'espoir que l'opération agirait aussi sur son cerveau.

– Roper ne se trouvait-il pas inscrit avant moi ?

– Il n'est pas disponible ! rétorqua sèchement Racer.

C'est impossible, songea Jury ; Roper était prêt à répondre présent vingt-quatre heures sur vingt-quatre, au bas mot. Racer avait-il seulement tenté de le joindre ?

– La police du Yorkshire nous a téléphoné. On a besoin de quelqu'un là-bas. Pronto.

Jury se sentit défaillir. Le Yorkshire.

– Vous êtes sûr...

– ... village appelé Rackmoor. – Jury entendit un froissement de papiers tandis que Racer lui coupait la parole. – Un village de pêcheurs sur la mer du Nord.

Racer l'annonçait avec une délectation évidente.

Jury ferma les yeux. L'an dernier à cette époque, ç'avait été le Northamptonshire. Plutôt glacial. Il n'avait rien contre le Yorkshire au printemps, le Yorkshire en été, le Yorkshire en automne. Mais pas en janvier. Racer allait-il l'emmener de plus en plus loin vers le nord, comme un attelage de huskies ? Il regarda au-dehors par la fenêtre de sa chambre et vit des plaques de neige. Quelques-unes seulement, éparpillées là comme les vestiges d'un autre hiver. Fermant de nouveau les yeux, il vit les landes du Yorkshire – grandioses et vastes espaces couverts d'une épaisse croûte de neige. Il se vit (ou plutôt s'entendit) marcher – *crac, crac, crac* – à travers les landes désertes. Puis, d'un habile effet de zoom, il se vit sombre et minuscule dans toute cette blancheur et ses traces comme des empreintes de pattes d'oiseau. Il sourit. Jury éprouvait une attirance obsessionnelle pour les vastitudes de neige vierge. Il adorait patauger dedans.

Le récepteur couina ; ses yeux se rouvrirent d'un coup. Il avait dû s'endormir.

– Oui, monsieur ?

– Je disais, venez au bureau. Dépêchez-vous. Il y a eu un meurtre là-haut et ils nous réclament. Wiggins pourra vous donner les détails.

– Quand est-ce arrivé ?

– Il y a deux jours. Deux nuits, plutôt.

Jury gémit.

– Cela signifie qu'on a déplacé le corps. Cela signifie...

– Cessez de gémir, Jury. La vie d'un policier n'est qu'une vallée de larmes.

Une demi-heure plus tard, Richard Jury abordait enfin de plain-pied ce qui pouvait passer pour une journée faiblement ensoleillée. Il s'arrêta devant la rangée de boîtes aux lettres métalliques accrochées près de la porte d'entrée, ne trouva dans la sienne que des circulaires, les refourra dans la boîte et descendit le perron de pierre. Le petit square de l'autre côté de la rue était délicatement inondé d'un soleil pâle, mariant ses verts décolorés et ses ors ternis comme un tableau défraîchi.

Une fois à la grille, il se rappela qu'il avait un petit cadeau pour Mrs. Wasserman et revint sur ses pas, remontant la courte allée puis descendant les quatre marches qui conduisaient à son logis en demi-sous-sol. Il frappa, mais sans insistance, pour ne pas l'effrayer. Silence à l'intérieur. Elle se demandait probablement si elle devait répondre. Un rideau à sa gauche s'écarta d'une chiquenaude et, à travers la double grille de fer de la fenêtre, il vit son œil et son nez. Mrs. Wasserman était dans un état de paranoïa très avancé. Pour elle, Islington était le ghetto de Varsovie. Il la salua de la main. Le rideau retomba. La chaîne cliqueta en se retirant et la porte s'ouvrit. Son ample poitrine et son large sourire apparurent.

– Monsieur Jury !

– Bonjour, madame Wasserman. Je vous ai apporté quelque chose.

Jury tendit un petit paquet sorti de la poche de son imperméable.

Elle défit l'emballage et éleva en l'air le sifflet avec un air épanoui.

– C'est un sifflet d'agent de police, expliqua Jury. J'ai pensé que vous vous sentiriez peut-être un peu plus rassurée quand vous irez au marché ou Passage Camden avec ça autour du cou. Soufflez seulement une fois dedans et vous verrez accourir auprès de vous dans la grand-rue d'Islington tous les flics à plus d'un kilomètre à la ronde.

C'était monstrueusement exagéré, mais il savait qu'elle n'aurait jamais besoin de s'en servir. Il avait déniché ce vieux sifflet dans une boutique d'antiquités près du passage.

Jury avait souvent observé de sa fenêtre Mrs. Wasserman sortant dans l'allée avec son manteau noir, son chapeau plat noir et son cabas à fleurs. Elle s'arrêtait en deçà de la grille, regardait des deux côtés. La grille franchie, encore de chaque côté. Le long du trottoir, un regard sur les côtés et un petit coup d'œil derrière elle.

Au fil des ans, elle lui avait demandé quelquefois – très humblement – de l'accompagner jusqu'à la grand-rue. Pour alléger sa gêne, il lui disait qu'il allait justement dans cette direction et les jours où il n'était pas à New Scotland Yard, sa vie s'organisait de façon si élastique que peu lui importait de prendre tel ou tel itinéraire. Il la regardait maintenant s'exercer à souffler dans le sifflet, avec un contentement enfantin. Il la dominait de toute sa taille, cette petite femme plutôt corpulente, dont les cheveux noirs tirés en chignon l'étaient si fortement qu'on aurait dit un bonnet de satin. Sur la robe bleu marine brillait une broche en filigrane. Il se demanda ce qu'avait été sa jeunesse avant la guerre. Elle avait dû être très, très jolie naguère.

C'est ce qu'il avait en commun avec elle... la guerre. Ses propres parents y avaient disparu. Son père à Dunkerque, sa mère dans le dernier bombardement aérien sur Londres, le dernier blitz. Il avait sept ans quand leur maison s'était effondrée sur eux deux comme un château de cartes. Il l'avait cherchée, dans l'obscurité, toute la nuit et avait fini par la retrouver sous les restes carbonisés des poutres et des briques, par voir son bras, sa main allongés sur les décombres, émergeant de ces débris comme la main d'un dormeur de dessous une courtepointe sombre. Sept années durant, il avait ensuite été passé de main en main, de tantes à cousins et vice versa, jusqu'à ce que, à l'âge de quatorze ans, il prenne la poudre d'escampette et se débrouille seul.

Depuis, il ne pouvait plus apercevoir une main de femme, un bras reposant sur le tissu sombre d'un fauteuil ou le bois d'une table sans éprouver cet engourdissement saisissant, comme si son esprit avait été cautérisé. Cette image qui, dans le cours ordinaire des événements, aurait dû être absolument hideuse, était au contraire dotée de cette « beauté terrible » célébrée par le grand poète anglais Yeats. Cette main de porcelaine sur la noirceur d'un bâtiment fumant de Londres apparaissait dans ses rêves comme une lanterne dans la nuit, une lumière dans la forêt.

– Inspecteur Jury, dit Mrs. Wasserman, l'obligeant à quitter ce bâtiment en feu, je ne sais comment vous remercier. C'est trop gentil à vous. – Elle s'agrippa à son bras comme à quelque espar encore flottant d'un navire en train de sombrer. – Mon frère, Rudy, vous savez, celui à qui j'écris, celui qui habite Prague. Est-ce qu'on leur donne leur courrier sans le censurer, à votre avis ?

Jury secoua la tête ; il l'ignorait.

– Qui sait ? reprit-elle. Mais je lui dis de ne pas se tourmenter pour moi. Il se tracasse tellement. Je lui explique qu'un policier habite ici. Non, pas simplement un policier. Un véritable Anglais. Dieu vous bénisse.

Il essaya de sourire mais ne put qu'avaler péniblement sa salive, détourna les yeux pour regarder là-bas, derrière lui, le square diapré de soleil.

– Merci, madame Wasserman.

Alors, il sourit enfin et porta deux doigts à sa tête dans un bref salut.

Suivant le Passage Camden d'un pas vif, il se sentit comme enivré. Cette brave femme avait éclairé une partie de sa journée. Après vingt ans de Scotland Yard et bien qu'ayant côtoyé la lie de l'humanité, Jury n'en avait jamais été réduit à s'abandonner au pur cynisme.

Un véritable Anglais.

A ses yeux, c'était encore le suprême compliment.

2

– C'est sur la côte. Un village de pêcheurs – ou qui pratiquaient la pêche autrefois – près de Whitby. Un endroit plutôt touristique maintenant, du moins en été.

Le sergent Alfred Wiggins sortit un mouchoir grand comme une nappe à thé et se moucha avec conviction. Puis il rejeta la tête en arrière et s'injecta des gouttes dans les narines avec une minuscule fiole compte-gouttes, en reniflant profondément après chaque application. Wiggins avait réussi à transformer l'hypocondrie en art, voire même en sport.

– Vous avez toujours ce rhume, sergent ? – La question était tellement de pure forme que même Wiggins ne se donna pas la peine d'y répondre. – Les types du Yorkshire ne peuvent pas s'occuper de ce meurtre ? Ce ne sont pas des imbéciles, pourtant.

– Pas question seulement du meurtre.

Avec le temps, Jury avait appris à interpréter le langage secret de salle d'hôpital utilisé par le sergent Wiggins. Il avait si souvent du tissu devant la figure ou une pastille dans la bouche que ses messages s'apparentaient à un rébus en langage runique.

– « Pas seulement le meurtre » ? Qu'est-ce que vous voulez dire par là ?

Wiggins reboucha le petit flacon et inclina la tête en avant pour accélérer le processus d'écoulement.

– Il y a des complications, selon eux. La victime, une certaine Gemma Temple, d'après un témoin de Rackmoor, serait en réalité quelqu'un d'autre.

Jury se demanda comment il allait gratter les verrues de ce message pour voir si quelque indication émergerait.

– Pensez-vous pouvoir m'expliquer ça ?

– Oui, monsieur. Ce que voulaient dire les collègues, c'est qu'il y a des doutes sur l'identité réelle de cette femme. Elle n'était à Rackmoor que depuis quatre jours, elle logeait dans une auberge. A dit que son nom était Gemma Temple. Mais d'après cette famille appelée Craël, elle était en réalité une de leurs parentes. Incognito, quelque chose comme ça. – Wiggins feuilleta ses notes. – Dillys March. Voilà le nom que les Craël lui donnent. A joué la fille de l'air, il y a quinze ans. Venait juste de revenir à la surface. Et s'est fait assassiner.

– On n'est pas *certain* de son identité ? questionna Jury. – Wiggins secoua la tête. – Voyons, on peut sûrement retrouver la trace de cette Temple...

– La police du Yorkshire sait seulement qu'elle venait de Londres, monsieur. Sa dernière adresse était dans Kentish Town. Je n'en sais guère plus.

– Le corps ?

– A la morgue de Pitlochary. C'est à une trentaine de kilomètres de Rackmoor.

– *Et* tout a été nettoyé et épousseté, j'imagine. On a probablement passé l'endroit à l'aspirateur.

Le rire de Wiggins ressemblait plutôt à un gloussement.

– Pourquoi diable est-ce apparemment toujours moi qu'on charge de ces affaires à retardement ? Des suspects ?

Wiggins secoua la tête.

– On n'a pas dit grand-chose à ce sujet, sinon qu'une espèce de peintre fou discourait sur le meurtre au pub le même soir. Déclamait quelque chose à propos de Raspoutine.

Jury leva les yeux de sa tasse de thé.

– Raspoutine ? Qu'est-ce qu'il vient faire là-dedans ?

– Un Russe quelconque. Il parlait des êtres supérieurs qui assassinent.

Jury réfléchit un instant.

– Raskolnikov ?

– Tous des noms de ce genre-là, ces Russes.

Jury consulta sa montre.

– Est-ce que vous nous avez dégoté un train ?

– Oui, monsieur. De la gare de Victoria, pas avant cinq heures, malheureusement. On viendra nous chercher à York.

IV

Brouillard à Rackmoor

1

Le ventilateur de la petite Ford Escort brassait l'air de toutes ses forces, soufflant de la chaleur sur le plancher mais nulle part ailleurs. Jury avait les pieds brûlants et le nez glacé.

Les landes du nord du comté d'York s'étendaient à l'infini, blanches et glacées. Dans le lointain, l'horizon s'estompait en teintes de gris quasi translucides. Ils avaient aperçu quelques murs de pierre sèche, presque incongrus sur cette terre désertique sans clôtures ni cultures. Pas de routes ni de voies ferrées, aucune ferme ni haie, pas de murs, de silos ou de granges. Les landes s'étiraient comme un autre pays.

Pendant près de cent kilomètres, ils avaient roulé depuis York droit comme une flèche. Seul un arrêt à Pitlochary permit à Jury et Wiggins de voir le corps de la femme assassinée et de parler au médecin qui avait pratiqué l'autopsie. Les deux détectives avaient réussi à s'octroyer quelques heures de sommeil et c'était maintenant le petit matin, le matin le plus précoce que Jury pensait avoir jamais vu.

Ils traversèrent bientôt la lande de Fylingdales où s'élevaient, tels de monstrueux champignons, les dômes géodésiques du système de radars d'alerte instantanée de la Marine américaine. Près de la route, égrenés sur le bas-côté, paissaient une demi-douzaine de *moorjocks*, les moutons à face noire des landes, leur laine bouclée transformée en écailles par le gel. En parvenant à leur hauteur, Jury descendit la vitre. Le dernier de la file s'était arrêté pour se gratter contre un très vieux calvaire et il regarda d'un air intrigué la voiture s'éloigner.

Jury songea au corps de la jeune femme qu'il venait de voir, gisant sur une dalle dans la morgue de Pitlochary, et se souhaita perdu ici dans la vaste indifférence de la Nature.

– Par pitié, monsieur, fermez cette fenêtre, voulez-vous ?

Cette prière plaintive émanait de Wiggins, congelé à son volant.

Jury remonta la vitre, se radossa à la banquette et soupira, contemplant la solitude désolée, les libres immensités de neige du paysage.

Soudain, Rackmoor leur apparut, coincé au fond d'une cluse creusée entre les rochers, la mer du Nord devant et les landes derrière. L'endroit dégageait une atmosphère de secret, presque de culpabilité.

Ils durent se garer dans un parking situé stratégiquement au sommet du village. Cent mètres plus bas, dans la vertigineuse Grand-Rue, un semi-remorque s'était mis en travers, la cabine bloquée à contresens du terrible virage en épingle à cheveux, sa remorque pointant vers la pente de la rue étroite.

Jury regarda en bas la mer et les toits de tuiles rouges blottis en gradins inégaux au flanc de la falaise. Là-bas, sur l'horizon gris, un navire s'attardait, figé dans l'aube naissante. Le brouillard et les premiers feux matinaux enveloppaient le village d'un voile de fumée d'une couleur égale, percée çà et là par la teinte brun-rouge des toits. Comme dans les landes, Jury eut l'impression à nouveau d'être prisonnier de quelque courbure du temps, d'un chemin qui n'allait nulle part.

– Eh bien, je pense qu'il n'y a plus qu'à marcher, dit Wiggins en flairant tristement l'air marin.

Il devait exister de meilleurs climats, semblait dire son nez.

Comme ils passaient devant *la Cloche,* un pub situé à leur gauche, ils entendirent les cris du chauffeur de camion qui, la tête hors de sa cabine, apostrophait une poignée de villageois. Jury se demanda quelle foi aveugle dans les lois de la pesanteur avait pu amener ainsi le semi-remorque à tenter de s'engager, même sur quelques mètres, dans la Grand-Rue. Se faufilant entre la cabine et la boutique d'un poisson-

50

nier – lequel était sorti, drapé dans son tablier blanc, pour se trouver nez à nez avec le camion – ils contournèrent ce virage hallucinant et poursuivirent leur chemin à droite. La voie à cet endroit formait palier, ce qui semblait avoir favorisé l'éclosion d'une série de magasins : un dépôt de journaux avec des tourniquets de cartes postales qu'il y aurait peu de touristes pour acheter en janvier ; une épicerie où une femme grisonnante disposait des navets en vitrine en dévisageant d'un œil commercial Jury et Wiggins ; un petit immeuble sur la droite – la Galerie de Rackmoor – où un chat gris tacheté dormait derrière la fenêtre. Enfin, une petite boutique exposant des robes aussi simples et brunes que les pavés qu'ils foulaient.

Un second parking, indispensable à l'évidence, avait été aménagé sur un plateau à leur droite. Le tournant suivant, à gauche, débouchait sur une autre pente rapide qui s'ouvrait sur la mer, comme une image en trompe-l'œil placée au fond d'un tunnel. De chaque côté, il y avait des petites impasses et des sentes minuscules. Dans une ruelle étroite, appelée le Chemin du Pont, quelques marches montaient, bordées d'un petit ruisseau. Les trottoirs étaient des escaliers, les toits donnaient sur d'autres toits.

Au bout de la Grand-Rue s'arrondissait une petite baie. Ce matin, les vagues déferlaient loin au large et la mer, privée pourtant de soleil, projetait le reflet de son propre éclat sur les rochers et les flaques d'eau. De petites embarcations – les *cobles*, ces barques à rames et à voiles, et d'autres bateaux de pêche – étaient tirées au sec au plus haut de la grève et peintes de couleurs vives : bleu saphir, aigue-marine.

L'enseigne du *Vieux Renard Trompé* se balançait, fouettée par un vent vif. Un renard, quelque peu meurtri par de trop nombreuses chasses, y paressait près d'un buisson dans le soleil tamisé, en mangeant des raisins. Entre broussailles et arbres, il y avait des chiens, probablement toute une meute, qui semblaient surveiller l'infortunée créature.

Jury et Wiggins contournèrent la baie et montèrent vers le pub. Il y avait là, garée devant la porte, la plus pimpante des petites voitures de sport que Jury eût jamais vues. Une Lotus Elan.

Wiggins siffla doucement.

– Dites donc, regardez ça. Me coûterait bien une année de salaire, sûrement.

– Je me demande comment elle a franchi l'Arctique ? commenta Jury. D'un coup d'aile, probablement.

Mrs. Meechem – « Kitty », précisa-t-elle à Jury, levant vers lui des yeux rendus songeurs par sa taille, par son sourire, ou encore par sa carte d'identité, voire les trois à la fois – les amena dans une petite salle à manger à l'arrière du pub. La pièce était séparée du bar par une porte s'ouvrant sous une poutre basse formant linteau. Jury dut se baisser pour passer dessous.

Un homme mince d'aspect jeune se leva de la table. Le propriétaire de la Lotus, vraisemblablement. C'était sans doute aussi l'inspecteur Harkins, de la Police judiciaire de Pitlochary. Assis à côté de lui, un petit bonhomme tout rond paraissait avoir envie de rentrer sous terre.

– Je suis Harkins. – Il serra la main de Jury, après avoir soigneusement ôté un gant gris perle. – Bien aimable à vous de venir prêter assistance, et aussi rapidement.

Ça, songea Jury, c'est un mensonge. Harkins n'avait nullement l'air de juger cela agréable. On ne pouvait guère blâmer les policiers de province de mal digérer que leur autorité soit usurpée. Néanmoins, cela constituait un problème de plus.

Harkins présenta l'autre homme.

– Et voilà Billy Sims. Il est veilleur ici.

– Veilleur ? C'est quoi, au juste, monsieur Sims ?

Billy Sims pétrit son bonnet entre ses mains et regarda partout dans la pièce excepté vers Scotland Yard.

– Me v'là veilleur depuis dix ans. Le colonel Craël, il me paie pour le faire.

Visiblement plus pour abréger l'explication que pour la clarifier, Harkins dit :

– C'est une vieille tradition. Autrefois, le veilleur était responsable de la sécurité du village. Pas à Rackmoor. Je ne crois pas qu'il y en ait jamais eu un avant que Sir Titus se mette cette idée en tête. Mais il en existait naguère un à Ripin, je pense. Billy a découvert le cadavre.

– Je vois. Quand avez-vous trouvé cette femme ?

Billy Sims examinait le sol à ses pieds comme si l'affreuse vision allait réapparaître sur le plancher.

– C'était aux alentours de minuit sur le Pas de l'Ange...

– Entendu ou vu quoi que ce soit ?

Billy nia avec force, à s'en décrocher la tête.

– Ah, non, monsieur !

– Cela nous rendrait service si vous veniez avec nous juste quelques instants, jusqu'à cet escalier.

Jury crut sincèrement que le pauvre Billy, comme dans un mauvais film, allait se jeter à genoux pour agripper son manteau.

– Ah, s'il vous plaît, monsieur, j'aimerais mieux pas. Tellement affreux à voir.

Billy semblait vraiment terrifié.

– Eh bien, d'accord. Vous nous avez été d'un grand secours.

Harkins aurait difficilement pu avoir l'air moins de cet avis tandis qu'ils regardaient s'éloigner Billy Sims.

Jury jeta son manteau sur une chaise et s'assit. Harkins, remarqua-t-il, n'avait pas enlevé son coûteux manteau en poil de chameau. Harkins se montrait fort peu désireux de rester une minute de plus que le devoir ne l'exigeait formellement.

– Vous êtes allé à Pitlochary ? Vous avez vu le corps ? demanda-t-il.

Jury inclina la tête. Harkins tendit un dossier en papier bulle, étiqueté et en ordre parfait.

– Tout est là, inspecteur principal.

Il s'en fallut d'un cheveu que le dossier ne soit lancé sur la table.

– Richard, dit Jury. – Il tendit son paquet de cigarettes. – Vous en voulez ?

Harkins secoua la tête, accorda à Jury un sourire style lame de couteau et sortit de sa poche un étui en cuir.

– Je ne fume que de ceux-là. Cubains, très bons. Vous en aimeriez un ?

– Bien sûr. Merci.

Jury leur donna du feu à tous deux, puis ouvrit le dossier. Il regarda les clichés pris par le photographe.

– Qui fait vos prises de vues ? C'est un travail excellent.

– Un gars du pays.

– Décrivez le cadre, voulez-vous ?

Il y eut un bref silence.

– Tout est dans le dossier, inspecteur.

– Oui. Je suis sûr que le rapport est très complet. Mais l'entendre me donnerait une meilleure perspective sur les choses. Vous avez l'avantage sur moi, vous comprenez. Vous avez tout vu et moi pas.

– L'avantage ? Cela ne signifie pas, j'espère, que vous finirez par nous repasser le bébé.

Il grimaça un sourire. Nul doute que Harkins se sentait dans la peau de la Petite Poule Rousse qui faisait le pain tandis que ce Jury était la dinde qui survenait pour le manger.

Kitty Meechem apporta du café, évitant ainsi à Jury de répondre. Comme les tasses passaient à la ronde, Wiggins regarda Kitty d'un air plutôt lugubre et demanda du thé. Il sentait, dit-il, qu'il allait récolter une saleté ; l'air de la mer n'avait jamais convenu à ses sinus.

Serrant son plateau contre sa poitrine comme un paquet de lettres d'amour, Kitty déclara :

– Alors ce n'est pas du thé qu'il vous faut, monsieur. Une bière beurrée, ça sera tout indiqué.

Elle sortit d'un mouvement vif. Séduisante, songea Jury : d'âge moyen, potelée, des boucles châtain satinées.

– Qu'est-ce que c'est que cette bière beurrée ? chuchota Wiggins.

– Je l'ignore, dit Jury, mais cela ressusciterait un cheval mort, j'en suis sûr.

– Mais, monsieur, je ne peux pas boire quand je suis de service...

– Prescription médicale, sergent.

Jury prit le dossier – Harkins semblait en effet mal disposé à utiliser les moyens normaux de communication – et étala les photographies.

L'une d'elles montrait une volée de marches de pierre. Sur la plus large, il y avait un banc en pierre brute, niché dans une alcôve du mur sur le côté gauche de l'escalier. Jury nota la position de la morte.

Le corps gisait tête en bas, débordant en partie du palier. Les jambes étaient repliées, le torse étalé le long de deux marches, le bras droit rabattu par-dessus la tête et le long d'une troisième marche, le bras gauche coincé entre le buste et le mur. Le visage était tourné vers le haut mur de gauche. Ce qu'il pouvait en voir était maculé de sang et de fard gras – noir, blanc et rouge sombre impossibles à distinguer avec un tel éclairage. Le loup noir qui avait masqué les yeux pendait au bout de son élastique. La chemise de satin blanc semblait presque phosphorescente sous le coup de flash de l'appareil. Les bottes reflétaient la lumière. La cape noire flottait en bas des marches. La photo montrait le corps la tête la première à la renverse. Très dramatique. Jury regrettait seulement de ne pas avoir vu le cadavre *in situ*.

Il referma le dossier, posa le menton sur ses mains et dit à Harkins :

– Le médecin légiste... quel est son nom ?

– Dudley. Il vient donner un coup de main de temps à autre.

– Il dit qu'il ne sait pas ce qui a provoqué ces blessures. Avez-vous des idées là-dessus ?

Harkins détourna les yeux, parut réfléchir. Il ouvrait la bouche quand Kitty rentra avec la boisson « médicinale » de Wiggins.

– Voilà, monsieur ; cela va vous remettre d'aplomb.

Elle posa devant lui la chope d'étain.

Wiggins regarda son contenu d'un air soupçonneux.

– Qu'est-ce qu'il y a là-dedans ?

Dans cette atmosphère plutôt glaciale, le rire de Kitty était un délice à entendre.

– Un peu de sucre, du beurre et un œuf. Un œuf vient à bout de n'importe quoi, je le dis toujours.

Elle s'apprêtait de nouveau à s'en aller quand Jury l'appela :

– Kitty, j'aurai besoin de vous poser quelques questions plus tard, si vous n'y voyez pas d'inconvénient. J'ai cru comprendre que Gemma Temple séjournait ici.

– Oui, effectivement. Je serai là quand vous voudrez.

D'un geste machinal, sa main remonta vers ses cheveux.

Quand elle fut partie, Jury se tourna de nouveau vers Harkins.

– Nous parlions de l'arme.

– Oui. – Harkins fit couler la cendre de son cigare le long du cendrier en verre. – A deux pointes, dit Dudley. C'est la façon dont les trous sont espacés. Il y en a au moins quatre paires. Je me demande pourquoi le meurtrier a choisi une arme aussi peu classique.

Jury sourit.

– Pour la raison bien simple que nous sommes assis ici à essayer d'imaginer de quoi il s'agit. J'aimerais voir cet escalier du Pas de l'Ange.

– Nous sommes à votre service, monsieur l'inspecteur en chef.

Harkins se leva, effectua de menus ajustements sur sa personne comme s'il était une figurine précieuse sur le point d'être transférée du dessus de la cheminée à la table.

Wiggins avala sa bière.

– Corsé, ce machin.

Jury regretta de ne pas avoir un œuf. Un œuf, avait déclaré Kitty, vient à bout de n'importe quoi.

Les trois hommes se tenaient sur une vaste marche juste au-dessous de l'endroit où le Pas de l'Ange débouchait à gauche, sur la Rue-Qui-Grince. Jury regarda vers le bas puis vers le haut de l'escalier et l'église.

– Une rude grimpette.

Si on regardait vers Notre-Dame-du-Voile, le Pas de l'Ange était borné sur la gauche par un haut mur de pierre ; à droite, le mur n'était qu'à mi-corps, probablement pour la vue sur la mer du Nord par-dessus toits et cheminées. De la fumée montait en spirales mauves ; des goélands étaient perchés sur des corniches et éparpillés sur les galets en contrebas.

Jury regarda à nouveau vers le bas, vers le Passage de la Treille.

– Est-ce que ces grilles étaient fermées ?

– Oui.

– Il ne doit pas passer grand monde la nuit par le Pas de l'Ange.

– C'est exact.

– Existe-t-il d'autres voies d'accès aux boutiques et aux pubs ?

Harkins opina.

– De la Rue-Qui-Grince, on peut prendre par l'Allée de la Dague le long de la *Cloche*. Elle rejoint la Grand-Rue.

– Cet escalier a dû être construit pour des raisons plus religieuses ou esthétiques que pratiques.

Jury examina les photos qu'il avait apportées. Il en compara une avec l'espace vide sur les marches. Tout soigneusement nettoyé à la serpillière, pensa-t-il tristement.

Wiggins, ayant tiré de la bière de Kitty un vestige de force, s'agenouilla, les yeux fixés sur la pierre d'une marche.

– Du sang séché. Qu'est-ce que c'est que ces traits blancs ?

Il fit courir son doigt sur le mur de gauche. De fines rayures blanches étaient à peine perceptibles.

– Sa tête l'a heurté, expliqua Harkins. C'est du fard gras.
Il y avait une fête costumée.

– Racontez-moi ça, Ian, dit Jury.

– Sir Titus Craël organise chaque année une réception
pour la Nuit des Rois. Les Craël habitent la Vieille Maison.

Wiggins se releva, replia le canif qu'il avait utilisé pour
gratter un peu le granit du mur.

– Elle était de Londres, n'est-ce pas ?

Harkins hocha la tête.

– Alors, il y a peu de chances que quelqu'un l'ait suivie
ici. L'assassin devait connaître Rackmoor...

Jury fut surpris. Wiggins était le plus industrieux des
policiers et un preneur de notes efficace. En revanche, il se
hasardait rarement à avancer des déductions.

– ... C'est à cause de ce Pas de l'Ange. Seul quelqu'un d'ici
pouvait savoir que pratiquement personne ne l'empruntait.

– Vous avez raison, Wiggins. – Jury regarda les photos,
les fit glisser les unes sur les autres. – Gemma Temple, fit-il
en secouant la tête.

– *Si* c'est bien son nom.

Harkins arborait un sourire amer, l'air presque content de
jeter un bâton dans les roues.

– C'est un problème d'identité, dit Harkins.

Ils étaient de retour au *Vieux Renard Trompé*.

– D'après le colonel Craël... Sir Titus, mais il aime qu'on
l'appelle « colonel »... Gemma Temple, ou du moins la
femme qui s'appelait Gemma Temple, avait en fait prétendu
être Dillys March, disparue il y a quinze ans à l'âge de dix-
huit ou dix-neuf ans. On ne l'avait plus revue depuis. Dillys
March était la pupille des Craël.

– « Prétendu » ? Craël ne pouvait pas en avoir la certitude ?

– Le colonel Craël pensait bien, lui, qu'elle *était* la petite
March. Mais son fils Julian affirme que non. Je croyais que
ce serait facile à établir, mais je me trompais. Nous avons
fait venir de Londres la personne qui partage son logement
depuis un an avec elle, une certaine Josie Thwaite. Elle a
reconnu le corps comme étant celui de Gemma Temple,
mais ne sait pratiquement rien d'elle.

– Où donc habite cette jeune Thwaite ?

Avec une patience étudiée, Harkins désigna le dossier.

– Dans Kentish Town. Tout est là.

– Continuez.

– Elle s'est quand même souvenue que Gemma Temple avait parlé d'une famille appelée Rainey et habitant Lewisham, je crois. Nous sommes en train de vérifier. L'écriture, maintenant : on possède quelques spécimens de celle de Gemma Temple, aucun de celle de Dillys March. Pas un mot, pas une signature. Fiches de dentition : même chose. Le colonel dit que Lady Margaret – sa défunte épouse – s'occupait de toutes ces questions-là, il ne sait pas chez quel dentiste elle conduisait Dillys. Quelqu'un à Londres, a-t-il dit.

– Alors, passez-les au peigne fin. Les dentistes foisonnent, mais il y a une fiche quelque part. J'ai du mal à croire que quelqu'un puisse vivre aussi longtemps sans laisser derrière soi une preuve quelconque de son identité réelle.

Harkins riposta avec humeur :

– Eh bien, celle-ci a diablement réussi son coup.

– Pourquoi la jeune March avait-elle quitté les Craël ? Qu'est-ce qui s'est passé ?

– Elle a simplement sauté dans sa voiture et s'en est allée.

La réponse ne valait pas cher, mais Jury eut l'idée qu'il n'en obtiendrait pas de meilleure.

– Comment cette Temple est-elle arrivée ici ? En voiture ?

Harkins inclina la tête et approcha une allumette d'un autre de ses cigares cubains.

– Celle de sa camarade, Josie Thwaite. Nous l'avons inspectée. Ça n'a rien donné.

– J'imagine que Gemma Temple ressemblait à Dillys March.

– Manifestement. – Harkins souffla une série de ronds de fumée. – Compte tenu des changements survenus en quinze ans, son portrait craché.

Harkins ouvrit le dossier, dégagea de son trombone une petite photo et la laissa choir sur la table, sans un mot.

Jury l'examina. L'instantané montrait une très jolie jeune fille appuyée – prenant la pose, en réalité – contre un mur de pierre. Des cheveux lisses, sombres, tombant jusqu'au menton et s'y recourbant légèrement en boucles, une frange, des yeux noirs. Elle était en costume de cheval. Le visage était aigu, avec des yeux obliques et un menton pointu de renard. Et, de fait, son expression elle-même, avec cette bouche dont les coins relevés ne formaient nullement un vrai sourire, avait aussi quelque chose du renard. Elle ressemblait tout à fait à la femme assassinée ou, plus précisément, à ce que cette femme avait dû être quand elle était vivante, avec quinze ans de moins.

– Je pense que c'est la pupille, Dillys.

Harkins eut l'air déçu, comme si Jury avait triché à une épreuve.

– Qu'est-ce qui vous fait dire ça ?

– Le costume de cheval, tout simplement. Le colonel Craël a une réelle passion pour la chasse, n'est-ce pas ? J'ai supposé que sa pupille en avait aussi pris le goût...

Il s'arrêta. Harkins avait l'air ouvertement hostile. Jury changea de sujet :

– Ainsi le père et le fils ne sont pas d'accord ?

Harkins acquiesça d'un signe de tête et extirpa de la poche de son gilet un petit coupe-ongles en argent, comme s'il n'avait rien de plus important à offrir à sa réflexion que cette séance de manucure.

– Parlez-moi de ce colonel Craël.

Autant essayer de tirer du sang d'une pierre.

– Riche. Très riche. Son père s'est vu conférer la dignité de baronet. Les Craël opéraient dans la marine marchande, entre autres choses. Lui-même est grand veneur. Et il possède la moitié de Rackmoor, pour autant que je sache. Le village est inscrit au répertoire des monuments historiques, vous savez.

– La totalité du *village* ?

– C'est exact. Vaut la peine d'être conservé, apparemment.

– Qui sont les héritiers du colonel Craël ?

– L'héritier. Il n'y en a qu'un. Julian Craël, son fils.

Wiggins tournait sa cuillère d'un air méditatif dans une nouvelle tasse de thé.

– La fille prodigue, murmura-t-il.

Jury et Harkins le regardèrent tous les deux.

– ... la dernière personne dont voudrait le fils, c'est celle qui disparaît pendant des éternités et déclenche à son retour des déluges de larmes de joie.

Il tapota sa cuillère sur le bord de sa tasse et but.

Cette course en voiture dans les moors devait avoir aéré le cerveau de Wiggins et délié sa langue. C'était sa deuxième déclaration en moins d'une heure.

– Vous avez parfaitement raison. Ce serait vraiment la dernière personne, dit Jury.

– Cela expliquerait certainement que le fils nie qu'elle *était* cette March, poursuivit Wiggins.

– Oui. Cela étant, il avait peut-être raison. L'histoire de cette jeune femme me paraît plus que bizarre.

Quand il vit Harkins lever la tête avec appréhension... comme si surgissait brusquement quelque chose à quoi il n'avait pas pensé, Jury changea de sujet.

– Le sang a dû couler en quantité, dit-il, regardant de nouveau les photographies de la police. C'est difficile de croire qu'il n'en a pas rejailli un peu sur les vêtements de l'assassin.

– Nous avons trouvé un grand morceau de toile tachée. Éclaboussée de sang.

Merci de me prévenir, songea Jury, morose.

– Quelle genre de toile ?

– De celles qu'utilisent les peintres. Pour tendre sur un cadre. Elle pourrait provenir de chez Adrian Rees. De son atelier, comme il l'appelle. Et sur le meurtre, c'est un sacré bavard. – Harkins fit glisser un autre bout de papier hors du dossier et le poussa vers Jury. – J'ai établi ici une liste de noms pour vous. Nous avons dû interroger pratiquement tout ce satané village. J'en ai éliminé la plupart et réduit la liste aux noms qui figurent là. Vous voudrez peut-être vous entretenir avec eux en premier. Les Craël, naturellement. Et Adrian Rees est le dernier, à notre connaissance, qui ait vu Gemma Temple vivante. Il l'a croisée dans le Passage de la Treille juste avant qu'elle soit tuée.

Jury plia la liste et la mit dans sa poche.

– Alors je commencerai par lui, de préférence aux Craël.

Harkins hocha la tête et enfila ses gants.

– Vous ne verrez pas d'inconvénient, j'espère, à ce que je rentre à Pitlochary. J'attends un rapport de Londres.

C'était inhabituel – pour ne pas dire contraire aux usages – que cet inspecteur de province mette ainsi les voiles, mais Jury se tut.

Ayant enfilé son manteau qu'il ajusta d'un mouvement d'épaules, Harkins laissa tomber ce qui devait être (Jury en était sûr) son morceau de résistance :

– Oh, à propos, il y a une petite complication. Lily Siddons – c'est la jeune femme qui tient le *Café du Pont* – prétend que l'assassin a commis une erreur assez atroce.

– Une erreur ?

– Lily Siddons affirme que c'est elle qui aurait dû être la victime. – Harkins sourit à la ronde comme pour leur faire comprendre que le code qu'ils venaient juste de déchiffrer n'était depuis le début qu'un tissu de renseignements erronés. – Je pense que c'est pur boniment, franchement. Elle vise à se mettre en vedette, probablement. Mais le costume, à ce qu'elle dit, était le sien ; voilà où son meurtrier a commis l'erreur. Je m'en vais. Il y a un bon bout de chemin jusqu'à Pitlochary. J'espère avoir été de quelque utilité.

Jury contempla le plancher à ses pieds.

– Je vous en suis du fond du cœur infiniment reconnaissant.

2

Tandis que l'échappement de la Lotus Elan rugissait aux oreilles de Jury, Kitty Meechem se préparait à accueillir sa clientèle du matin, essuyant les poignées en porcelaine des pompes à bière, astiquant le comptoir sombre avec la plus belle énergie. Jury conclut qu'il lui vaudrait bien mieux parler aux boucles satinées de Kitty plutôt qu'à cet escogriffe de Harkins.

– Quelles chambres nous avez-vous réservées, Kitty ?

Elle jeta sur son épaule le torchon du bar et tira sa robe vers le bas, donnant à Jury le bénéfice d'une vue plus approfondie de son décolleté.

– Oh, bien sûr, je vais vous montrer...

– Ne vous dérangez pas, je suis certain que le sergent Wiggins saura les trouver. Expliquez-lui simplement où c'est. J'aimerais bavarder un peu avec vous.

Elle indiqua à Wiggins un escalier étroit et sombre à droite de la salle de bar.

– Il n'y a que trois chambres, vous savez. Et la police ne veut pas qu'on utilise la sienne.

Personne, songea Jury avec un sourire intérieur, n'avait l'air de les prendre, *eux*, pour des policiers.

– Vous n'aurez donc aucune peine à trouver les vôtres. Les deux premières en haut. Elles sont face à la mer : du bon air marin en abondance pour vous, sergent. Vous avez la mine un peu pâlotte.

Wiggins eut un sourire morne.

– Allongez-vous un moment, dit Jury. J'irai vous tirer de là plus tard.

Wiggins parut reconnaissant, ramassa les deux petites valises posées derrière la porte et quitta la salle.

– Dites-moi, Kitty, vous n'êtes pas une Irlandaise de Dublin, hein ?

Jury sourit. C'était un sourire qui avait fait fondre des cœurs plus durs que celui de Kitty Meechem.

– Hé bien ! En voilà un malin ! A quel coin pensez-vous, alors ?

– A l'ouest. Sligo, peut-être ?

Elle était stupéfaite.

– Vous avez parfaitement raison. Vous êtes vraiment astucieux, inspecteur, pour remarquer une telle nuance.

– Oh non, ce n'est pas d'astuce qu'il s'agit. – Il montra le dossier et jeta deux pièces de cinquante pence sur le comptoir. – Harkins l'avait inscrit là-dedans. Payez-nous une bière, Kitty.

Elle rit.

– Je ne demande pas mieux.

– Je prendrai une Guinness. C'est médicinal.

– Vous avez raison. Ma mère devait en boire deux pintes par jour, à ce que lui avait dit le médecin. Pour retrouver ses forces.

– Que faites-vous dans le Yorkshire, Kitty ? L'Irlande est un pays magnifique.

– La faute au mari. Un gars du Yorkshire. Je l'ai rencontré quand il était en vacances à Galway. Nous avons habité pendant un temps à Salthill. Mais il détestait l'Irlande. Comme la plupart des Anglais, naturellement. Les troubles continuent.

– Ils durent depuis deux cents ans, Kitty.

Les mains sur les hanches, elle attendit que la mousse retombe.

– Connaissez-vous Bertie Makepiece, monsieur ? Il loge au cottage des Clefs Croisées, là-haut, dans la Rue-Qui-Grince.

D'un mouvement de la tête, Jury avoua son ignorance.

– C'est le plus proche du Pas de l'Ange. En tout cas, sa maman est partie pour l'Irlande il y a quelques mois. Je garde un œil sur lui mais cela me dépasse qu'on s'en aille comme ça en laissant le petit se débrouiller seul. Je lui donne un peu de travail de temps à autre. Une grand-maman malade, voilà ce qu'elle a dit.

Kitty secoua la tête, compléta ce qui manquait dans leurs verres et en poussa un vers Jury.

– A votre santé, dit Jury. Qu'est-ce qui s'est passé le soir du meurtre, Kitty ? Avez-vous vu Gemma Temple ?

– Oui, tout à fait. Je suis montée dans ma chambre vers dix heures et elle était dans la sienne. Elle m'a appelée, pour que je jette un coup d'œil à son costume. Vraiment sensationnelle qu'elle était, tout ce satin blanc et ce velours noir. Et des bottes noires, aussi. A ce qu'elle m'a dit, elle allait s'appliquer ce fard gras sur sa figure, moitié blanc moitié noir, se maquiller, quoi, et poser un loup noir sur ses yeux... – Kitty marqua un temps et détourna le regard. – D'après ce qu'on m'a raconté, elle était dans un état affreux quand on l'a trouvée.

Jury ne s'étendit pas là-dessus.

– Vous dites qu'il était dix heures ?

Kitty hocha la tête.

– Dix heures ou un peu plus, je pense.

– Et elle s'apprêtait à partir, une fois mis le fard ?

– C'est ce qu'elle a dit. Elle partirait tout de suite après. Et c'est la dernière fois que je l'ai vue, la pauvrette. Évidemment, je ne la connaissais pas bien, mais ça n'empêche pas d'éprouver de la pitié pour elle.

– Bien sûr. Elle se rendait à la réception, pour autant que vous le sachiez ? – De nouveau, Kitty acquiesça. – Personne dans le bar ici, apparemment, ne l'a vue sortir. Pourquoi cela ?

– Mon Dieu, cela ne me surprend pas du tout, du tout. Ivres comme des lords, qu'ils étaient tous, non ? D'ailleurs, elle n'avait pas besoin de passer par ici. Elle n'avait qu'à descendre tout droit l'escalier et sortir par la porte. Je me suis posé la question : qu'est-ce qu'elle faisait sur le Pas de l'Ange ? Vous comprenez, si elle avait voulu aller au manoir par le chemin le plus commode, elle aurait tourné vers le bord de mer, monté l'escalier du Renard et longé la digue. Nous l'appelons l'escalier du Renard pour ne pas le confondre avec le Pas de l'Ange. – Jury hocha la tête. – Et de la digue on trouve un sentier de douanier qui longe la falaise jusqu'à la Vieille Maison.

– Ce n'est pourtant pas le seul chemin pour aller là-bas...

– Oh, non. On pourrait gravir le Pas de l'Ange jusqu'en haut, jusqu'à Notre-Dame, suivre la Sente du Psautier et

continuer à travers bois. Mais qui voudrait aller par là ?
C'est sombre et pas rassurant.

– Pendant qu'elle était ici, s'est-elle liée avec quelqu'un ?

Kitty secoua la tête.

– Personne ici, à part qu'elle a bavardé quelquefois avec
Maud Brixenham. Maud vient toujours à l'heure du déjeuner. Elle habite dans la Rue du Retour. De l'autre côté du
bassin. Et puis il y avait Adrian... hésita-t-elle.

– Adrian ?

– Adrian Rees. J'ai l'impression qu'elle lui a parlé une
fois.

– Pourquoi ne teniez-vous pas à le dire ?

– Oh... – Elle se pencha au-dessus du bar, donnant à Jury
une vue plus vertigineuse encore du sillon entre ses seins. –
Je ne voudrais pas attirer d'ennuis à Adrian. Mais il se trouvait ici, justement, ce soir-là, à pérorer à propos de meurtre.
Et le plus terrible, c'est qu'Adrian a été le dernier à la voir
vivante. Ce Mr. Harkins s'est acharné sur lui.

– Et qu'est-ce que vous pensez ?

Kitty agita la main.

– Ridicule. Adrian est incapable de tuer qui que ce soit. Il
parle fort et s'agite, mais...

Elle secoua la tête et but sa bière.

– Et les Craël ? Apparemment, cette femme était une
amie ou une parente à eux.

– Ça, je ne sais pas, à part qu'elle est effectivement allée à
la Vieille Maison. Vous savez, le colonel Craël possède la
moitié de ce pub. Il l'a acheté du temps où c'était encore *la
Morue et le Homard*, quand j'étais simple serveuse. Le colonel est un vrai gentleman ; tout le monde l'aime à Rackmoor.

– Qu'est-ce que Gemma Temple a dit des Craël ?

– Rien. Elle ne m'en a pas parlé. Ce Julian, le fils, il est
bizarre.

– Bizarre ? Comment ça ?

– Il reste à part. On ne le voit pratiquement jamais au village. Quarante ans et jamais marié.

Elle le disait comme si cela résumait pour elle toutes les
aberrations de la terre.

– J'ai quarante ans et je ne suis pas marié, Kitty.

Elle le regarda avec de grands yeux.

– Ma foi, c'est un peu difficile à croire. Ça ne vous tente
pas, c'est ça ?

– Oh si, ça me tenterait. Vous n'avez pas connu la pupille des Craël, Dillys March, non ? Vous ne devez pas être ici depuis assez longtemps, je suppose.

– C'est vrai. N'empêche que j'ai entendu parler d'elle. Partie pour se marier, n'est-ce pas ?

Une obsédée du mariage, cette Kitty...

– Pas que nous le sachions. Ce costume, à ce que j'ai compris, appartenait à une jeune femme appelée Lily Siddons.

Kitty hochait la tête.

– Lily, oui, monsieur, c'est juste. Lily le lui avait donné, prêté, je ne sais pas. Puis Lily est allée à la fête avec Maud Brixenham déguisée en... – Kitty plissa la bouche. – Un personnage de Shakespeare, je ne me rappelle pas lequel.

– Lily Siddons est-elle une amie intime des Craël ?

– Je pense bien. Sa mère était cuisinière à la Vieille Maison avant sa mort. Mary Siddons.

– La fille de la cuisinière ? Sir Titus doit être d'un tempérament très égalitaire. – Voyant l'air perplexe de Kitty, il ajouta : – Pour frayer avec les enfants de ses domestiques, j'entends.

– Ce n'est pas ça du tout, du tout. Lily lui tenait à cœur. Elle a vécu là-haut avec sa mère pendant un temps quand son p'pa a pris ses cliques et ses claques.

– Les gens ont vraiment le chic pour disparaître dans le coin, hein ? Avez-vous vu Lily, le soir du meurtre ?

– Je l'ai vue, oui. Nous taillons toujours une petite bavette au moment de la fermeture. Elle habite juste en face. Cette drôle de petite maison à l'endroit où se rencontrent la Grand-Rue et le Passage de la Treille. J'y ai fait un saut après avoir fermé...

Jury sortit son carnet de notes.

– Quelle heure était-ce ?

– Onze heures vingt-cinq. J'ai vu sa lumière allumée.

– Je croyais qu'elle était allée à la réception.

– Elle en était partie de bonne heure. Avec Maud Brixenham et Les Aird, le neveu de Maud. Lily ne se sentait pas bien, qu'elle a dit. – Quand elle vit Jury ouvrir le dossier, Kitty ajouta : – Je sais que c'est important à cause du moment où la demoiselle Temple a été tuée.

Jury leva les yeux vers elle.

– Vous connaissez l'heure exacte où elle a été tuée ?

– Oh, mon Dieu, non, monsieur. Mais tout le monde sait comment, ici, à Rackmoor. Poignardée une douzaine de fois qu'elle a été.

– Combien de temps faut-il pour aller d'ici au Pas de l'Ange, Kitty ?

Kitty eut un sourire séduisant.

– C'est-y pas justement ce que Mr. Harkins a demandé ? Dix minutes pour grimper jusqu'à l'endroit où elle a été assassinée. Voyons, je n'aurais pas pu faire ça et être de retour chez Lily à onze heures vingt-cinq, n'est-ce pas ?

Jury sourit.

– Alors vous avez toutes les deux d'excellents alibis, Lily et vous. – Kitty rayonna, et il ajouta : – Pas absolument irréfutables, bien sûr. L'une ou l'autre d'entre vous pouvait avoir couru comme le vent...

Kitty se sentait assez sûre d'elle pour rire.

– Oh, allons, monsieur. – Elle baissa la voix : – Avec quoi l'a-t-on tuée ?

– Je croyais que vous seriez en mesure de me l'apprendre. Vous connaissez tout le reste. Écoutez, Kitty, qui aurait envie d'assassiner Lily Siddons ?

Elle eut l'air bouleversée.

– Lily, monsieur ? Que voulez-vous dire ?

– Vous étiez amies. Elle ne vous a pas raconté qu'elle croyait que quelqu'un, par erreur, avait pris Gemma Temple pour elle ? A cause du costume ?

– Mon Dieu ! Non, elle n'en a jamais parlé.

– Est-ce qu'elles se ressemblaient ?

– Non, mais dans ce costume... ce serait difficile à distinguer, j'entends, dans le brouillard et dans le noir.

– Hum. Je crois que je ferais bien de voir la chambre de cette demoiselle Temple.

Jury vida son verre.

Kitty conduisit Jury dans l'escalier étroit puis, au bout du couloir, jusqu'à une vaste chambre ouverte sur la digue et les vagues couleur gris ardoise qui déferlaient au-delà.

Alors que Jury examinait la pièce – regardant dans les placards, derrière les meubles et les miroirs – Kitty déclara qu'elle louait rarement ces chambres.

– On ne les demande guère l'hiver. Tenez, le premier étranger que j'ai vu en deux mois est un monsieur, hier après-midi. Il était assis là-bas dans le coin, à lire un livre

français en buvant un *Old Peculier*... qui boit encore de ça ?
Bitsy – c'est la jeune fille qui s'occupe des tables ici, quand
elle veut bien travailler – dit qu'il se rendait à la Vieille Maison et qu'il visitait le village. Bitsy lui a tenu la jambe aussi
longtemps qu'elle a pu. N'importe quoi pour rester à ne rien
faire...

De l'*Old Peculier* et de la littérature française.

– Comment était ce gentleman ?

– Plutôt grand. Blond. Des yeux vraiment formidables.

– Verts ?

– Verts, effectivement. Ils scintillent bel et bien. Comment
le savez-vous ?

Melrose Plant. Que diable venait-il faire, *lui*, à Rackmoor ?

3

Melrose Plant était assis en bout de table, dans la salle à manger des Craël. La pièce, sombre et luisante comme un lac de montagne éclairé par la lune, paraissait avoir quatre cents mètres de long. Après un petit déjeuner tardif d'œufs brouillés, Melrose, qui avait dormi bien plus tard que ne le permet la bonne éducation, avait demandé à Wood, le majordome, s'il pourrait avoir une tasse de café. Si le colonel Craël était sincèrement content d'avoir Melrose à ses côtés en ces heures difficiles, il n'en allait pas de même en ce qui concernait Julian. Toutefois, ce n'était pas envers Melrose lui-même que Julian éprouvait de l'hostilité. Quel qu'il fût, tout nouvel arrivant lui paraissait insupportable. L'intrusion de la police n'arrangeait rien.

Wood assura à Melrose que le colonel avait insisté pour que le petit déjeuner lui soit tenu au chaud, aussi longtemps que nécessaire. Le colonel Craël (Wood l'en avait informé) visitait des chenils à Pitlochary. Julian était parti pour sa promenade matinale.

Melrose en était enchanté. Le colonel, pensait-il, était un vieil homme merveilleux. En revanche, il n'aimait pas Julian. Il se méfiait, notamment, des hommes trop beaux et Julian en était. A moins qu'il fût simplement jaloux de la jeunesse, lui qui entrait dans l'âge mûr ? Pourtant Julian n'était pas réellement *un jeune homme*. Il n'avait probablement guère que cinq ou six ans de moins que Melrose. Mais voilà : Julian *avait l'air* éternellement jeune. Ce qui, songea Melrose, était encore plus répréhensible.

Melrose disséquait son second hareng fumé quand Olive

Manning, la gouvernante, entra dans la salle à manger, toute cliquetante de l'armée de clefs suspendues à sa taille. Melrose s'était imaginé, pourtant, que les châtelaines avaient disparu avec les sœurs Brontë et les romans médiévaux.

– Le colonel Craël m'a priée de m'enquérir de ce dont vous pourriez avoir besoin et de vous demander si vous aimeriez vous joindre à lui plus tard pour une promenade à cheval.

Flûte, songea Melrose. Riche idée, en vérité, d'avoir parlé au colonel de son cheval d'Ardry End.

– C'est très aimable de sa part. Mais j'ai ce genou qui me joue des tours, mentit-il. J'ai dû me forcer un tendon en faisant un peu de saut d'obstacles, la semaine dernière.

En dehors d'un bref hochement de tête, l'expression d'Olive Manning ne changea pas, les genoux qui jouent des tours n'étant pas de son domaine. Mais elle murmura quelques mots compatissants dépourvus de la moindre sincérité.

– J'espère que ce tendon va guérir ; sinon vous manquerez la chasse.

– Oh, sapristi. Non, nous ne voudrions pas *cela*, n'est-ce pas ? – Il se leva et écarta une chaise de la table. – Prendrez-vous une tasse de café en ma compagnie ?

Elle eut l'air d'hésiter, non pas, il en eut l'impression, à cause de sa situation dans la maison – Olive Manning était traitée pratiquement comme quelqu'un de la famille – mais parce qu'elle semblait le considérer avec une retenue qui frisait la méfiance. Melrose serait obligé de tourner autour du pot, en l'occurrence la réception de la Nuit des Rois, sur lequel il souhaitait la questionner.

Lui non plus n'éprouvait aucune sympathie pour Olive Manning. Il n'aimait pas ses traits tendus, son menton étroit, son front resserré, sa bouche froncée en grappe comme du raisin vert. Elle semblait manifester en permanence une colère rentrée contre le monde entier. La tête aux cheveux noirs était fichée sur un corps mince et droit comme une tige et vêtu de linon sombre (la meilleure qualité de chez Liberty, il en était sûr). Elle s'assit, refusa le café, posa ses mains l'une sur l'autre sur la table. A son doigt luisait une topaze brûlée qui aurait étouffé un cheval. A la Vieille Maison, personne ne mourait de faim.

– Sir Titus dit que vous étiez la plus proche... compagne de Lady Margaret.

Il ne voulait ni du mot « femme de chambre » ni du mot « domestique ».

– Oui.

L'unique syllabe fut prononcée avec douceur. Pour un instant fugitif, sa bouche se décontracta.

– Je regrette sincèrement de ne pas l'avoir connue. Mon père, Lord Ardry, parlait d'elle... il soutenait qu'elle était la plus belle femme qu'il avait jamais vue.

C'était visiblement la bonne attaque. Peu s'en fallut que Mrs. Manning sourie.

– En effet, je n'en ai pas encore rencontré d'aussi jolie. Ses cheveux, quand elle les dénouait, étaient comme un flot de soleil. Les garçons en ont hérité, Julian et Rolfe. – Elle détourna la tête. – Rolfe est mort aussi, comme vous le savez.

– Oui. Terrible que tous deux, la mère et le fils, meurent en même temps. Un accident de voiture, a dit le colonel.

Elle soupira.

– Il y a dix-huit ans que cela s'est passé. Rolfe n'avait que trente-deux ans.

Elle tourna et retourna entre ses doigts un couteau en argent, comme si elle s'apprêtait d'une minute à l'autre à le brandir et à le plonger dans son propre sein. Ou dans celui de Melrose. L'expression crispée avait commencé à ressembler vaguement à de la souffrance. Il savait qu'elle avait un fils en maison de santé, mais il n'aborderait pas ce sujet. Il lui jeta un coup d'œil de biais.

– Terrible. Ainsi il ne reste que Julian.

– Oui.

Elle lui décocha un regard cinglant. Voilà qui se rapprochait trop d'un sujet qu'elle ne tenait pas à discuter. Melrose planta dans sa bouche un reliquat de cigare et se renversa en arrière, les mains nouées derrière la tête. Il souffla posément un anneau de fumée.

– Aimez-vous chasser, madame Manning ?

Terrain sûr. Le visage se détendit de nouveau.

– J'aime cela, oui. J'ai chassé depuis ma jeunesse. Et dans cette maison, ce serait difficile de *ne pas* le faire.

La lumière, si pâle qu'on l'aurait crue filtrée à travers une vitre couverte de givre, tomba sur ses cheveux. A une certaine époque, elle avait pu être une belle femme, avant que la fureur qui la possédait ne s'empare d'elle.

– Julian, lui, n'y tient guère. Cela ne doit pas trop plaire à son père, lâcha Melrose en souriant.

– Non, Julian est...

Une fois encore, son regard se détourna de Melrose d'un mouvement sec comme une gifle et elle pivota sur elle-même pour contempler les hautes fenêtres.

– Il n'aime pas non plus les réceptions, hein ?

Melrose porta les yeux partout dans la pièce, sauf sur elle. Elle se raidit, s'adossa à son fauteuil.

– Julian est simplement quelqu'un qui n'est guère sociable. Ce n'est pas comme...

Quand elle s'interrompit, il releva le mot, vivement.

– Pas comme... ?

– Je pensais à Rolfe. Rolfe tenait plus de son père. Et de sa mère, si l'on va par là.

Elle parlait d'un ton neutre, prosaïque. Que son opinion sur Julian fût bonne ou mauvaise, elle laissa Melrose le deviner.

Il décida d'être plus direct.

– Eh bien, c'est dommage qu'il soit devenu suspect. Julian, je veux dire.

– Je comprends de qui vous parlez, Lord Ardry. C'est ridicule, bien sûr. – Elle se leva, lissa en arrière le long de ses tempes ses cheveux noués en chignon sur sa nuque. – Il faut que je donne quelques coups de téléphone pour la cuisinière. Combien de temps resterez-vous avec nous, Lord Ardry ?

– Oh, je ne sais pas. Je viens de faire un saut depuis York. Peut-être encore un jour ou deux. Deux ou trois. Ou quatre ou cinq. Et appelez-moi simplement Plant, madame Manning. Melrose Plant. Pas Lord Ardry.

Elle ne parut pas s'étonner de la bizarrerie de ce fils unique qui ne se parait pas du titre du père défunt.

– Je comprends. Si vous voulez bien m'excuser.

Étincelante, se dit-il en quittant à pas nonchalants la salle à manger pour se rendre dans ce que le colonel appelait son « bureau ». *Étincelante, l'aisance avec laquelle tu lui as extirpé tous ces renseignements. Tu aurais aussi bien pu arracher une dent.* Dégoûté de lui-même, Melrose se laissa choir dans un fauteuil et croisa les jambes. Il ôta de sa bouche le bout du vieux cigare, en alluma un autre, jeta un coup d'œil à la ronde en quête d'un carafon, en vit deux qui auraient atteint le prix d'un voyage au Paradis, alla se verser un verre de porto, se rassit en fumant, buvant et contemplant le plafond. Décidément, la contemplation des plafonds était son métier. Ce plafond-ci était merveilleux à voir. Angelica Kauffmann ? Joseph Rose ? Il ne savait pas. Son auteur, en tout cas, était passé maître dans l'art du stuc et son œuvre était reposante. Elle l'aidait à réfléchir. Il tourna dans son esprit, comme les feuillets d'un livre, la conversation de la veille au soir.

– Du chantage ? lui avait dit Julian Craël avec un sourire glacial. Pourquoi diable cette Temple aurait-elle voulu me faire chanter ?

Melrose avait eu un sourire serein.

– Ma foi, je ne sais pas, mon vieux. Une boulette que vous auriez commise...

Ils étaient dans le salon, Julian debout près du feu sous le portrait de sa mère défunte. Même les flammes, pensa Melrose, ne pouvaient fondre le bleu d'iceberg d'un tel regard !

– Il n'y a rien dans mon passé qui puisse pousser quiconque à payer pour le connaître, j'en ai peur.

– Une vie sans tache ? Voulez-vous dire que si quelqu'un vous téléphonait en déclarant : « Je sais ce que vous avez fait », vous ne prendriez pas vos jambes à votre cou ?

Le sourire glacé était resté en place, sans la moindre réponse pour l'accompagner.

– Juste ciel, avait insisté Melrose d'un ton engageant, même *moi* je peux penser à un ou deux petits incidents dont je préférerais que personne d'autre ne s'avise de les commenter.

– Alors je suggère, avait répliqué Julian en posant son verre sur une table, que vous ne les commentiez pas vousmême.

Sur quoi il s'était excusé et avait simplement quitté la pièce.

Melrose soupira, les yeux toujours fixés sur le plafond. Il craignait que Sir Titus Craël n'aille au-devant d'une déception s'il pensait que Melrose – l'observateur neutre – obtiendrait de Julian qu'il dise tout. L'inflexible Julian, dans lequel Melrose voyait un garçon taciturne et dépourvu de charme.

Le genre que fuient les chiens et les enfants. Mais pas les femmes, il en mettrait sa main au feu. Julian Craël ne s'était pas marié, mais Melrose aurait parié que de York à Édimbourg pas une mignonne n'aurait hésité à patauger jusqu'à Holy Island pour tenter d'épingler Julian Craël. Cette beauté, cette fortune, cette situation, ce... privilège !

Melrose songea (mais très modestement, rien qu'une petite voix murmurante) : *je devrais le savoir*. Melrose était moins beau, toutefois. Debout, à présent, et arpentant la pièce, il ne put s'empêcher de jeter un bref coup d'œil dans un miroir au cadre doré surchargé de chérubins joueurs. Une allure acceptable, certes, mais rien de comparable à Julian Craël. Qui le serait ? Il songea au portrait au-dessus de la cheminée du salon. Julian était exactement comme sa mère. Melrose passait maintenant derrière une table de bibliothèque jonchée de journaux et de livres. Il regarda le dos des ouvrages : Whytte-Melville, *Le Plus Grand Plaisir*, Jorrocks – tous se rapportaient à la chasse. Puis il se versa un autre verre de porto, boucha le carafon de Waterford, reprit son siège et sa contemplation du plafond.

Julian Craël avait le mobile parfait. Ce n'est pas simplement l'argent que cette Temple aurait réclamé si elle avait été vraiment la pupille. Elle aurait aussi revendiqué l'affection du vieil homme. Elle aurait été constamment une épine au flanc du jeune Craël...

Par malheur, Julian Craël avait aussi un alibi parfait.

C'est cela qu'il ne digérait pas. Au moment du meurtre, Julian se trouvait dans sa chambre. Il était rentré de sa promenade, avait évité la réception, était allé droit à sa chambre et y était resté. *Et* il pouvait même le prouver.

Melrose Plant ferma les yeux, se frotta les cheveux, dans un effort pour stimuler son cerveau afin d'en extraire une réponse à cette énigme.

Il écarta les mains, laissant ses cheveux blonds dressés en un bouillonnement d'épis. Il n'allait pas fléchir devant un vulgaire mystère de la chambre close pour Rouletabille de banlieue.

Où était Jury ?

4

Le chat gris tacheté se déroula de son appui de fenêtre, regarda Jury, bâilla de l'autre côté de la vitre et se remit en boule, comme un bretzel à l'étal d'un boulanger. Coincé entre la vitre et le cadre de la fenêtre, il y avait un petit écriteau : OUVERT. Une autre pancarte était accrochée sur la porte : ENTREZ, JE VOUS PRIE. Jury et Wiggins entrèrent.

Une clochette tinta. Des régions supérieures, un chaud baryton cria d'attendre juste une minute. Le possesseur de ce bel organe sonore descendit avec fracas, habillé d'un jean, d'un jersey bleu, d'une casquette de marin (sa visière brillante devant derrière), d'un tablier de cuir zébré de peinture magenta, et d'un cigare derrière l'oreille.

– Monsieur Rees ? Mon nom est Jury...

– Inspecteur principal de la Police judiciaire, Scotland Yard. Et le sergent Wiggins. Je sais.

Jury rempocha sa carte d'identité.

– Les nouvelles circulent vite.

Rees tira de derrière son oreille le mégot de cigare, le ralluma.

– Dans Rackmoor, inspecteur, il n'y a rien d'autre qui circule. Vous êtes ici pour m'interroger à propos de cet assassinat. Puis-je me contenter de dire que je ne l'ai pas commis et que les choses en restent là ?

Jury sourit.

– Cela ne prendra pas longtemps, monsieur Rees.

– Oh, bien sûr. C'est probablement ce qu'on a dit à Thomas More quand il montait à l'échafaud.

– A quoi il a répondu quelque chose comme : « Aidez-moi à monter. Je n'aurai pas besoin d'aide pour descendre. » Adrian eut l'air stupéfait, plus par le fait que Jury l'ait lu que par le fait que More l'ait dit.

– Miséricorde, a-t-il réellement déclaré ça ?

– Pour autant que je le sache. Je n'y étais pas, bien sûr.

Adrian secoua la tête.

– Mon Dieu, on avait de l'esprit à cette époque. Pourquoi nous faut-il être de tels marmots piailleurs en face de la mort ? Et si faibles. Pourquoi ?

– La philosophie de Raskolnikov ?

– Oh, Seigneur. – Les poings d'Adrian se crispèrent dans ses cheveux. – Cela va-t-il me hanter jusqu'à ma... Oh, peu importe.

Jury parcourut des yeux les peintures qui couvraient les murs de la longue salle dans laquelle ils se trouvaient.

– Merveilleux travail. Je suis sûr que vous n'êtes pas l'auteur de cette *Abbaye* style carte postale, là-bas au bout.

Adrian se retourna.

– Diable non, ce n'est pas moi. Mais je suis obligé de prendre des toiles en dépôt pour joindre les deux bouts. Les artistes locaux, la couleur locale, les croûtes locales. Mais cela se vend en été.

– Je suppose que oui. Vous aimez celle-ci, Wiggins ?

Le sergent Wiggins s'était avancé jusqu'à la peinture à l'huile d'un nu aux membres écartelés. Il s'éclaircit la gorge.

– Intéressant.

– Écoutez, je me demande, cela vous ennuierait-il de monter m'interroger en haut où je travaille ? Je n'essaie pas de vous impressionner en vous faisant le numéro de l'artiste qui ne pense qu'à son œuvre, mais la peinture sèche vite sur une toile, et j'ai peu de temps pour la triturer. D'accord ?

– Bien sûr.

Jury tira Wiggins par l'épaule. Le sergent avait la tête penchée à un angle bizarre, examinant le nu – ou les nus, car il semblait y en avoir plus d'un – représentés selon une sorte de style cubiste. Les diverses parties de l'anatomie étaient étrangement disposées. Elles paraissaient engagées également dans des réjouissances que Jury n'avait pas envie de contempler pour le moment.

Jury et Wiggins suivirent Adrian Rees le long d'un petit escalier étroit jusqu'à une très vaste pièce, inondée d'une lumière grise que le châssis vitré dispensait à flots.

– Voilà pourquoi j'ai acheté cette maison, déclara Adrian. Toutes les autres à Rackmoor sont noires comme des fours. Cela est dû à la façon dont le village est encastré dans ces falaises. Les maisons du dessus bouchent la lumière de celles d'en dessous. Dans certaines pièces, les gens sont obligés de garder des lampes allumées en plein jour.

La salle était vide mais les toiles s'entassaient sur trois à quatre rangées tout le long des murs : paysages, natures mortes, peintures qui donnaient l'impression que l'artiste avait plongé les doigts dans un pot et fait des chiquenaudes devant la toile, ainsi que des portraits. Rees avait du talent, c'était évident. Le portrait, traditionnel celui-là, d'une femme en longue robe verte en témoignait.

– C'est ravissant, dit Jury.

– Truc pour château. Assommant.

Adrian était accroupi au-dessus d'une toile. Elle était immense, posée par terre et légèrement inclinée, bordée d'un long récipient, sans doute un tuyau d'aluminium coupé en deux, pour recueillir les coulées de peinture. Adrian ramassa un petit seau et versa la peinture cerise qui fila comme une rivière de sang, courant sur le côté gauche avant de tomber dans le réceptacle du bas. Wiggins était fasciné.

– Vous projetez simplement les couleurs dessus et les laissez se mélanger comme elles veulent. C'est ça ?

– C'est ça, sergent.

Wiggins sortit son mouchoir et tourna vers Jury des yeux larmoyants.

– Peut-être suis-je allergique à la peinture. Qu'en pensez-vous, monsieur ?

Jury ne tenait pas particulièrement à jouer les apothicaires auprès de Wiggins. Il s'assit sur un tabouret. Il y en avait plusieurs, tous éclaboussés de peinture.

– Vous avez vu Gemma Temple juste avant qu'elle soit assassinée, monsieur Rees ?

Absorbé à faire couler un des flots rouges vers la gauche, Adrian hocha la tête, puis dit :

– Je remontais le Passage de la Treille. Je venais du *Renard*.

– A quel endroit précis dans ce Passage ? A proximité du Pas de l'Ange ?

Il inclina la tête.

– Juste un peu après. Je l'avais déjà dépassée et elle descendait de l'autre côté...

Il quitta la position courbée qu'il avait adoptée au-dessus de la toile et, se redressant, il s'efforça de rallumer le cigare qu'il était en train de mâchonner, en faisant craquer une allumette avec son ongle.

– ... Elle était sensationnelle, je vous le dis. J'ai cru d'abord que j'avais bu un coup de trop. Mais ce soir-là, j'avais les poches vides.

Il ramassa un seau de peinture bleu vif et le déversa avec lenteur sur la toile. Il passa évidemment de l'autre côté et fit dévier le mince ruisseau bleu avec un pinceau queue-de-morue pour qu'il rencontre la peinture rouge, décrive une boucle et reprenne sa course première.

– ... Je ne l'ai vue que de l'autre côté du chemin. Et il était noyé dans le brouillard. Comme d'habitude.

– Êtes-vous en train de dire que vous ne l'avez pas aperçue distinctement ?

– Non, ce n'est pas ce que je dis. Je l'ai vue, ce qui s'appelle bien vue. Je ne l'oublierai jamais. – Il se leva. – Venez ici une minute.

Jury le suivit vers l'autre bout de la pièce où Adrian enlevait ce qui recouvrait une petite toile. Le personnage n'avait pas été peint entièrement, mais l'arrière-plan était impressionnant : l'obscurité, la brume, une auréole de clarté autour d'un lampadaire et la vague impression d'une silhouette enveloppée d'un manteau.

– Vous voulez dire que c'est elle, Gemma Temple ? – Adrian hocha la tête. – Je souhaiterais que vous le terminiez ; cela pourrait servir.

Adrian recouvrit la toile.

– J'avais oublié que c'était la réception de la Nuit des Rois. Je n'assiste pas à ce genre de truc, peux pas les souffrir. Mais ne racontez pas au colonel que j'ai dit ça. C'est un véritable mécène des arts et il est d'habitude tout disposé à prêter de l'argent sans intérêt. Et à faire une commande de temps à autre.

De retour près de la vaste toile, Adrian mit en batterie un petit pot de peinture verte. Il dit à Wiggins, qui semblait captivé par cette méthode :

– Sergent, aidez-moi un peu, s'il vous plaît. Quand ce vert ira de votre côté, renvoyez-le par là.

Wiggins parut honoré.

– Oh. Eh bien, si l'inspecteur Jury...

Jury récupéra le carnet de notes. Wiggins releva ses manches puis se mit à quatre pattes. Jury secoua la tête et sortit son stylo.

– Continuez, monsieur Rees.

– Je ne pense pas qu'elle m'ait vue. Elle s'est arrêtée une seconde sous le lampadaire à côté de l'escalier. – Il se redressa, lança une cape imaginaire par-dessus son épaule. – Cape noire, chemise blanche. – Il plaqua une main sur la moitié de son visage. – Sa figure était blanche sur le côté gauche, noire du côté droit. Et un loup noir de surcroît...

– Mais comment avez-vous su que c'était Gemma Temple ?

– Je ne le savais pas. Pas avant de retourner là-bas deux heures plus tard, faire le badaud avec le reste des gens du village. J'ai entendu des sirènes de police. Des sirènes de police dans *Rackmoor* ? Je ne pouvais pas y croire. Au début j'ai cru qu'il s'agissait d'une ambulance. Quoique je n'en aie jamais vu une seule depuis cinq ans que j'habite là. Personne ne meurt, je pense. Percy Blythe en est la preuve. J'ai regardé par la fenêtre et j'ai vu qu'il se passait quelque chose. Alors j'ai enfilé mon pantalon et je suis sorti voir.

– Avez-vous vu le corps ?

– Non. Qui l'aurait pu ? Il y avait des policiers grouillant du haut en bas du Pas de l'Ange. Mais on racontait que c'était un des déguisés, une femme en costume blanc et noir.

– Et alors, qu'avez-vous fait ?

– Je suis revenu ici. J'étais un peu énervé, impossible de dormir. Alors j'ai commencé ça.

– Vous lui aviez parlé, n'est-ce pas ? Une ou deux fois dans le pub ?

Adrian le considéra pendant un long moment, en fumant.

– Une ou deux fois, oui. Elle ne m'a rien dit d'elle-même, sinon qu'elle était de Londres ... Kentish Town, je crois ... et qu'elle était une vieille amie des Craël.

– Vous les connaissez bien ?

– Oui. Du moins le colonel. Je doute que quiconque connaisse bien Julian.

Adrian plongea son pinceau dans de l'ocre, l'étala plus loin vers un angle.

– Et elle n'a pas mentionné la raison de sa visite à Rackmoor ?

Adrian secoua la tête.

– Ça aussi, c'est fichtrement bizarre. Rackmoor en janvier n'est guère l'endroit où passer des vacances, hein ? Je crois qu'elle a dit être une actrice, ou quelque chose comme ça.

Jury réfléchit un moment.

– Connaissez-vous Lily Siddons ?

Il leva la tête, surpris.

– Oui, bien sûr. Elle tient le *Café du Chemin du Pont*.

– Voyez-vous une raison pour laquelle quelqu'un voudrait la tuer ?

Du coup, Rees, qui était à genoux, bondit sur ses pieds.

– *Lily ?* Pour l'amour du ciel, *non*. Pourquoi le demandez-vous ?

Jury ne répondit pas. Il se leva, et fit signe à Wiggins qui, accroupi, contemplait la toile, de se redresser.

– A propos, monsieur Rees. Avez-vous remarqué s'il vous manquait de la toile ?

– Une toile ? Ma foi... – Ses yeux se dirigèrent lentement vers un coin de la pièce où étaient entassés des pots de peinture, des cadres, de la toile. – Je n'ai pas vérifié. Pourquoi ?

– Fermez-vous votre magasin à clef quand vous partez ?

– Seigneur, non. L'idée que quelqu'un vole des peintures est un peu...

Il haussa les épaules.

– Merci. Je m'entretiendrai avec vous une autre fois.

– Je n'en doute pas.

Adrian s'essuya les mains avec un chiffon et les précéda au rez-de-chaussée.

Comme ils retraversaient la galerie, Wiggins s'arrêta pour jeter de nouveau un coup d'œil au nu. Ou aux nus.

– Vous aimez celle-là ? questionna Rees. Elle s'appelle *Cible*.

– Intéressant, dit Wiggins. On dirait qu'au centre, ici, il y a des trous minuscules. Est-ce que cela a quelque chose à voir avec le fait de se servir des femmes comme cible, ou jouet sexuel, par exemple ?

Il se moucha à fond, une narine après l'autre.

Le critique d'art Wiggins était un personnage nouveau pour Jury.

– Belle hypothèse, mais non. En réalité, c'est parce qu'un soir où je m'ennuyais, j'ai tendu la toile sur du liège et j'ai peint une cible dessus. Voyez... – Ils se penchèrent plus près.

– On distingue tout juste les cercles sous le blanc écaillé, là. Seulement je n'ai pas pu me débarrasser des trous. Cela produit un assez joli effet. Donne aux nus une espèce d'apparence criblée.

– Comme s'ils avaient la variole ou quelque chose comme ça.

– Hum. Ça me plaît. Très bon. Je l'appellerai *Variola Britannica* et j'augmenterai le prix de cinquante livres.

– Si j'étais vous, je lancerais quelques fléchettes de plus à la figure de celle-ci. Cela lui donnerait un air plus pustuleux.

Wiggins sourit et offrit à Adrian une pastille pectorale.

5

La résidence de Sir Titus Craël, baronet, était un manoir élisabéthain, dominant les falaises géantes et bosselées de la mer du Nord. Elle semblait bâtie dans le même calcaire dolomitique que les remparts de la cité d'York, et les pluies l'entretenaient dans une perpétuelle blancheur. Surgissant d'une épaisse couche de brume, elle dressait sa masse au travers de hautes nuées de brouillard.

Wiggins conduisit la Ford de service le long de l'allée sablée vers un vaste bâtiment d'écurie, surprenant soudain un magnifique cheval qui se cabra dans un mouvement de recul. Le vieil homme qui le montait, mince, de haute taille, l'air distingué, semblait toutefois maîtriser parfaitement le cheval et mit pied à terre. Il se dirigea vers la voiture.

– Vous êtes de Scotland Yard, n'est-ce pas ? Je suis Titus Craël.

Il tendit une main aux doigts vigoureux.

Jury et Wiggins sortirent.

– Ne vous inquiétez pas pour la voiture. Laissez-la ici. Pardonnez-moi de vous recevoir aux écuries, ce n'est pas très cérémonieux, je suppose, mais je ne suis pas très formaliste. En tout cas, je voulais juste échanger quelques mots avec vous avant que vous entriez. Cela ne vous ennuie pas de parler ici dehors ? Bracewood fera la sourde oreille.

Jury chercha Bracewood autour de lui, puis se rendit compte que le colonel parlait du cheval. Le colonel Craël, les mains gantées de cuir passées dans les rênes, était accoté légèrement contre le cheval, comme certaines personnes le font contre d'autres pour se soutenir – physiquement ou moralement.

– Vous n'y voyez pas d'inconvénient, n'est-ce pas, inspecteur ? Sergent ?

Jury présuma que le colonel entendait que l'interrogatoire soit fait dehors et, bien que le temps fût plus humide que froid, il savait que Wiggins leur infligerait bientôt le spectacle d'un masque de souffrance.

– Non, pas vraiment, répondit-il. Je vais simplement envoyer le sergent Wiggins à l'intérieur s'entretenir avec le personnel.

– Je vous en prie. Droit par cette porte. Wood, mon majordome, vous pilotera. – Il désigna l'impressionnante façade du château comme si ce n'était que l'entrée d'un cottage de torchis. – La cuisinière vous donnera du thé ou quelque chose. Vous avez l'air transi.

Wiggins ne cachait pas non plus sa reconnaissance. Il se dirigea d'un bon pas vers la maison.

– Pour dire la vérité, inspecteur Jury, je souhaitais m'entretenir avec vous de cette histoire avant que vous interrogiez Julian. Nous sommes tellement en désaccord à propos de cette jeune femme que je ne tenais pas à revenir sur le sujet en sa présence. Nous ne faisons que nous mettre mutuellement en colère. – Le colonel enroula les rênes du cheval autour de ses doigts. – Je suis certain que cette Gemma Temple était ma pupille. Dillys March.

Son regard se perdit au-delà des pierres noyées de brume entre les arbres, de grands hêtres qui se profilaient comme des spectres, et il parla de Dillys March. Elle était venue chez eux quand elle n'avait que huit ans, après la mort de ses parents, disparus tous deux dans un accident d'avion.

– Des amis très chers à Lady Margaret... – Le colonel trébucha sur le nom. – Margaret était ma femme. Il y a un merveilleux portrait d'elle dans la maison. C'est Adrian Rees qui l'a exécuté, d'après une simple photographie. Il a vraiment beaucoup de talent. Vous aurez l'impression qu'il l'a embellie... mais non. Elle était réellement très belle...

– Vous parliez de Dillys March.

– Oui. C'était en quelque sorte... notre fille adoptive, au fond. Je veux dire, nous la traitions comme la nôtre, bien que nous ne l'ayons jamais adoptée légalement.

– D'après le rapport de l'inspecteur Harkins, qui cite

votre propre déclaration, monsieur, Dillys March était sur le point d'hériter de l'argent provenant de la succession de votre épouse. Et elle est partie subitement.

– Cela ne faisait pas beaucoup d'argent. – Le colonel eut un haussement d'épaules dédaigneux. – Seulement cinquante mille livres. Quand elle aurait vingt et un ans.

– Et cet argent, qu'est-il devenu ?

– Il a fait retour à la succession. Margaret avait tout légué à Julian et à Rolfe. Et ces cinquante mille livres à Dillys. Quand Rolfe a été tué...

Il s'interrompit.

– L'argent est allé à Julian, alors.

– Oui. – Le colonel avala sa salive avec peine. – Ils ont été tués tous les deux, Margaret et Rolfe, dans un accident d'auto.

Jury resta muet pendant un instant.

– Cela a dû être terrible, de perdre d'un seul coup votre femme et votre fils.

Sir Titus ne répliqua pas, il se contenta de laisser son regard se perdre dans les arbres. Alors Jury questionna :

– Dillys March était-elle le genre de personne à s'en aller en laissant un héritage en plan ? Et puis, finalement, il y aurait eu beaucoup plus que cinquante mille livres, n'est-ce pas ? Elle aurait eu davantage de vous.

– Pour répondre à vos deux questions : non, ce n'était pas son genre. Et, oui, elle aurait eu plus. J'admets que cette façon de tout quitter, venant de sa part, nous a surpris. Mais il y avait *eu* déjà des incidents auparavant. Dillys prenait le volant sans prévenir. Je lui avais donné une Mini pour son seizième anniversaire et elle s'en allait toujours avec. Une fois même, ce fut pour une semaine entière. Nous l'avions ramenée de Londres.

– Était-elle dévergondée ?

– Je... ne dirais pas tout à fait cela.

Ce qui signifiait qu'elle l'était.

– Quand elle est partie, cette dernière fois, vous n'avez pas prévenu la police ?

– En fait, c'est la police qui nous a téléphoné. On avait retrouvé sa voiture à Londres, manifestement abandonnée. Sans le moindre indice sur l'endroit où elle était.

– Qu'est-ce qui s'est passé, alors ?

– Cela a été très... pénible. Les policiers ont tout naturellement supposé qu'elle était partie d'elle-même, vous savez. Mais je pense qu'ils ont été amenés aussi à envisager un crime. J'avais un chauffeur, Leo Manning. C'est le fils d'Olive, ma gouvernante. On a découvert qu'il y avait eu quelque chose entre Dillys et Leo. Et Leo était la dernière personne à l'avoir vue. Elle avait été avec lui, apparemment. Et de ce fait, il a été l'objet d'assez graves soupçons. Sa mère croit que c'est ce qui lui a fait perdre la tête. Dépression nerveuse. Il est aujourd'hui dans une maison de santé. Et Olive a toujours détesté Dillys March.

– Quelle raison a-t-elle donnée – Gemma Temple, je veux dire – pour être restée absente aussi longtemps ?

– Le remords. La honte. Sa vie, je pense, n'avait pas été très reluisante. Elle avait pris une chambre au *Renard Trompé*, a-t-elle déclaré, parce qu'elle ne savait pas si elle serait bien reçue. Mais naturellement qu'elle l'a été. Écoutez, inspecteur. Si cette Gemma Temple était un imposteur, comment, au nom du ciel, aurait-elle réussi à faire illusion ? Comment aurait-elle été au courant de toutes les choses qu'elle *savait* – même des détails – sur l'enfance de Dillys, de menus faits de ce genre ?

– Par collusion. Quelqu'un de Rackmoor, de votre propre maison, peut-être, qui connaissait bien Dillys March. Quelqu'un qui pouvait avoir envie de partager les bénéfices. Ou qui a agi par esprit de vengeance, de jalousie... il y a d'autres mobiles possibles.

– Mais une telle tromperie est *impensable*. – Il soupira. – Je vois que vous êtes de l'avis de Julian.

– Non, je ne suis de l'avis de personne pour le moment. Je n'en sais pas assez. Mais des coups de ce genre ont déjà été montés, colonel Craël. Voyons, qui aurait pu la connaître suffisamment bien ?

– En dehors de moi et de Julian, les seuls autres seraient Olive Manning, Wood le majordome et une vieille servante, Stevens. Mais l'idée que l'un d'eux... eh bien... je crois que moi-même j'ai beaucoup parlé d'elle à Maud Brixenham, une excellente amie à moi. Elle habite au village, dans la Rue du Retour. Et à Adrian Rees, quand il faisait le portrait de Margaret. J'avais l'habitude d'aller le voir peindre dans son atelier... – Il passa la main sur l'encolure de Bracewood. – Cette maison était bien différente au temps où Margaret y vivait. Toujours des quantités de gens. Et il y avait Rolfe et

Julian. Rolfe était son aîné de quatorze ans. Tous deux ressemblaient à leur mère ; c'était à cause de ses cheveux blonds comme de l'or filé. On les avait surnommés les jumeaux dorés. Julian ressemble à sa mère trait pour trait ; je regrette seulement qu'il ne soit pas comme elle sur d'autres plans. Je ne sais pas qui est Julian, en réalité. Rolfe aimait beaucoup plus s'amuser. Peut-être trop. Les femmes, vous comprenez. Et puis il y avait Dillys. Margaret l'avait pratiquement métamorphosée d'une enfant plutôt empâtée en quelqu'un de très semblable à elle-même. La façon de s'habiller, de se conduire, ce genre de chose. Oh, elle n'était pas belle comme Margaret. Ou même comme Julian, à ce compte-là. Quoique Margaret n'ait pas été nécessairement ce qu'on pourrait appeler quelqu'un de bien... – Il détourna les yeux ; son visage s'assombrit. – Mais Julian l'adorait. Les gens qui ont cette allure... leur pure beauté physique semble les mettre au-dessus de la moralité ordinaire. Vous ne trouvez pas ?

Jury étudia le vieil homme, son visage ferme, ses mains vigoureuses sur les rênes du cheval, les cheveux et la moustache gris fer.

– Non, je ne trouve pas.

Le colonel abaissa son regard sur la cour voilée de brume. A mesure que le silence se prolongeait, ils donnaient l'impression de flotter là, leurs pieds et les sabots du cheval perdus dans un lac de brouillard. Finalement, le vieil homme releva la tête, eut un sourire triste.

– N'allez-vous pas me demander : « Où étiez-vous le soir qui nous intéresse ? » L'inspecteur Harkins affectionnait apparemment la question.

– J'y venais, dit Jury en souriant. Vous donniez une réception à l'occasion de la Nuit des Rois, n'est-ce pas ? Je suppose que vous étiez accaparé par vos invités ?

– C'est une façon un peu plus courtoise de l'exprimer.

– Je ne cherchais pas à être courtois. J'ai lu votre témoignage, c'est tout.

– Ah. Eh bien, je ne peux donc que répéter ma déclaration. Oui, j'allais de-ci de-là et m'affairais auprès de mes invités. Je ne dirai pas que j'ai un alibi, néanmoins ; j'entends par là que je ne suis pas en mesure de justifier totalement mes faits et gestes pendant la période en cause. Pas comme Julian, ajouta-t-il en regardant Jury droit dans les yeux.

– Je comprends. Je pense que je devrais maintenant parler avec Julian. – Jury se tourna vers la façade de la Vieille Maison. – Je peux y aller seul. Au cas où vous vous apprêtiez à partir en promenade.

– Si vous pensez vous y retrouver. Oui, je sortais. Une chasse est prévue dans trois jours et je me rendais simplement aux chenils. Wood ira chercher Julian pour vous, s'il est de retour. Julian fait beaucoup de marche, quel que soit le temps. – Il se mit en selle, caressa vigoureusement le cou du cheval. – Bon, alors je file. Si vous avez besoin de moi, je suis toujours là.

– Je crois que ce sera le cas. Et il y a une autre chose. Vous avez un visiteur qui demeure chez vous ?

Sir Titus eut l'air surpris.

– Tiens, oui, effectivement. Un vieil ami... eh bien, plutôt, le fils d'un vieil ami, Lord Ardry. Une personne de valeur, qui adorait la chasse, naturellement. Ce Lord Ardry-ci – le fils, je veux dire – n'utilise que le nom patronymique. Melrose Plant, c'est ainsi qu'il se fait appeler.

Jury sourit. Le colonel disait cela comme s'il s'agissait d'un pseudonyme.

– Toujours est-il qu'il a renoncé au titre... Je ne sais pas pourquoi ; cela m'a pris assez longtemps pour obtenir le mien et je ne suis que baronet. Pas grand-chose de remarquable, hein ? Tandis que Plant... maintenant, il est...

– Je sais. Je l'ai rencontré. Dans le Northamptonshire, pour tout dire.

– Oui. Oui, c'est juste ; il m'en a parlé. Une très vilaine affaire, n'est-ce pas ?

– Le meurtre l'est généralement.

Le majordome prit le manteau de Jury, lui dit que Mr. Julian n'était pas encore de retour mais que, oui, il ne manquerait pas d'aller chercher Lord Ardry. Tout en examinant le hall – un imposant mélange de lambris sombres et de colonnes doriques – Jury se fit la réflexion que Plant avait peut-être renoncé au titre mais que tous les autres le lui donnaient encore. Il contempla le dessin blanc et noir du sol de marbre et souhaita que ses propres pensées s'assemblent en dessins géométriques aussi nets. A sa droite s'ouvrait une galerie. Il s'y engagea, flânant sous les voûtes à caissons et devant les tableaux. Il se demanda si le portrait de Lady Margaret se trouvait accroché là...

– Alors, on rêve, inspecteur ?

Melrose Plant se tenait à l'entrée de la longue galerie, fumant à petites bouffées une cigarette. Il était assez loin pour être obligé d'élever la voix, et elle se répercutait sous le plafond en stuc, les colonnes en scagliola [1] et les miroirs dorés. Il portait un costume gris coupé par Dieu sait quel grand tailleur.

Jury fut ravi de le voir.

– Monsieur Plant. – Il s'avança vers lui, la main tendue. – J'en crois à peine mes yeux. Vous êtes un vieil ami de la famille, m'a-t-on dit.

– J'étais à York quand j'ai appris ce qui s'était passé. On dirait que je me trouve dans les parages précisément quand vous n'avez pas besoin de moi.

– Au contraire, monsieur Plant : vous pourriez m'être très utile. Étant un ami de la famille, vous êtes libre d'aller partout dans la maison, pour ainsi dire. – Jury le regarda. – De bavarder...

– Ha. Ça ne sera guère facile. Julian Craël est un iceberg plutôt redoutable. Il passe beaucoup de temps à marcher au bord de la falaise ou dans les landes et, plus généralement, à se rendre pâle et intéressant.

– Dois-je comprendre que vous n'aimez pas beaucoup Julian Craël ?

Melrose haussa les épaules, sourit et changea de sujet.

– J'ai suivi votre carrière dans les journaux.

– Cela n'a pas dû vous donner grand-chose à lire.

– Au contraire. J'ai su qu'on vous avait chargé du dossier. Je dois reconnaître, bien que cela puisse sembler quelque peu macabre, que je me suis assez réjoui de cette affaire à Long Piddleton. En vérité, j'y ai pris presque autant de plaisir qu'Agatha.

– Comment parviendrai-je jamais à me débrouiller sans elle ? – Jury regarda vivement autour de lui. – Elle n'est pas...

– Vous êtes en sécurité, inspecteur. Elle n'est pas là. Pour le moment. Me serait-il possible de vous inviter à dîner avec moi au *Renard Trompé* ? J'ai entendu dire qu'on y mange très bien.

---

1. Scagliola : imitation de marbre ornemental fait de poudre de gypse agglomérée que l'on incruste sur des pâtes colorées pour imiter des marbres précieux.

– Bonne idée. Que pensez-vous de sept heures ?
– Que pensez-vous de six ? C'est l'heure d'ouverture et je siroterais bien un Brouillard de Rackmoor.
– Qu'est-ce que c'est ?
– Une petite boisson que la débitante – Mrs. Meechem ? – compose, je crois bien, à l'intention des touristes. Du gin, du rhum, du cognac, du whisky et des dents de requin. Dites au sergent Wiggins d'en prendre un. Cela guérirait n'importe quoi, même la peste noire.
– Vous avez donc vu Wiggins ?
– Oui. Il est dans la cuisine, exhortant la cuisinière à passer aux aveux.
– J'y vais, alors. A six heures. Si je n'y suis pas, faites-vous servir un double Brouillard.
– Alors vous ne me verriez plus du tout. – Melrose lança dans le dos de Jury qui s'éloignait : – Un peu d'aide entre-temps ne pourrait-elle pas vous être de quelque utilité ? Ne serait-ce que comme banc d'essai pour certaines de vos réflexions ? Pour voir comment cela sonne, ce genre de chose ?

Jury réfléchit un instant.

– Peut-être. Puisque vous êtes ici, monsieur Plant, allez donc au cottage Makepiece voir ce que vous réussirez à trouver. C'est le plus proche du Pas de l'Ange, en haut, sur la Rue-Qui-Grince. Il s'appelle les Clefs Croisées et il y a une chance qu'ils aient entendu quelque chose.

Le visage de Plant, Jury le vit, s'illumina, tandis qu'il inscrivait une note brève dans son agenda. Ce petit carnet ressemblait étonnamment à celui de Jury.

Dans une cuisine vaste comme un terrain de rugby, Wiggins était courbé sur son calepin, devant une tasse de thé et un plat de sandwiches qui avaient l'air délicieux. En face de lui était assise une femme bien en chair, au visage cramoisi, d'âge indéterminé, les cheveux châtain réunis en un chignon soigné.

– Voici madame Thetch, inspecteur. Elle a eu la gentillesse de me donner du thé.

Jury avait faim, lui aussi – ce devait être l'air marin – et il prit un sandwich. De l'émincé de poulet, très bon.

– Je vais vous chercher une tasse, monsieur.

Mrs. Thetch s'apprêtait à se lever mais Jury lui fit signe de se rasseoir.

– Non merci. Cela ira très bien. Dites-moi, madame Thetch, depuis combien de temps êtes-vous chez les Craël ?

– Dix-huit ans. J'étais justement en train de l'expliquer au sergent.

– Alors vous avez connu Lady Margaret.

– Oui, monsieur. Mais pas très bien. Je suis arrivée juste avant... vous savez. – Son visage arbora l'air affligé de rigueur. – Je me suis occupée des légumes pendant quelques mois ; puis après que Mary Siddons a péri, la pauvre, je suis restée comme cuisinière en titre.

– Cette Mary Siddons, elle avait bien une fille, Lily ?

– Oui, monsieur. Nous voyons toujours Lily. Terrible, ce qui est arrivé à sa mère. Noyée, qu'elle a été. – Mrs. Thetch hocha la tête en direction de l'arrière de la maison et des falaises. – Personne n'a jamais compris pourquoi elle s'est promenée le long de cette bande de galets à l'approche de la marée haute. Il y a un étroit ruban en longueur juste au pied de la falaise qui vous conduit de Rackmoor jusqu'à la Baie du Contrebandier. Mais on ne peut l'emprunter qu'à marée basse. Des quantités de gens le font. La pauvre Mary Siddons a dû essayer de passer par là quand la mer montait.

Wood surgit pour annoncer à Jury que Mr. Julian l'attendait dans la salle Bracewood. (Apparemment, le colonel donnait à ses salons le nom de ses chevaux.) Le majordome décocha un regard sombre à la volubile Mrs. Thetch et précéda Jury dans la salle à manger.

En suivant Wood, Jury songea : une disparition, deux victimes dans un accident d'auto, un malheureux dans une maison de fous, une noyée. Une assassinée. Rackmoor, en dépit de son air vivifiant, ne semblait pas l'endroit le plus sain des îles Britanniques.

6

Quand il pénétra dans la salle Bracewood, Jury sut qu'il avait enfin trouvé le portrait de Lady Margaret Craël. Il était accroché au-dessus de la cheminée de marbre, dominant la pièce. La femme du tableau était assise sur un sofa ou une chaise longue de bois sombre au dossier courbe. L'artiste avait peint son modèle comme par surprise, par-derrière. C'était en effet le dos du sofa qui se présentait au spectateur. Le sujet était cadré à partir de l'épaule et montré de profil. Sa tête était tournée vers la gauche, regardant dans la direction de son bras, une manche noire reposant sur le cadre d'acajou. Jetée en travers du sofa, une étoffe de soie – un châle espagnol, peut-être, bordé de franges noires. Il fallait s'approcher très près pour distinguer les détails de la soie, des franges et du bois, chaque plan – le châle, la robe, le décor – se fondant tour à tour dans des teintés à dominante sombre, dégageant la seule clarté du profil et de la chevelure translucides. Les cheveux d'or pâle tombaient librement sur les épaules, rejetés en arrière du visage comme si la brise avait soufflé dans la pièce. La paume de la main était tournée vers le haut, légèrement creusée, les doigts écartés et un peu tendus, comme on fait un signe à quelqu'un – quelqu'un qui se trouvait au-delà du cadre du portrait. Jury détourna les yeux.

– Je suis Julian Craël, dit l'homme au-dessous du tableau. – Voyant la direction du regard de Jury, il ajouta : – C'était ma mère.

Cette dernière affirmation était superflue. Seul un aveugle aurait pu en douter. Julian Craël aurait-il été une femme, qu'il aurait pu passer pour la jumelle de la femme du portrait. Même teint pastel, même yeux bleus profondément enchâssés, même couleur barbe de maïs des cheveux – Julian lui-même semblait sorti d'un tableau.

– Elle est belle, dit Jury.

Un commentaire banal, somme toute.

– C'est aussi très ressemblant, bien que Rees l'ait peinte d'après une photographie. C'est le peintre du pays. Il s'abaisse de temps à autre à exécuter des portraits. Cela paie le loyer, je suppose. Il y a dix-huit ans qu'elle est morte.

Craël finit de boire ce qu'il y avait dans son verre et regarda au loin, dans le vide, par-dessus l'épaule de Jury.

– Navré. Mais je ne me suis pas présenté. Richard Jury, de la Police judiciaire. Je voulais vous poser quelques questions au sujet de Gemma Temple, monsieur Craël.

Julian avait quitté le devant de la cheminée pour remplir son verre. Il leva le carafon de whisky dans une question muette. Jury déclina l'offre.

– Que voulez-vous savoir à son sujet ? demanda Julian en se versant à boire. Pourquoi mon père et moi ne sommes pas d'accord sur l'identité de Dillys March ? Pourquoi le serions-nous, puisque nous sommes du même avis sur tellement peu d'autres choses ?

Il haussa son verre, adressa à Jury un sourire glacial et but. Puis il retourna près du manteau de la cheminée, et reprit la position, le bras étendu le long de la tablette, comme dans le portrait au-dessus. Ce n'était pas, Jury en était sûr, une pose prise consciemment.

– Vous êtes convaincu qu'elle n'était pas Dillys March ?

– Absolument. C'était une escroquerie. Ou plutôt cela a failli en être une.

– Vous devez donc avoir songé à une collusion, monsieur Craël. Cette Gemma Temple a certainement dû avoir des renseignements fournis par quelqu'un qui connaissait effectivement Dillys.

Julian tira une bouffée de fumée et fit tourner son briquet d'argent entre les doigts de sa main toujours posée sur la tablette.

– Je le suppose.

– Qui, dans ce cas, monsieur Craël ?

Julian laissa choir le briquet dans sa poche, puis son bras de la tablette, et tourna le dos à la cheminée, fumant toujours.

– Je n'en ai aucune idée.

– Mais vous êtes d'accord avec moi que c'est l'unique solution, du moins si elle n'était pas Dillys March. – Jury voulait obtenir de lui cette confirmation, trouvait étrange qu'il paraisse répugner à la donner. – Monsieur Craël ?

D'un mouvement bref, Julian hocha la tête.

– Oui.

– Dites-moi : pourquoi Dillys est-elle partie comme elle l'a fait ? Le colonel Craël dit qu'elle était déjà partie auparavant.

Il acquiesça d'un signe.

– Dillys était volontaire, égoïste, gâtée. Je suppose qu'on lui donnait tout ce qu'elle désirait pour compenser la perte de ses parents. Rien de ce qu'elle faisait ne m'aurait surpris.

Une bûche se désintégra dans l'âtre, crachant des étincelles et de petites langues de feu. Les yeux de Julian, comme les flammes aux pointes bleues, semblaient décocher à Jury un regard flamboyant. Il fut de nouveau frappé par la beauté du visage de cet homme et par le fait qu'il semblait si peu à sa place ici. Il appartenait à une autre époque et à un autre lieu, l'Arcadie peut-être.

– Je crois comprendre que vous n'aimiez guère Dillys March.

Pendant un instant, Julian détourna la tête et ne répondit pas. Jury saisit cette occasion pour subtiliser la pochette d'allumettes avec laquelle il venait d'allumer sa propre cigarette et qui se trouvait dans une coupe en cristal taillé à côté de son fauteuil. On ne sait jamais d'où peuvent provenir des allumettes. Il se demandait même ce que faisait là cette humble pochette, en compagnie de deux riches briquets de table – l'un en verre de Murano, l'autre en porcelaine, sans oublier le briquet d'argent de Julian.

– Ne devriez-vous pas me demander des choses plus pertinentes, inspecteur ? Par exemple, où j'étais au moment du meurtre ?

Jury sourit. Le père avait posé la même question.

– D'après votre témoignage, vous vous trouviez dans votre chambre.

– C'est tout à fait juste. Je déteste ces réceptions de la Nuit des Rois. Ma mère en avait lancé l'usage. Elle adorait les réceptions, et le colonel également. Pas moi. Je suis, de fait, plutôt asocial. – Il parut attendre que Jury relève le propos. – J'aimerais vous montrer quelque chose.

Julian se dirigea vers les portes-fenêtres, en ouvrit une et fit signe à Jury de le suivre sur la terrasse. Ils sortirent dans l'air glacé. Du givre bordait la balustrade à laquelle Julian avait tourné le dos, la mer derrière lui, le ressac venant battre le flanc de la falaise. Julian regardait le mur nu de la maison. Il tendit la main.

– Voilà mes fenêtres. – Puis il traversa la terrasse vers la gauche et désigna le village. – Un sentier aboutit ici aux marches de la terrasse. C'est une promenade charmante le long des falaises. Il faut emprunter plus loin un autre escalier qui descend à la digue. Le plus commode pour venir chez nous est de passer par l'escalier du Renard, longer la digue puis emprunter le sentier pour gagner *ensuite* la terrasse. Et c'est par là que les gens allaient et venaient. – Il rejoignit Jury. – Toute la nuit durant, inspecteur Jury. – Pour la première fois, ses yeux pétillèrent d'un éclat qui ressemblait à de l'humour. – En ce qui concerne l'intérieur, il y a deux portes dans mon appartement. Toutes deux ouvrent sur le palier où les musiciens ont joué la soirée entière. Certes, ils ont fait des pauses, mais il y avait toujours quelqu'un là. Je suis entré dans ma chambre à dix heures. La réception avait déjà commencé. Je n'aurais pas pu sortir sans que quelqu'un me voie. Même s'il y avait eu la moindre chance que cela soit possible, je n'aurais pas pu partir et *revenir* sans être aperçu.

– Et vous n'auriez même pas pu escalader le mur, dit Jury.

Ils étaient de retour dans le salon, Jury assis dans le même fauteuil et courbant l'une après l'autre les allumettes de l'étui qu'il avait retiré de sa poche.

Julian, à nouveau près de la cheminée, ouvrit les bras dans une mimique de feinte impuissance ; il avait l'air très amusé.

– Séjournez-vous souvent à l'*Hôtel Sawry*, monsieur Craël ?

– Quoi... ?

– Le *Sawry*. Un lieu qui n'est pas fréquenté par n'importe qui. C'est dans Mayfair, n'est-ce pas ?

Un instant de trouble, puis Julian reconquit son insouciance glacée.

– Notre famille y descend. Je vais à Londres de temps à autre. Comme le reste du monde. Pourquoi me demandez-vous cela ?

BROUILLARD A RACKMOOR

Jury leva en l'air la pochette, le rabat à l'extérieur.
Julian contempla les allumettes, détourna les yeux.
– Gemma Temple venait de Londres.
– Allons, inspecteur ! Adrian Rees aussi. Maud Brixen-
ham aussi. Et Olive Manning vient d'en rentrer. La moitié
de la planète est à Londres.
Charmante dérobade. Jury changea encore le sujet :
– Parlez-moi de Lily Siddons.
Julian qui venait de reprendre son verre le reposa d'un
geste brusque.
– Au nom du ciel, qu'a-t-elle à voir avec ça ?
– Sais pas. C'est pourquoi je pose la question. N'y avait-il
pas un dîner ici le soir précédent ?
– Ah, oui. Les *débuts* mondains de Miss Temple. Père
avait invité Lily. En même temps que Rees et Maud Brixenham. Mais je ne comprends toujours pas...
– Le costume. Le costume que portait Gemma Temple
appartenait en réalité à Lily Siddons. Il y a eu apparemment
un échange.
Julian eut l'air surpris.
– Êtes-vous en train de me dire que l'assassin avait
l'intention de tuer *Lily* ?
Jury ne répondit pas, il se contenta de le regarder. Julian
grogna, secoua la tête comme un chien courant déconcerté
par une piste brouillée.
– A franchement parler, je ne prêtais pas grande attention
à leur conversation et je ne me rappelle vraiment pas quoi
que ce soit concernant des costumes. Ah, si, cette Temple a
déploré le fait qu'elle n'en possédait pas. Je suis parti à peu
près à ce moment-là. Il faudra que vous demandiez à mon
père. Ou à Maud. Ou à Lily elle-même, pourquoi ne lui
posez-vous pas la question ?
– Je n'y manquerai pas. Lily Siddons a habité ici, n'est-ce
pas ? Du temps où sa mère était cuisinière ?
– Oui, étant enfant, pendant quelques années.
Jury réfléchit un instant.
– Vous savez, j'ai parfois l'impression que les meurtres
sont commis dans le passé, pour ainsi dire. L'intention fon-
cière était de tuer quelqu'un il y a longtemps – et il a fallu
tout ce temps pour traîner ce sentiment... comme un
cadavre, réellement. Jusqu'à ce qu'on réussisse finalement à
passer à l'acte. Et que l'on jette le cadavre dans le présent.
Sur les marches du Pas de l'Ange. Quelque part.

Il s'arrêta net en voyant l'expression qu'avait prise le visage de Julian : il était livide, brisé, désemparé. Cela ne dura qu'une ou deux secondes, mais c'était assez net pour convaincre Jury que Julian avait été sur le point d'avouer quelque chose – d'avancer au-dessus d'un précipice, avant de retirer vivement son pied.

Mais Julian s'était déjà repris :

– Est-ce que papa me voit former un couple avec Lily ? C'est possible. Il a toujours eu un faible pour elle. Même si c'était la fille de la cuisinière.

– J'imagine qu'il aimerait que vous soyez marié. Vous devez être le meilleur parti qui soit. Intelligent, beau, riche, titré... comment y avez-vous échappé ?

– Je suis content que vous l'ayez mis dans le bon ordre. Le titre n'est pas grand-chose. Rien qu'une dignité de baronet. Notre invité, Mr. Plant, semble avoir renoncé à beaucoup plus. Je serai Sir Julian un de ces jours. – Il n'y prenait visiblement pas de plaisir. – En ce qui concerne Lily, oui, mon père ressent beaucoup d'affection à son égard. Elle le ramène des années en arrière. Jusqu'à un certain point, elle aide à créer l'illusion que tout n'est pas fini.

– Est-ce que Lily Siddons héritera d'une somme quelconque, monsieur Craël ?

Julian fronça les sourcils.

– Probablement. Pourquoi ?

– Simplement parce que quiconque a un droit sur le capital de votre père, au sens littéral ou bien émotionnel, pourrait avoir une bonne raison de vouloir éliminer Dillys March. Une fois pour toutes.

Julian ne sut qu'ouvrir de grands yeux. Puis il rit.

– Allons bon ! D'abord Lily est victime et maintenant la voilà assassin ? L'idée qu'elle brandisse ce couteau... absurde. Sans compter que ce serait un moyen bien détourné de recueillir son héritage, ajouta-t-il sèchement.

– Pourquoi absurde ? Une femme pourrait l'avoir fait.

– Elle est si éminemment *raisonnable*. Elle travaille comme un démon à son restaurant. Et elle n'a pas le... – Il chercha le mot juste. – Elle n'a pas la passion qu'il faut pour commettre un meurtre. Lily est un peu un iceberg. L'authentique Reine des Neiges. – Jury retint son sourire. – Je pense qu'elle est assez séduisante. Teint clair, cheveux blonds. Oui, je suppose qu'elle l'est. – Il donna l'impression d'assimiler tout fraîchement ce renseignement, comme s'il venait de le découvrir. – Le colonel a des goûts très démocratiques, non ?

– Qui, à votre avis, pourrait l'avoir fait, monsieur Craël ? Il eut un rire bref.

– Personne. Oh, voyons, si. Il y a Adrian Rees. Il est du genre explosif, c'est certain. Toujours en train de prendre feu. Dans des rixes de cabaret. Il veut entretenir sa réputation.

– Vous ne l'aimez pas ?

– Je n'éprouve pour lui ni haine ni sympathie.

Cette indifférence, qui semblait s'appliquer à la plupart des choses et des gens, était trop étudiée pour être réelle, songea Jury.

– Rees pourrait être en cheville avec quelqu'un d'autre, bien sûr. Il a besoin d'argent pour sa galerie, je le sais. Mon père lui a prêté pas mal d'argent.

– En connaissait-il assez sur Dillys March pour faire la leçon à Gemma Temple ?

– Je ne sais pas. Le colonel se confie aux gens, bien sûr. A Maud Brixenham, par exemple. A moins que je ne me trompe totalement, je crois qu'elle aimerait bien devenir Lady Craël. Papa est encore bel homme. Il a quinze ou vingt ans de plus que Maud mais ne les paraît pas. Après tout, elle a cinquante-cinq ans, alors quelle est la différence ? Le colonel est très actif. C'est toute cette damnée chasse, je suppose.

– Votre père a-t-il témoigné d'une inclination envers elle ?

– Il se confie, inspecteur. Mais pas à moi. – Julian jeta à Jury un coup d'œil sardonique. – Non, la vieille Maud ne tiendrait pas à ce que Dillys March revienne faire valoir ses droits, comme vous dites, sur l'affection de mon père. Olive Manning non plus. Je crois qu'elle blâme mon père d'avoir laissé se développer cette liaison sordide entre Leo et Dillys. Mais pour rendre à César ce qui est à César et au diable, c'est-à-dire à Dillys, Leo Manning était déjà cinglé longtemps avant de venir ici. Mon père l'avait engagé comme chauffeur par amitié pour Olive. Ni le chauffeur ni l'individu ne valait un clou. Mais, bien sûr, sa mère pense le contraire. Pour elle, c'était entièrement la faute de Dillys. Entièrement *notre* faute, si j'ai bien compris. Papa paie les frais pour Leo Manning. C'est un homme généreux. Il y a probablement dans son testament une liste de pensions longue comme le bras. – Julian regarda Jury. – Non, inspecteur. Il ne me déshériterait pas en faveur de Dillys March. Naturellement, il pourrait tout donner au Club du Chenil ou à l'organisation des Chasseurs sans ressources. – Un instant silencieux, il tira quelques bouffées de sa cigarette. – Peut-être que cette Gemma Temple avait simplement l'intention de prendre les cinquante mille livres de Dillys March et de s'en aller.

– Ou de rester.

– Elle n'aurait pas pu s'en tirer. Jamais.

– Elle paraît avoir fait un bon début.

– Mais conclure aurait été impossible. Se faire passer pour quelqu'un d'autre pendant quarante-huit heures, c'est une chose. Mais jouer la comédie pendant si longtemps? Julian secouait la tête, incrédule.

– Dillys March n'était pas universellement appréciée, si je comprends bien.

– Parfaitement exact.

– Mais elle n'avait que dix-huit ans quand elle est partie d'ici.

– Effectivement.

– Quelles étaient ses relations avec les hommes?

– Elle en avait probablement avec tous ceux qu'elle rencontrait. Elle aimait causer des ennuis, faire voler des étincelles.

– Toutefois la question reste posée : si cette femme *n'était pas* Dillys March, alors, *qui* est-elle ? Pourquoi Dillys n'est-elle jamais revenue ?

Julian regarda par terre, étudiant le tapis comme s'il allait révéler le mobile du crime.

– Voyez-vous, je pensais qu'elle était peut-être morte.

Avec cette remarque, l'hiver sembla s'installer dans la pièce. Jury eut la sensation extrêmement étrange de neige chassée dans les coins, de glace formée sur le rebord des fenêtres, de givre sur les miroirs. D'une lumière grise, non filtrée, tombant comme du plomb. Il apercevait de sa place les hautes et mornes fenêtres qui donnaient sur la terrasse. Le brouillard venait s'y presser. L'humeur dépressive à laquelle il n'échappait jamais totalement l'enveloppa, comme un linceul, de plis plus épais encore.

7

– Tout est en ordre et bien arrangé !

Bertie éteignit l'aspirateur et salua la petite statue de la Vierge qui se dressait sur la tablette de la cheminée au-dessus de la bûche électrique. Les notions qu'avait Bertie de la religion penchaient fortement vers le concept du sauvetage de l'âme par le devoir plutôt que par la grâce.

– Viens avec moi, Arnold.

Il pivota lestement sur un talon, ramassa l'aspirateur et mit un bras en travers de la poitrine, la main comme une lame sur le col de l'appareil. – Hop, Hop ! – Il l'emporta d'un pas martial jusqu'au placard du minuscule et sombre vestibule.

Le passage de l'aspirateur qu'Arnold surveillait toujours de près était toute une opération et il dénichait quelquefois de dessous les fauteuils des choses intéressantes, comme de vieilles papillotes de bonbon. Bertie revint à grands pas dans le salon pour jeter un coup d'œil à la ronde.

– Cela devrait satisfaire Frog Eyes.

L'aboiement d'Arnold fut aussi sec que le salut de Bertie. Le nom de Frog Eyes suscitait toujours une réaction hostile.

Frog Eyes (« yeux-de-grenouille ») – ou Miss Frother-Guy, nom que lui connaissait le village – était l'une des quelques femmes qui s'étaient autoproclamées tutrices de Bertie en l'absence de sa maman. Il y avait aussi Miss Cavendish, la bibliothécaire, et Rose Honeybun, la femme du pasteur. Elles venaient chacune à leur tour voir comment se débrouillait Bertie. Miss Frother-Guy était la plus détestée, en grande partie à cause de son évidente antipathie envers

Arnold, qu'elle considérait comme un compagnon totalement inapproprié pour ce garçon sans mère.

Le sentiment était mutuel. Pour Arnold non plus, Miss Frother-Guy ne valait pas une rognure d'os. Il se plantait devant elle, bien d'aplomb sur ses pattes, et la soumettait à un examen impitoyable.

Miss Frother-Guy avait un petit visage chagrin aux lèvres minces qui rappelait à Bertie ces souris au nez pointu dans l'histoire du Roly-Poly-Pudding. Miss Cavendish, en revanche, n'était pas aussi pointue mais désagréablement poussiéreuse. Bertie trouvait toujours des traces de saleté, soit de souliers boueux soit de bribes de peluche, déposées dans les plis de ses vêtements. Il l'attribuait à sa manie d'épousseter constamment les étagères de la bibliothèque de prêt de Rackmoor. Miss Cavendish, alias Codfish («cabillaud»), ne semblait nullement réjouie par la tâche que lui avait attribuée Miss Frother-Guy et elle ne faisait guère plus que de passer la tête par la porte d'entrée de Bertie, ses yeux pâles dardant un regard ici et là comme deux petits poissons d'argent. Elle ne restait pas prendre le thé.

Rose Honeybun était la meilleure du lot et restait, elle, pour le thé, auquel elle contribuait pour une part décisive, puisqu'elle se déchargeait en grande partie de son devoir de charité en fournissant à Bertie gâteaux et pains au lait. Bien qu'étant l'épouse du pasteur, elle portait un intérêt quelque peu salace à la vie sexuelle de Rackmoor et sa bonhomie fruste en faisait une plus agréable compagnie que ses deux autres comparses. Elle aimait s'asseoir à la table et avaler tasse de thé sur tasse de thé en fumant des cigarettes et en s'efforçant d'extraire de Bertie tout ce qu'elle pouvait de commérages, comme si elle cherchait des prunes dans une tarte. De plus, elle aimait bien Arnold et lui apportait des os. Un trésor qu'il cachait promptement.

Bertie était désolé que ce soit Miss Frother-Guy le mouton de service ce jour-là, plutôt que Mrs. Honeybun. Il n'aurait pas rechigné à jacasser longuement de l'assassinat. Elles formaient à elles trois comme une équipe de relais, avec Bertie dans le rôle du bâton-témoin qu'elles se repassaient de l'une à l'autre. C'était Frog Eyes qui lui causait le plus d'ennuis ; elle voulait constamment avertir de son cas les « autorités ». Cela faisait six semaines, pour ne pas dire près de deux mois maintenant, que sa mère était partie. Frog Eyes était convaincue que des dispositions plus « convenables » pouvaient être prises. Bertie frémissait d'horreur à cette idée. Il la retenait – il les retenait toutes – d'agir en assurant qu'il avait eu des nouvelles de sa mère mais ne savait plus où il avait mis les lettres, et qu'elle soignait toujours avec dévotion une mamie mourante en Irlande du Nord.

La lettre qu'il *ne voulait pas* leur montrer était celle que sa mère avait réellement écrite. Il la sortait du buffet de moins en moins souvent ces temps-ci, mais assez encore pour que du jour commence à apparaître à travers les plis du papier, usé à force d'être plié et replié en carrés de plus en plus petits. Dépliée à présent, elle ressemblait à une petite fenêtre plombée. Bertie ne comprenait pas son contenu ; les raisons de sa mère le déroutaient, si raisons il y avait.

Matériellement, son absence n'avait rien changé. Lui et Arnold continuaient à vivre comme ils l'avaient toujours fait. Même quand sa mère était là, c'était Bertie qui s'occupait en réalité de la maison, qui nettoyait, cuisinait, se préparait pour aller en classe. Sa mère passait la majeure partie de son temps à rêver tout éveillée de Londres ou restait assise à croquer du chocolat aux noisettes de chez Cadbury en lisant des romans policiers.

S'il avait vraiment besoin d'elle, ce n'était pas pour qu'elle prenne soin de lui. Néanmoins, il éprouvait un sentiment de privation, surtout quand il voyait d'autres garçons avec leur maman. Comme lorsqu'un garçon regarde avec envie une bicyclette et pense : tous les autres en ont une, pourquoi pas moi ?

Pendant un temps, après son départ, il lui arrivait d'oublier qu'elle n'habitait plus là et il dressait le couvert pour trois, comme à l'ordinaire. Puis lui et Arnold mangeaient et regardaient chacun par une fenêtre jusqu'à ce qu'Arnold s'en lasse, bâille et saute à bas de son siège puis demande qu'on le laisse sortir. Quelquefois, ils marchaient ensemble dans le crachin. Bertie nourrissait l'espoir que la pluie fertiliserait son esprit, implanterait une explication assez ingénieuse de l'absence de sa mère pour tenir à distance Frog Eyes et Codfish. Il restait debout à contempler la mer pendant qu'Arnold effectuait une de ses promenades favorites de trompe-la-mort le long des falaises, par d'étroites voies qui n'étaient jamais des sentiers mais qu'Arnold aimait emprunter pour descendre (peut-être dénicher des oiseaux en train de couver, pensait Bertie) ; Bertie demeurait à attendre qu'Arnold revienne et semblait scruter les vagues qui déferlaient au large à la recherche d'une réponse. C'est au cours d'une de ces veilles pluvieuses qu'il avait trouvé l'idée de Belfast. Ni Frog Eyes ni Codfish n'auraient envie d'aller fourrer leur long nez dans les affaires de l'Irlande du Nord. D'ailleurs, qui le voudrait ?

Bertie savait qu'il y avait des « maisons pour enfants » et aussi bien sûr des commissariats. C'étaient les seules « autorités » qui à son avis s'intéresseraient à son cas. Aussi avait-il cru s'évanouir pour la première fois de sa vie quand l'inspecteur Harkins était venu frapper à sa porte. Si ce détective ne venait pas pour l'emmener dans une de ces « maisons », alors il devait venir pour les chèques.

Mais il n'était venu ni pour l'un ni pour les autres. Il était venu au sujet d'un assassinat.

8

Pourtant, cet après-midi-là, ce n'est ni à Frog Eyes ni à la police que Bertie ouvrit la porte. C'est à Melrose Plant. Sous l'effort d'une intense concentration, Bertie plissa les yeux et écarquilla la bouche, dévoilant une dent manquante et d'autres en mauvais état. Une mèche de cheveux châtains se dressait sur sa tête comme un petit drapeau. Il y avait une reprise au genou de sa culotte couleur de vase et son cardigan était boutonné de travers, laissant une petite vague de laine brune sur son épaule, ce qui lui donnait une apparence légèrement bossue.

Tout bien considéré, pensa Melrose, le terrier couleur caramel aux yeux bruns lumineux était nettement le plus beau des deux. Melrose avait un manteau à col de velours et tenait, accotée à l'épaule, sa canne à pommeau d'argent.

– Voudrais-tu aller chercher ton père, s'il te plaît, tu serais un gentil petit gars.

Bertie fronça les sourcils.

– Mon p'pa, il est mort.

– Oh. Navré. Eh bien, puis-je dire un mot à ta mère, alors ?

Un bref silence.

– Maman n'est pas là. Il n'y a que moi et Arnold.

– Ma foi, peut-être que cet Arnold ne verrait pas d'inconvénient à me parler. Scotland Yard m'a demandé de passer, fut content d'ajouter Melrose.

Le garçonnet eut un hoquet de surprise.

– Vous êtes du Yard ?

– Pas précisément. Mettons que j'apporte mon aide. Mon

nom est Melrose Plant. – Il scrutait l'air ambiant derrière le gamin à la recherche de quelqu'un de plus grand. – Et ton nom est... ?

– Bertie Makepiece.

Il ouvrit la porte toute grande. Melrose ne vit derrière le garçonnet qu'une maison silencieuse et ce qu'il pouvait apercevoir des pièces – un triangle de salon, un bout de cuisine – était désert. Deux aspidistras d'aspect déplaisant flanquaient l'étroit vestibule. Quelque part, une horloge émettait un tic-tac tranquille.

– Celui-là, c'est Arnold.

Melrose abaissa son regard.

– C'est un chien.

– Je sais.

Melrose essaya de sourire, tout en maudissant Jury en silence. Il se demandait maintenant comment s'y prendre pour continuer la conversation avec ce petit gars.

Il y avait certaines choses que Melrose avait toujours tenté d'éviter, notamment les enfants et les animaux. Ce qui le déconcertait surtout, c'était quand ceux-ci paraissaient s'intéresser à lui, comme s'il avait fait quelque chose de terriblement malin, comme s'il était prêt à donner un bonbon, un os ou un autre machin du même genre. Melrose avait effectivement de temps à autre dans ses poches des bonbons et des biscuits en cas de rencontres impromptues dans un train (par exemple), mais seulement comme moyen de se débarrasser de ces envahisseurs redoutés de sa vie privée. Le plus curieux c'est qu'il était surpris de voir que cela produisait exactement l'effet contraire, l'impliquant souvent dans de baroques histoires interminablement détaillées concernant l'école ou la nourrice ou la petite sœur détestée. On peut naïvement penser que si l'on offre aimablement un bonbon en disant au destinataire : « J'entends ta tantine qui t'appelle, file vite maintenant », l'autre comprendra. Nenni. Ils n'en font que des sourires encore plus collants ou des battements de queue vigoureux pour vous arracher une autre prime. Il se demandait parfois s'il ne se berçait pas d'illusions.

– Eh bien, voilà un agréable petit cottage, déclara Melrose avec une cordialité qu'il ne ressentait certes pas.

Il se vengerait de Jury pour ce tour de cochon. Melrose n'avait ni enfants, ni chiens (à moins de compter Mindy, qui l'avait suivi jusqu'à la maison et y était resté depuis), ni aspidistra à Ardry End. Pourtant cette maison paraissait envahie par ces trois espèces réunies, comme si elles s'étaient regroupées afin de prendre la pose avec lui pour un portrait.

Le garçon arborait à présent un sourire ridicule et quand Melrose regarda la ligne sombre de la gueule du chien, il eut l'impression de détecter là aussi un sourire. Comme s'ils s'attendaient à lui voir faire quelque chose d'assez amusant.

– Entrez donc. Je pensais que vous étiez Frog... Miss Frother-Guy.

Melrose le suivit dans la cuisine d'une propreté irréprochable, jetant son manteau sur la rampe de l'escalier et plantant sa canne dans l'aspidistra.

Deux couverts étaient mis pour le thé. Arnold se faufila sous la table et s'y coucha, la tête sur la patte, levant des yeux mornes vers Melrose. Ce dernier ne savait pas trop comment le Yard s'y prenait pour extraire des renseignements de quelqu'un d'aussi jeune que Bertie. Devait-il le saisir et le secouer, par exemple ? Il opta pour ce qu'il espérait être un ton à la fois amical et autoritaire.

– Apparemment, ton cottage est le plus proche du Pas de l'Ange. Où le corps a été découvert. Nous avons pensé que tu avais peut-être vu quelque chose.

– Frappée une douzaine de fois, voilà ce que j'ai entendu dire. Assez ensanglantée, qu'elle était.

Melrose aurait préféré un peu moins de délectation dans la façon dont ce tout jeune homme s'exprimait.

– Très exagéré. La question est : as-tu réellement vu ou entendu quoi que ce soit ?

– Non.

Même cette unique syllabe était lourde de déception. Il enleva un bol de la table pour le placer dessous.

– Ne fais pas la tête, Arnold. – A Melrose il expliqua : – Vous êtes assis dans le fauteuil d'Arnold, vous comprenez?

– Oh. C'est *moi* qui pourrais m'asseoir sous la table.

– Pas besoin. Buvez donc une tasse. Je mouille le thé.

Eu égard à son manque habituel de commerce avec des personnes de cet âge, Melrose estima qu'il ne devait pas perdre la moindre chance d'instruire le cher enfant.

– Ne penses-tu pas que ta mère préférerait t'entendre dire « laisser les feuilles infuser » ?

Bertie haussa les épaules et le vaste tablier blanc qu'il avait enfilé se souleva et retomba sur sa poitrine.

– Je pourrais. Mais ma mater n'est pas là et ça fait terriblement emphatique. Puisque ces feuilles sont là en train de se mouiller, autant le dire. Un morceau de gâteau de Savoie ou un scone aux raisins, ça vous tente, hein ?

– Non, merci. Pourquoi pas un Weetabix ?

Bertie avait le bras plongé dans la boîte.

– C'est pour Arnold. Il en prend toujours deux pour son thé.

Il posa deux biscuits sous la table près du bol d'Arnold. Néanmoins Arnold ne détourna pas son regard de Melrose plus d'une seconde. Son expression n'était pas hostile, simplement concentrée.

Melrose songea qu'ils s'étaient quelque peu éloignés du sujet.

– L'inspecteur Jury...

Bertie ouvrit un œil de rapace.

– *Lui*, c'est l'inspecteur du Yard.

– Oui. As-tu entendu ou vu quelque chose ?

Bertie, théière en main, la faisait tourner.

– Je n'ai rien vu ni entendu, non. Ah, si, maintenant que j'y réfléchis, il y a eu une sorte de cri rauque, mais c'était probablement une mouette.

Ou ton imagination, se dit Melrose.

– Vers quelle heure était-ce ?

– Pas très sûr. Peut-être onze heures ou la demie après.

– Bien tard pour que tu sois encore debout. N'as-tu pas à te lever de bonne heure pour l'école ?

– Y avait pas d'école ce jour-là.

– Tu disais que ton père est mort. Où est ta mère ?

– Partie. – Il souleva en l'air la théière. – Je me demande ce qui a pu arriver à Miss Frother-Guy. Elle veille sur moi jusqu'à ce que m'man revienne.

– Oh. Et ce sera quand ?

– Bientôt.

Melrose fut incapable de trouver des questions adéquates. Le regard fixe d'Arnold était extrêmement déconcertant. Il fit en quelque sorte du pied au nez du chien pour qu'il cesse, mais Arnold se contenta de déplacer sa truffe sur son autre patte.

– Penses-tu qu'il se passe quelque chose de bizarre à Rackmoor ?

Jury aimait poser des questions générales comme ça. Obtenir la réaction. Extirper des gens des choses qu'ils connaissaient sans même s'en rendre compte.

Bertie haussa les épaules et s'assit.

– Pas plus que d'habitude.

– Eh bien, nom de nom, qu'est-ce qui est habituel ?

– J'sais pas. – Il saisit un pain au lait et le grignota tout autour à la façon d'une souris. – Percy Blythe dit... Vous connaissez Percy ?

– Non.

Melrose regardait Arnold mâchonner son Weetabix, ses yeux bruns toujours levés vers lui.

– Percy dit que cette femme qui a eu, vous savez... – Bertie se passa l'index en travers de la gorge. – Percy dit qu'elle habitait ici autrefois. Une vaurienne, appelée March, à ce qu'il affirme. Il a expliqué qu'elle habitait la Vieille Maison et qu'il y avait sans cesse des bisbilles à cause d'elle. Elle a disparu il y a des années et maintenant Percy dit qu'elle est revenue. Comme une malédiction. Il doit avoir raison : regardez ce qui est arrivé.

– Ton ami Percy oublie le fait que March n'était pas le nom de cette femme.

Bertie haussa les épaules et dépouilla lentement un petit four de sa caissette plissée. Melrose se vit désagréablement rappeler Agatha. Elle lui avait téléphoné deux fois dans les dernières vingt-quatre heures.

– Ça, je ne sais pas, reprit Bertie. Percy raconte que quand elle habitait ici elle était toujours en train de jouer des tours pendables. Une vaurienne. Percy déclare que c'est ce qui a détraqué ce Mr. Craël.

Voilà qui surprenait Melrose.

– Tu veux dire le vieux ou le jeune ?

– Vous savez. Ce Julian. Est-ce qu'il ne se conduit pas d'une drôle de façon, hein ? Il ne descend jamais au village ni rien. Et il marche la nuit là-haut le long de ces falaises. Percy dit qu'il l'a rencontré dans le brouillard et que ça lui a flanqué la trouille, y a pas.

– Qu'est-ce que ce Percy faisait à se balader la nuit dans la lande ?

– Il est boucheur de terrier. Travaille pour le colonel. Pour la chasse. – Bertie but son thé en tenant la tasse à deux mains. – Percy affirme que Mr. Craël se conduit bizarrement depuis des années – depuis que cette fille est partie. Et maintenant elle est de retour. Je veux dire, elle était.

Bertie réitéra son mouvement de doigt en travers de sa gorge.

– Alors Percy doit avoir trouvé qui a commis le sale boulot, il sait tant de choses.

– Probablement. Il ne l'a jamais dit, n'empêche.

– J'aimerais beaucoup rencontrer cet oracle.

Melrose consulta sa montre. Il n'était pas encore cinq heures, et il pourrait peut-être prendre sa revanche sur Jury, qui l'avait fait courir pour du beurre.

Les yeux de Bertie s'écarquillèrent derrière ses verres épais.

– Nous pourrions aller là-bas maintenant. J'ai le temps avant qu'il faille que je parte travailler. Percy habite en bas de la Rue-Qui-Grince, sur la Rue Sombre. C'est la rue qui prend au coin de la bibliothèque. Il doit avoir fini son thé à présent et ça lui plairait peut-être bien de tailler une petite bavette. La langue bien pendue, ça, il l'a.

Bertie se leva de table, abandonnant sans le finir son deuxième gâteau.

Tandis que Melrose marmonnait son accord à ce projet, Bertie avait déjà sorti du placard un manteau noir gigantesque et gigotait pour s'y introduire. Il jeta un coup d'œil hésitant vers la table de la cuisine où il avait laissé sa tasse et son assiette sales.

– Je pourrai laver ça plus tard, je pense.

– Laisse Arnold s'en charger, répliqua Melrose qui endossait son propre manteau et regardait Bertie se boutonner de travers. Ne peux-tu enfiler les boutons dans les boutonnières qui correspondent, pour l'amour du ciel ?

Melrose posa sa canne et déboutonna puis reboutonna le manteau de Bertie, qui nageait dedans. Il avait enfoncé sur sa tête un bonnet noir et tout ce qui apparaissait maintenant de lui était son petit visage blême mangé par ses lunettes aux verres épais.

– Où trouves-tu tes vêtements ? A une vente de charité pour veaux marins ?

– Il y a autre chose de plus intéressant dans la vie que les belles fringues, répliqua Bertie en regardant attentivement le col de velours et la canne à pommeau d'argent de Melrose.

Tandis qu'ils remontaient le Passage de la Treille, précédés par Arnold, Bertie prévint :

— Ne vous choquez pas de l'intérieur de Percy. Il n'est pas trop soigneux, pas comme nous. Et il a des tas de trucs empaillés posés un peu partout. C'est un peu plus sale que cela ne devrait l'être. De drôles de choses sur le mur, dans des coupes et tout. Il y a plein de trucs bizarres à voir dans Rackmoor.

Regardant Arnold qui filait vers le haut de la rue dans un nuage de poussière de neige, et le petit gnome noir à côté de lui, Melrose dit :

— Vraiment ?

9

Il ne lui manquait plus qu'une chouette sur l'épaule.

Percy Blythe était assis derrière une table de bibliothèque, une monstruosité datant du XVIIᵉ siècle, parmi un sombre amas poussiéreux et baroque d'oiseaux et de poissons naturalisés, chandelles de suif, débris de bois flotté, filets de pêche, une profusion de bouts de vêtements, de vieux journaux et de vieux livres. Encore que les papiers et les livres aient donné à l'atmosphère un air d'intense érudition, Percy Blythe ne semblait occupé à rien de plus studieux que de pousser de-ci de-là quelques bouts de coquillage sur la table. Il était petit, avec des oreilles pointues plutôt sataniques et des lunettes sans monture. Quand Bertie fit les présentations, il dévisagea sans réagir Melrose par-dessus ses lunettes. Il était habillé – ou emmitouflé – d'une veste, un chandail, une écharpe et coiffé d'un bonnet de tricot semblable à celui de Bertie. Il se remit à pousser du doigt ses coquillages.

– J'ose espérer que nous n'avons pas interrompu votre repas, dit Melrose, remarquant le sombre reste d'un sandwich ainsi qu'un verre encroûté de lait, tous deux ayant l'air de dater de plusieurs jours, posés au bord de la table. – Percy Blythe se contenta de courber plus obstinément son visage au-dessus de ses coquilles. – Une pièce très intéressante, monsieur Blythe. Très très intéressante.

Aucune réaction. Melrose chercha du regard autour de lui ce qui pouvait offrir d'autres possibles sujets de conversation. Difficile, sans électricité, de discerner les divers objets empaillés, mis sous globe ou en caisse, et d'exprimer à leur endroit des commentaires plus précis.

De toutes les maisons jumelles d'Angleterre, celle-ci était la plus étroite que Melrose avait jamais vue. La Rue Sombre, où elle était située, était plus une impasse qu'une vraie rue. Elle débouchait dans la Rue-Qui-Grince. La seule autre manière d'y entrer et d'en sortir était d'emprunter l'Allée de la Dague, une simple sente empierrée entre *la Cloche* et un entrepôt sur la Grand-Rue.

– Vous êtes un vrai collectionneur, monsieur, reprit Melrose, quelque peu embarrassé pour justifier sa présence ici.

Bertie ne l'aidait pas, et Bertie ne semblait pas non plus du tout dépaysé. Il examinait, posé sur une étagère, une espèce de machin qui ressemblait à un oursin. Arnold avait immédiatement pris possession d'un vieux morceau d'édredon jeté dans un coin. Il y avait le crissement ténu des coquillages qui étaient changés de place. Le mouvement envoya plusieurs papiers voleter jusqu'au parquet, mais Percy Blythe semblait totalement indifférent aux menaces d'écroulements divers qui l'entouraient – des rangées de livres prêts à glisser comme des dunes de sable, des colonnes branlantes de revues sur les tables, les rebords de fenêtre et par terre.

Melrose n'avait encore jamais vu quelqu'un aussi peu enclin à répondre aux exigences des relations sociales même les plus rudimentaires.

– Je lui ai dit, déclara Bertie, que vous possédiez toutes sortes de trucs. Qu'est-ce que c'est que ça ?

Il montra une sorte d'objet qui ressemblait à un os. Toutefois Bertie paraissait indifférent au silence de Percy Blythe, car il se contenta de remettre l'objet sur l'étagère et s'en alla examiner un poisson naturalisé.

Melrose fit passer d'une main dans l'autre sa canne à pommeau d'argent et s'y appuya un peu. Toute cette inactivité verbale aurait pu être moins déconcertante s'ils avaient été invités à s'asseoir, si on leur avait au moins demandé de poser leurs manteaux, mais Percy Blythe semblait aussi peu pressé de le faire que de s'engager dans quelque autre démarche de courtoisie mondaine. Ainsi demeurèrent-ils debout, leurs vêtements sur le dos, à l'exception d'Arnold profondément endormi sur une couverture. Bertie était parfaitement à l'aise, prenant en main en fredonnant un objet après l'autre. Seul Melrose semblait abandonné à la dérive, voué à sombrer ou à survivre à la grâce de Dieu dans le prodigieux océan de silence de Percy Blythe. Il s'éclaircit la gorge et esquissa une nouvelle tentative :

– Monsieur Blythe, je suis en visite à la Vieille Maison ; je suis un ami de Sir Titus Craël.

Cet effort méritoire lui valut seulement un coup d'œil noir avant que la tête se penche de nouveau sur les coquillages.

– Vous vous rappelez, Percy, vous m'aviez dit que Julian Craël était drôlement bizarre. – Bertie tenait une coupe contenant de l'eau et un objet sombre flottant dedans. – Qu'est-ce que c'est, ça ? Ça a l'air vivant.

Melrose en doutait sérieusement. Mais il saisit au bond l'allusion indirecte de Bertie au meurtre.

– C'est vraiment effrayant de penser qu'un assassinat aussi affreux se soit produit dans ce petit village de pêcheurs. – Pas de réponse. Melrose continua péniblement :
– Ma foi, vous avez probablement dû être aussi horrifié que les autres habitants de Rackmoor par ce crime abominable. – Percy Blythe ne donna pas le moins du monde l'impression d'avoir été horrifié. – Vous, vous-même... avez dû être surpris d'imaginer qu'une chose aussi bestiale se produise dans votre propre village. – Un doigt noueux poussa les coquillages, en faisant tomber un par terre qu'il ne prit pas la peine de ramasser. – Cela vous intéresserait peut-être de savoir, monsieur Blythe, qu'il y a eu une série de crimes terrifiants dans mon propre village du Northamptonshire à peu près à cette époque l'an dernier. Et l'inspecteur Jury était aussi le détective chargé de l'affaire là-bas. Sans doute qu'il passera vous poser quelques questions.

– Vous croyez que je pourrais prendre ce coquillage que vous m'avez promis, Percy ?

Il y eut un vague mouvement voletant du bras sous l'écharpe.

– Peut-être vous rappelez-vous quelque chose concernant la nuit du meurtre ? suggéra Melrose.

Percy Blythe se contenta de regarder Melrose par-dessus ses lunettes, secoua la tête et retourna à son examen des coquillages. Peut-être ce type était-il simplement d'une timidité maladive, songea Melrose. Peut-être ne se sentait-il à l'aise qu'avec des objets empaillés ou noyés dans le formol.

– Ah, mais bien sûr que si, Percy, dit Bertie. Rappelez-vous, vous m'avez déclaré que vous n'étiez pas surpris. Quand cette femme est arrivée en ville, vous avez pensé que des ennuis suivraient.

Cela valut à Bertie un regard venimeux, comme pour l'avertir de ne pas entraîner Percy Blythe dans cette conversation inepte. Mais Melrose saisit aussitôt la perche.

– Pourquoi pensiez-vous cela, monsieur Blythe ?

Il n'y eut, bien sûr, pas de réponse et Melrose se sentit comme lentement emporté par le flot vers le large, avec les coquillages et autres épaves. Bizarre, il s'était toujours considéré comme un causeur intéressant, voire brillant. Que Jury s'en charge, songea-t-il avec un soupir en enfilant ses gants. Il se réjouissait assez de la confrontation ; il espérait que Jury l'autoriserait à l'accompagner.

– Ma foi, je pense que nous ferions bien de partir. J'ai rendez-vous avec quelqu'un.

– Et il faut que j'aille travailler, Percy. A bientôt. *Ouste, Arnold !*

Melrose sursauta quand un chat, réveillé en sursaut par l'ordre de Bertie, se catapulta du haut d'une étagère. Melrose l'avait cru empaillé. Il se dirigea vers la porte.

– Questionnez Evelyn, dit Percy Blythe.

Melrose se retourna. Mais Percy Blythe était en train de transférer les coquillages dans ses poches et ne donnait nullement l'impression d'avoir proféré ce message sibyllin.

10

La jeune femme qui ouvrit la porte avait un visage trop maigre pour répondre aux canons de la beauté, mais une blondeur fragile, transparente comme du verre. A cinq heures de l'après-midi, il faisait déjà noir, et, entre la jeune femme et Jury, du brouillard s'intercalait. Une lampe à pétrole, derrière elle, dessinait vaguement le contour de la robe qu'elle portait, blanche et décolletée, ample et informe. Elle l'enveloppait comme un nuage, ou le voile d'un fantôme. Il ne lui manquait qu'une chandelle à la main pour que Jury se croie tombé dans quelque tragédie de la vengeance.

– Miss Siddons ? – Il tendit sa carte. – Je suis Richard Jury. De la Police judiciaire. J'espère ne pas être arrivé à un mauvais moment. J'ai besoin de vous poser quelques questions.

– Oh. – Elle resserra la robe autour de sa taille comme si son ampleur même avait quelque chose d'embarrassant. – J'étais seulement en train d'ajuster cette robe. Je n'ai pas de mannequin et, ma foi, j'en fais office moi-même. Quoiqu'il n'y ait pas grand-chose à ajuster. Entrez donc. – Il s'exécuta et elle ferma la porte derrière lui. – Je vais l'enlever, si vous n'y voyez pas d'inconvénient.

Il apercevait des épingles dans la robe, autour de l'encolure et du tracé des manches.

– Vous la cousez ?

– Pas pour moi. Pour une des femmes du village. C'est un travail que je fais de temps à autre, en hiver, quand il n'y a pas grande clientèle au café. Ma maison s'appelle *le Chemin du Pont*.

Jury hocha la tête.

– Je sais. La robe vous va bien.

Son visage lui parut peu ordinaire, maintenant qu'il le distinguait mieux. Triangulaire, avec des yeux d'ambre. Sa peau avait l'éclat lustré des perles.

Elle avait apparemment remarqué le regard de Jury et sa main vint se poser sur l'encolure de la robe.

– Je ne serai absente qu'une minute. Vraiment, dit-elle avec anxiété, comme si une seconde de plus risquait de les trouver glissant tous vers la mer.

Il acquiesça d'un signe de tête, elle sortit de la pièce comme une flèche et monta l'escalier en courant.

Jury jeta un coup d'œil au salon, encombré de fauteuils recouverts de chintz à fleurs. Bibelots et tableaux semblaient envahir tous les coins de la pièce – étagères, manteaux de cheminée, tables ; il y avait des tasses avec leur soucoupe, des pichets cannelés, des petites boîtes en porcelaine et même – cela le surprit – une boule de cristal reposant sur un lit de velours noir. Jury la prit, la fit tourner, plongea le regard dans ses profondeurs mais n'y lut pas de bonne aventure. Il la remit en place. Il y avait aussi des babioles gravées ou peintes en « souvenir de » Bognor Regis, de Tunbridge, ou de Southend-on-Sea – toutes ces villégiatures autrefois à la mode où des dames avec ombrelles et éventails paradaient sur des promenades remplacées maintenant par des jetées pleines d'attractions et des enfants dodus avec des seaux à sable. Il y avait aussi des photos sur les tables et les murs, quelques-unes apparemment prises dans ces mêmes stations balnéaires. L'une d'elles montrait une jeune femme sur une digue, dans une robe démodée des années cinquante, rattrapant le bord de son chapeau. La journée devait être venteuse ; une brise marine soulevait ses jupes, et elle les maintenait pudiquement de l'autre main. Pour un instantané, la photo était très bonne, de loin la meilleure de toutes celles qui étaient posées sur la table, nette, animée et la jeune femme vraiment ravissante. Mais quand il la regarda de nouveau il se demanda pourquoi elle avait été si mal centrée devant l'objectif, coincée contre le bord gauche de la photo. Il parcourut de l'œil les autres clichés, serrés les uns contre les autres dans des cadres ovales ou carrés. La plupart étaient de la même femme, pris à différents endroits, différentes époques. Sur l'un d'eux, il reconnut la cour de l'écurie de la Vieille Maison. Cette femme, pensa-t-il, devait être la mère de Lily Siddons.

– C'est maman. – Sa voix s'éleva derrière lui, confirmant son hypothèse. – Elle est morte, maintenant. Elle est morte jeune.

Jury se retourna.

– *La Duchesse de Malfi ?*

– Quoi ?

– Je pensais que vous faisiez une citation de la pièce [1].

Elle pencha un peu la tête et ses yeux d'ambre reflétèrent la clarté du feu.

– Je ne la connais pas.

– La réplique était prononcée par son frère. Le frère de la duchesse, je veux dire. « Couvrez son visage ; elle est morte jeune. » – Jury remit le cadre en place avec précaution, comme s'il risquait de briser de nouveau la vie de la jeune femme de la photo. – Le frère, Ferdinand, était fou.

Il se sentait oppressé ; sans qu'il sache pourquoi, l'anxiété lui nouait l'estomac.

– Comme Julian Craël, vous voulez dire ?

Elle s'entoura de ses bras, couvrant ses seins dans ce geste instinctif des femmes contre le viol.

– Julian Craël ?

– Il a toujours été bizarre. – Lily s'assit sur un petit sofa couvert de chintz. – Aimeriez-vous du café ?

Jury secoua la tête.

– Bizarre en quoi ?

Elle haussa les épaules, comme si elle écartait Julian Craël de son esprit, puis demanda :

– L'a-t-il tuée ?

L'indifférence du ton, autant que la question, surprit Jury.

– Pourquoi dites-vous cela ?

– Parce qu'il en est capable, je suppose.

Jury sourit légèrement.

– Nous en sommes tous capables. Dans les circonstances qui s'y prêtent.

Elle fit un signe de dénégation.

– Je ne le crois pas. – Elle considéra froidement Jury de ses yeux de chat. – Et vous ? Pourriez-vous assassiner quelqu'un ?

---

1. John Webster (1580/1625) : dramaturge anglais contemporain de Shakespeare. Auteur de deux pièces célèbres : *Le Démon blanc* et *La Duchesse de Malfi.*

116

– Oui, je le pense. Mais vous parliez de Julian.

Elle écarta de ses épaules ses cheveux blonds tirés en arrière par deux peignes d'écaille.

– Je n'ai jamais eu de sympathie pour lui. Vous savez sûrement que j'ai vécu longtemps dans cette maison, tout le temps où j'ai grandi. Jusqu'à ce que ma mère... meure.

Ses yeux s'éloignèrent du visage de Jury pour se porter vers la petite table Chippendale au plateau mobile et au bord relevé sur laquelle étaient groupées les photos.

– Le colonel me l'a dit. Il a beaucoup d'affection pour vous.

– C'est le seul d'entre eux qui soit réellement quelqu'un de bien. Un gentleman.

– Pas Julian ?

– Julian ? – Un léger geste de la main écarta cette éventualité. – Non, absolument pas.

Jury se demanda s'il n'y avait pas à l'arrière-plan une histoire d'amour frustré. En fait, il en doutait.

– Vous avez assisté à un dîner à la Vieille Maison la nuit d'avant le meurtre.

– Oui. Le colonel m'avait invitée. J'ai cru d'abord... – Elle marqua un temps. – J'ai cru d'abord qu'elle...

Lily Siddons parut égarée, ou méditative, passant la main sur son front comme pour chasser l'ombre errante d'une pensée.

– Quoi ?

– Le colonel Craël ne vous a-t-il pas dit qu'elle ressemblait trait pour trait à sa pupille ? La jeune femme qui est partie il y a quinze ans. Ne vous a-t-il pas parlé de Dillys ?

– Racontez-moi ça.

Lily baissa les yeux vers les mains nouées dans son giron et parla comme si elle lisait une histoire dans un livre :

– Ils l'ont recueillie à la mort de ses parents. Quand elle avait dans les huit ou neuf ans. Je n'étais alors qu'un bébé. Elle avait cinq ans de plus que moi, mais nous avons plus ou moins grandi ensemble. Elle se plaisait à me prendre de haut. Je n'étais que la fille de la cuisinière, vous comprenez. Dans les jeux, j'étais toujours la servante et elle la duchesse. Lady Margaret la gâtait outrageusement. Bien sûr, nous sommes allées dans des écoles différentes. Ça, c'était quand nous étions plus âgées. Elle ne cessait de me répéter que je pouvais toujours essayer de me mettre en avant, je ne serais jamais... comme si *l'idée m'était venue...*

– Qu'avez-vous ressenti la première fois que vous avez vu Gemma Temple ?

– J'ai eu peur qu'*elle* soit revenue. – Elle regarda Jury droit dans les yeux. – Si vous cherchez quelqu'un avec un mobile, oui, j'en avais un. Après que mon père nous eut quittées, maman et moi, nous avons été obligées de vivre là-bas. Je suppose que c'était très élégant de la part des Craël de me prendre chez eux, de me donner un toit. Mais Dillys était comme un arbre tombé en travers de ma route. Je ne pouvais pas la déplacer ; je ne pouvais pas la contourner.

Lily s'arrêta et plongea son regard dans le feu.

– Quand le colonel vous a dit que Gemma était une cousine éloignée, l'avez-vous cru ?

Elle parut surprise.

– Pourquoi ne l'aurais-je pas cru ? Si c'était Dillys, pourquoi auraient-ils menti ?

– Mais ne trouvez-vous pas extrêmement curieux que Dillys March soit partie de cette façon, en abandonnant tout cet argent dont elle devait hériter ?

– Voulez-vous dire qu'il s'agissait bien de Dillys ?

– Non. Je pose simplement la question. L'inspecteur Harkins déclare que vous lui avez raconté que la personne qui a tué Gemma Temple avait en réalité l'intention de vous tuer, vous. C'est très curieux, Miss Siddons. Voudriez-vous avoir l'obligeance de me l'expliquer ?

– Quelqu'un a effectivement essayé de me tuer.

Elle se renversa en arrière avec un soupir d'épuisement et détourna son visage vers le feu. Les flammes doraient sa peau claire, illuminaient ses yeux d'ambre, traçaient des bandes d'or le long de ses jambes revêtues de bas de soie. De fort belles jambes, Jury le remarqua. Mais, dans un tel décor, il était moins attiré par sa sensualité que déconcerté par elle. Elle lui semblait une espèce rare de lépidoptère entraîné loin de son territoire. Un papillon tropical dans un climat froid.

– La première fois, c'était au cours d'une promenade à cheval, en octobre, et j'avais sorti Red Run – c'est le cheval que le colonel me laisse monter. Je lui ai fait sauter un mur près de Tan Howe et j'ai manqué d'un cheveu un grand râteau à foin qui avait été abandonné là de l'autre côté. Quelques centimètres de plus et je retombais sur les dents. Il était à l'envers.

– Mais qui aurait pu savoir où votre promenade vous conduirait ? Même en admettant que le râteau ait été laissé là à dessein ?

– Justement. Je m'exerçais à faire sauter Red Run précisément à cet endroit parce que, pendant la chasse, il avait refusé ce mur à plusieurs reprises. J'essayais donc de lui faire dominer sa peur. Bien sûr, à ce moment-là j'ai cru au hasard. Mais je l'ai raconté au colonel et il m'a dit qu'il veillerait à ce que le fermier ne laisse plus jamais ce râteau là. Il était bouleversé.

– Et la fois suivante ?

– Trois ou quatre semaines après, en novembre. C'était les freins de ma voiture. Ils ne répondaient plus. Je me gare toujours dans le parking au sommet de la colline. Vous savez, le premier.

Jury hocha la tête.

– Je ne m'en sers jamais dans le village. Sauf ce jour-là, car j'avais un chargement à prendre au café. Des gâteaux et des pâtés que j'emportais à la fête paroissiale de Pitlochary. Au moment de démarrer, je me suis rappelée que j'avais besoin de prendre diverses choses à Whitby, alors au lieu de descendre la colline, je suis partie dans l'autre sens. Dieu merci ! Vous avez vu cette pente ? J'aurais traversé le mur de *la Cloche*, voilà comment j'aurais fini. Vous comprenez, ce n'est réellement que lorsque... cette chose est arrivée à Gemma Temple que je m'en suis rendu compte. Cette fois non plus, ce n'était pas un accident. Les gens savaient que je descendais en voiture ce jour-là.

– Qui le savait ?

Avec impatience, elle répliqua :

– Beaucoup de monde. Kitty Meechem et moi en avions discuté au *Renard*. Adrian se trouvait là. Les Craël étaient au courant ; j'en avais parlé devant eux.

Dans la pénombre, son visage était d'une blancheur de cire. L'unique clarté venait du feu.

– Alors vous estimez que c'est le costume ?

Elle hocha la tête.

– Pourquoi Gemma Temple portait-elle votre costume ?

– Au cours du dîner de la veille, le colonel avait expliqué que Gemma n'avait pas de costume et demandé si je ne pouvais pas lui prêter quelque chose. Alors Maud a suggéré que nous y allions toutes deux, Maud et moi, déguisées en Sebastian et en Viola de *La Nuit des rois* [1]. Ma foi, cela semblait approprié. Alors je lui ai laissé porter le mien.

— Pourquoi n'est-elle pas partie, habillée en Viola, avec Mrs. Brixenham ?

Lily haussa les épaules.

— Elle n'était pas d'ici ; elle ne connaissait pas vraiment Maud.

— Pourquoi ne vous a-t-elle pas accompagnée non plus ? Kitty Meechem affirme qu'elle a quitté le *Renard* seulement à dix heures dix.

Lily rit.

— Cela saute aux yeux. Je suis sûre qu'elle voulait faire son entrée toute seule. — Son accent était amer. — Actrice ! Une petite vendeuse parvenue, plutôt.

— Mais toutes les personnes qui assistaient au dîner de la veille savaient que vous ne porteriez pas le costume noir et blanc.

— Non. Seulement Maud et le colonel étaient au courant. Les autres ne se trouvaient pas dans la pièce au moment où nous en avons discuté. De toute façon, à la réception je me suis sentie un peu malade. Je pense que ce devait être les sandwiches au pâté de poisson ; ils ne me réussissent jamais. Ou peut-être était-ce le punch. De la façon dont on le prépare à la Vieille Maison, il est mortel. Je n'ai rencontré que peu de gens là-bas. Les seuls dont je sois *certaine* qu'ils ne cherchaient pas à me tuer sont le colonel et Maud. Ils savaient que j'avais échangé mon costume.

Ce qui pouvait les éliminer, en bonne logique, si c'était réellement Lily Siddons qui était visée.

— Si je ne lui avais pas donné mon costume, peut-être qu'elle serait encore... J'ai des remords.

Jury sortit son carnet de notes.

— Vous avez déclaré à l'inspecteur Harkins que vous étiez revenue ici, dans ce cottage, aux environs de dix heures et quart.

— C'est exact. Maud est restée un moment avec moi pour s'assurer que je n'avais pas une intoxication alimentaire

---

1. Pièce de Shakespeare.

grave. Puis elle est partie. Je me suis mise en robe de chambre et j'ai lu un moment, jusque vers onze heures.

– Adrian Rees a vu peu après Gemma Temple dans le Passage de la Treille. Vers onze heures et quart, juste avant la fermeture du *Renard*. Près du Pas de l'Ange.

Lily, qui contemplait le feu, hocha légèrement la tête.

– Je sais.

– Était-elle venue ici ?

A cette question, Lily tourna brusquement la tête.

– Ici ? Pourquoi aurait-elle été *ici* ?

Jury ne répondit pas. Il la regarda, le visage impassible.

– Entre le moment où elle a quitté le *Renard* – dix heures dix, selon Kitty Meechem – et celui où Rees l'a vue, elle est allée quelque part. Elle ne se rendait pas à la réception, apparemment.

– Pourquoi dites-vous cela ?

– Parce qu'elle montait les marches de l'Ange.

– Eh bien, les gens l'utilisent, cet escalier.

– Pas en hiver, n'est-ce pas ? Pas avec la pancarte qui les met en garde. Elle devait y avoir rencontré quelqu'un.

– Jury attendit, mais Lily resta muette. – Et Kitty Meechem s'est arrêtée ici juste après la fermeture du pub. Il était onze heures et demie ou même plus tôt. Onze heures vingt-cinq, d'après elle.

D'un air las, Lily fit rouler sa tête de droite à gauche sur le chintz du canapé.

– Je ne sais pas. Je suppose que oui. Je n'ai pas regardé l'heure.

– C'est important. A moins que vous ne courriez à une vitesse supérieure à celle de l'éclair, vous pouviez difficilement aller au Pas de l'Ange et en revenir en dix minutes.

Elle le regarda. Ses yeux en s'assombrissant prirent la couleur de la cornaline.

– Vous ne me croyez pas, hein ? Que quelqu'un essaie de me tuer ?

– La question n'est pas là. Je pense effectivement que *vous* en êtes convaincue. Mais quel serait le mobile ? L'argent ? La vengeance ? La jalousie ?

– Je n'ai pas d'argent. Pour autant que je le sache, je n'ai nui à personne. Jalousie... de quoi ?

– D'hommes. Nous pourrions commencer par là.

– Vous pensez à un amant jaloux, quelque chose comme ça ? – Elle rit, mais sans joie. – Dans Rackmoor, c'est invraisemblable.

– Avez-vous jamais eu l'impression que le colonel ait pensé que vous et Julian pourriez... ?

Il s'arrêta : les joues de Lily s'enflammaient.

– Julian ? Moi et *Julian ?* Mais c'est idiot, voyons ! Les Craël n'épousent pas les filles de *domestiques.*

– Qu'est-ce qui est arrivé à votre père, Lily ?

– Il est parti quand j'étais toute petite. Je n'ai pratiquement gardé aucun souvenir de lui. – Elle se pencha vers la petite table, souleva de son velours la boule de cristal. – J'aime regarder dedans. Percy Blythe me l'a donnée. L'été, je l'emporte au café, je prétends que je sais prédire l'avenir, voir des choses. Ma foi, les touristes adorent ça. Donnez-moi votre main. – Jury tendit sa main droite qu'elle prit et retint entre ses doigts. – Vous avez une paume large ; vous êtes très tolérant. Un pouce long... force de caractère. Des doigts droits. Compatissant. C'est une très bonne main.

Puis elle la laissa tomber comme si elle n'était pas bonne du tout, et ses yeux dévièrent en direction de la petite table Chippendale constellée de photos. Elle tendit la main vers celle de la jeune femme sur la digue.

– Vous aviez beaucoup d'affection pour votre mère, n'est-ce pas ?

– Oui.

– Je n'aime guère aborder ce sujet ; il doit être pénible...

Il travaillait le chagrin en douceur, se surprit-il à penser ; il le distribuait par petites tranches, comme on donne les cartes au jeu.

– Le jour où elle s'est noyée...

Lily ne leva pas les yeux.

– Pourquoi votre mère aurait-elle pris un chemin aussi dangereux alors que la marée commençait à remonter ?

Lily secoua la tête. Visiblement, elle était au bord des larmes.

– Était-ce un accident ?

La tête de Lily était penchée sur la photo et elle pleurait.

Jury glissa jusqu'au bord de son siège, lui ôta des mains la photo qu'il remplaça par son mouchoir.

– Pardonnez-moi, Lily. Je m'en vais maintenant.

Jury sortit du cottage et contourna la petite anse jusqu'au *Vieux Renard Trompé*. Les barques bleues et vertes dansaient sur l'eau noire comme des fleurs étranges.

Il avait la photo dans sa poche.

11

– Servez-moi un Brouillard de Rackmoor, commanda Melrose Plant.

Kitty se tourna vers Jury.

– Et vous, monsieur ? Voulez-vous en goûter un ?

– D'après ce que j'en sais, cela me coûterait mon emploi. Rien qu'un whisky, s'il vous plaît, Kitty.

Wiggins était déjà solidement installé devant un plat de poisson avec des frites et des petits pois.

Kitty s'éloigna et Jury se tourna vers Melrose.

– Eh bien, monsieur Plant, comment s'est passée votre enquête ?

Melrose lui décocha un regard furibond.

– Arnold s'est montré on ne peut plus sociable. Beaucoup plus, je dois le dire, que Percy Blythe.

– Percy Blythe ? Ce nom ne m'est pas familier. Qui est-ce ?

Jury chipa une frite dans l'assiette de Wiggins.

– Il faut le découvrir par vous-même, inspecteur ; vous devez aller le questionner.

– Je le pourrais, naturellement, s'il sait quelque chose. Figurait-il sur la liste de Harkins, Wiggins ?

La bouche pleine de morue et de petits pois, Wiggins répliqua :

– Oui, monsieur.

– Je suis étonné qu'il soit sur la liste de qui que ce soit.

Kitty apporta leurs boissons. Le Brouillard de Rackmoor remplissait un énorme verre d'un jus nébuleux dont s'échappaient des vrilles embuées.

Wiggins pointa sa fourchette vers la chose :

– Qu'est-ce qui émerge, là ?

– Du brouillard. – Melrose porta la mixture à ses lèvres, but une gorgée et fit une grimace. – Avec des berniques et une aile de requin.

– Me paraît pas très sain, dit Wiggins en l'examinant avant de revenir à son inoffensive tasse de thé.

Jury regarda avec surprise son sergent y verser des cuillerées de sucre sans se soucier du risque de s'abîmer les dents.

– Savez-vous quel message runique a franchi ses lèvres parcheminées et verruqueuses juste au moment où nous partions ?

– Vous voulez parler de Percy Blythe ?

– Oui. « Questionnez Evelyn. »

– Qui est-ce ? – Plant n'en savait rien. – Wiggins ? Y a-t-il une Evelyn Quelque-Chose sur cette liste ? – Wiggins l'ignorait également. – Où habite ce gars Blythe ?

– Dans la Rue Sombre.

Wiggins harponna un morceau de poisson comme si l'animal filait encore sous l'eau.

– Maintenant que vous en parlez, je me rappelle avoir lu un nom du même genre dans les notes de Harkins, mais je ne pense pas que ce Blythe avait quoi que ce soit d'important à dire.

– Sans blague, répliqua Melrose d'une voix lourde de sarcasme.

– Nous irons là-bas après notre dîner.

– Chouette, dit Melrose.

– J'entends par là le sergent Wiggins et moi-même.

– Vous ne pourriez pas vous passer de moi, monsieur ? J'ai toutes ces notes que je veux mettre en ordre. Il s'agit des interrogatoires de tous ces gens de la Vieille Maison. Doit y en avoir des pages et des pages.

– C'est juste, reprit Melrose. Que le sergent Wiggins s'occupe de ses notes. Rappelez-vous, Jury, je suis déjà allé chez Percy Blythe. Voyons, je l'ai pratiquement découvert.

Melrose essaya son sourire engageant, eut l'impression de ne pas obtenir d'effet et l'abandonna pour un air affligé.

– Oh, très bien, monsieur Plant. Mais attention à ne pas interrompre mon interrogatoire.

– L'idée ne m'effleurait même pas, inspecteur. Et c'est vraiment une rencontre que je déplorerais de manquer.

Melrose arborait un air solennel de vieux hibou.

– Je croyais que vous aviez démissionné de la police, monsieur Plant. Très bien, donc. Mais mangeons quelque chose ; je meurs de faim. Kitty cuisine des steaks et des vol-au-vent de première qualité, m'a-t-on dit.

– A-t-elle du vin, à votre avis ? Du Château de Meechem 1982. Vieilli en fût. – Melrose jeta un coup d'œil circulaire sur le bar du *Renard Trompé* et déclara : – Je me demande si Surtees a décoré cette salle. Regardez toutes ces gravures de chasse.

Quand Melrose et Jury examinèrent la salle, plusieurs paires d'yeux croisèrent leur regard. Jury était devenu une grande célébrité. Quand il était entré, des têtes s'étaient tournées, comme montées sur roulements à bille, des yeux s'étaient écarquillés, les conversations avaient cessé. Très vite, les habitués avaient regardé ailleurs, feignant de se désintéresser de leur table.

– ... Je m'attends à ce que toute la chasse surgisse au triple galop en hurlant « taïaut, taïaut » ou je ne sais quelle sottise du même acabit. J'ai l'impression de me retrouver en plein *Tom Jones*.

Un peu à l'écart, dans l'angle proche de la cuisine, Kitty semblait se disputer avec Bertie Makepiece qui arborait un tablier blanc et portait un plateau sous le bras.

– Qui est le jeune garçon ? questionna Jury.

– Bertie Makepiece. – Melrose regarda vers la porte qui séparait le bar de la salle où ils dînaient. – Et voici Arnold, au cas où vous ne vous seriez pas déjà rencontrés.

Arnold était couché dans l'embrasure.

Kitty se dirigea vers leur table.

– Excusez-moi, monsieur Jury. – Elle écarta de son grand front des boucles de cheveux châtain clair et elle avait le visage cramoisi. – Bertie me fait une scène. Je donne du travail ici à ce garçon seulement quand il y a des gens à dîner. *Je sais* qu'il n'a que douze ans et qu'il ne devrait pas travailler dans un débit de boissons mais je ne le laisse pas servir au comptoir ni porter des alcools... sauf peut-être de temps à autre une bouteille de vin. C'est que voilà, vous comprenez, sa maman est partie et l'enfant a bien besoin d'argent. Il veut absolument servir à votre table et comme vous êtes de la police et tout...

Jury l'interrompit :

– Les lois sur le travail des enfants sont par nous-mêmes abrogées.

Il sourit.

Melrose regarda Kitty Meechem agripper le dossier du siège libre, probablement pour s'empêcher de fondre aux pieds de Jury quand il lui avait souri.

– Le vol-au-vent, s'il te plaît, dit Jury en donnant sa commande à Bertie.

Ils étaient les seuls occupants de la petite salle à manger où un feu flambait gaiement. Des cuivres et des étains luisaient sur les murs.

Melrose opta pour le mixed-grill, viande et légumes.

– Et nous prendrons une bouteille de ton meilleur vin, Copperfield. Tu n'aurais pas une carte des vins, par hasard ? Je remarque que tu ne portes pas ta clef ce soir.

– Pas de carte, monsieur. Mais il y a des quantités de bouteilles en bas dans la cave qui ont l'air assez poussiéreuses pour devoir être bues. Non pas, assura Bertie à Melrose d'un ton suave, qu'elles aient quoi que ce soit de mauvais. Mais un an ou deux de plus ne leur feront pas de bien.

– Ma foi, si tu peux dénicher une bouteille de côte-de-nuit soixante-quatre, apporte-la. Attention à ne pas la secouer ; contente-toi de la dépoussiérer un peu.

– Je vous la passerai à l'aspirateur.

Bertie fila comme un trait, tenant le plateau en l'air.

– C'est le petit gars dont la mère a disparu. Où est-elle, d'ailleurs ?

– Aucune idée. Belfast, à ce qu'il dit. – Melrose déploya d'un coup sec en travers de son giron une serviette grande comme une nappe et blanche comme la neige. – Le linge est propre, en tout cas. Encore des gravures de chasse, je vois. Saviez-vous que Sir Titus possède la moitié de cette maison ? Pourquoi à votre avis l'appelle-t-on le *Vieux Renard Trompé* ? Sir Titus, par son titre, est le chef de tout le village. Quelqu'un m'a dit qu'il voulait le rebaptiser « Foxmoor », la Lande du Renard, mais on ne l'y a pas autorisé. Obsédé par la chasse, ce vieux monsieur.

– Et Lady Ardry, monsieur Plant, comment l'avez-vous laissée ?

– Avec la plus grande difficulté, je vous l'assure. Elle est restée accrochée à mes basques jusqu'à la dernière seconde.

Jury sourit.

— Elle me manque.

— Vous êtes bien le seul. Elle est actuellement à York. Je ne cesse de recevoir des bulletins journaliers de ce qu'elle et cette Teddy font. Si elle savait que *vous* êtes ici, elle accourrait en roulant comme une grosse boule de neige sur les landes de North York.

Bertie apporta le premier service.

— Voici votre hors-d'œuvre, monsieur. — Il posa d'un geste cavalier les deux petites assiettes sur la table. — Pas de saumon fumé, désolé, dit-il à Melrose, continuant *sotto voce* comme s'ils avaient pillé une cache secrète : — ... Mais Kitty a trouvé ce joli poisson frais de Whitby et l'a assaisonné pour vous.

Il s'esquiva, s'arrêtant pour admonester Arnold qui, tranquillement couché sur le seuil de la porte, observait Melrose.

Ce dernier fouilla d'un air soupçonneux sous la sauce.

— Du carrelet, je parie. Je me demande comment cette sauce va s'accorder avec le Brouillard de Rackmoor ? J'aimerais que Kitty me donne la recette de cette prodigieuse boisson. Je pourrais en servir quelques-uns à Agatha et l'abandonner derrière la cathédrale. Avez-vous remarqué que ce chien ne cesse de m'observer ? Je suppose que vous ne me répondrez pas, mais qui avez-vous placé en tête de liste comme principal suspect ?

— Personne.

Melrose soupira.

— Je pensais bien que vous ne me le diriez pas.

Jury secoua la tête et attaqua le poisson.

— C'est la vérité. Personne.

— Julian Craël semble avoir le mobile le plus puissant.

— C'est ce que pense l'inspecteur Harkins.

— Comme c'est fâcheux. Je détesterais penser comme il pense.

— Pourquoi donc ? C'est un garçon astucieux.

— Un dandy et un pète-sec, à mes yeux. Et à franchement parler, il semble se demander pourquoi moi — un étranger — je suis hébergé chez les Craël. L'Assassin Errant sur la Lande, c'est ainsi qu'il me voit. Ah, voici le vin.

Melrose se frotta les mains.

Bertie était de retour, le plateau sous un bras, la bouteille de vin serrée dans l'autre main.

– Regardez, monsieur. Je suis sûr que vous approuverez.
– Il présenta l'étiquette sous le nez de Melrose pour qu'il l'inspecte. – Ce n'est pas ce truc-chose que vous avez demandé, mais il a une jolie couleur. Rouge.
– Rouge. Oui. Mais c'est du soixante-six. Pas de soixante-quatre, si je comprends bien ?

Bertie plissa la bouche.

– Plus jeune, dit-il avec autorité. Je vais extirper d'un coup ce bouchon-là.

La bouteille coincée entre ses jambes, Bertie s'arc-bouta au tire-bouchon. Quand il l'eut dégagé du pas de vis, il laissa choir le petit cylindre de liège sur la table où il se mit à rouler.

– Bouchon, monsieur.
– Cela ressemble à un bouchon, en effet.
– Alors, vous êtes-t-y pas censé le sentir, monsieur ?
– Ah, oui. Comme je suis bête. – Melrose passa le bouchon sous son nez. – Riche bouquet.

Bertie serrait la bouteille contre sa poitrine, toute son attention concentrée.

– Je pensais que vous l'aimeriez, monsieur. Goûtez.

Étreignant précautionneusement le goulot de la bouteille, il versa une petite quantité dans le verre de Melrose. – Faites rouler ça sur votre langue.

Melrose obéit à l'injonction.

– Excellent. Un peu jeune, mais néanmoins excellent. – Il extirpa un billet de son portefeuille, le fourra dans la poche de Bertie. – Visiblement, tu es issu d'une noble et longue lignée de sommeliers.

Bertie rayonna.

– Le laisser respirer, voilà le truc.

Il s'esquiva, le plateau planant sur sa main ouverte.

– Le rite du vin avait un certain *élan* [1], vous ne trouvez pas ?
– Je l'ai jugé épatant, répliqua Jury. Mais dites-moi pourquoi vous estimez que Julian Craël est le coupable. Vous avez eu plus que moi l'occasion de l'observer.
– Je n'ai pas dit formellement que je pensais que c'était lui. J'ai simplement dit qu'il avait le mobile le plus puissant. Son héritage se trouverait sérieusement entamé si cette Dil-

---

1. En français dans le texte.

lys March réapparaissait. Ils semblaient la considérer presque comme la fille de la maison. Le colonel et Lady Margaret, j'entends.

– Et le serait toujours... au cas où elle se présenterait. Si la jeune femme qui est venue à Rackmoor n'est pas Dillys March mais Gemma Temple, alors quelqu'un doit avoir donné à cette Temple une quantité de renseignements. La dernière personne à le faire serait évidemment Julian Craël.

Melrose resta pensif.

– Je comprends votre raisonnement. Mais pourquoi êtes-vous si ardent à défendre Julian Craël ?

– Je ne le défends pas. J'émets seulement une hypothèse. Vous ne l'aimez pas, c'est visible.

– Je le juge froid, dur de cœur, fermé.

– Fermé ?

– Asocial. – Melrose réussit à piquer une côtelette qui se dérobait dans son assiette, puis en avala une bouchée. – Au contraire de Sir Titus qui recevrait tout le comté à sa table pour le thé s'il le pouvait. Ma foi, je n'ai pas l'intention d'être méchant... Je vois bien qu'émettre quelque chose qui ressemble à une critique à l'égard du colonel donne mauvaise conscience. En tout cas, Julian mène une vie d'ermite. Il ne tient pas à chasser, il déteste les réceptions. Il n'est même pas allé à celle de la Nuit des Rois. Et il ne semble pas s'entendre du tout avec son papa. Ils ont eu des disputes enflammées à propos de cette Gemma Temple ou Dillys March ou je ne sais qui. Pas vraiment enflammées, d'ailleurs. Julian ne flambe pas, hein ? Il se recouvre de glace. Le colonel Craël voulait accueillir cette fille à la Vieille Maison avec tout son saint-frusquin. Julian jure qu'elle est un imposteur. Mais comment pouvait-elle espérer se faire passer pour la jeune March ?

– Ce n'est pas aussi difficile que vous le pensez. En tout cas, pas avec l'aide d'une personne bien informée et avec un homme aussi facile à convaincre que le colonel. Julian aurait été le seul problème, en fait.

Ils mastiquèrent un moment dans un silence amical. Puis Melrose déclara :

– La Vieille Maison me fait penser à la maison Usher d'Edgar Poe. Sans me douter de rien, j'arrive dans ma voiture à minuit. – Melrose leva ses deux mains comme pour encadrer un tableau. – Le manoir silhouetté sur le ciel obscur, illuminé seulement par le disque pâle d'une pleine lune. Des chênes noueux reflétés dans le petit lac sombre. La fissure courant le long de la muraille. Et Roderick – ce serait Julian – jouant d'un air sombre au piano, éclairé par un candélabre...

– Cela s'est passé comme ça ?

– Pas exactement.

– La maison me paraît tout ce qu'il y a de plus solide.

– Eh bien, pas Julian. Il est plutôt comme le fantôme de lui-même. Du brouillard. J'ai l'impression que je pourrais passer la main à travers lui.

– Je l'ai trouvé assez mélancolique mais pas spécialement spectral.

– N'avez-vous pas d'imagination ?

– Pas vraiment. Je ne suis qu'un policier persévérant. Mais votre analogie est intéressante : Roderick Usher. – Jury se remémora la réflexion de Lily Siddons. – Serait-ce que vous trouvez Julian un peu fou ?

– « Un peu » fou ? Quelle curieuse façon de s'exprimer. Perdre l'esprit, c'est sûrement comme perdre sa virginité. On perd un peu, on perd beaucoup.

– Peu importe comment vous le formulez. Déséquilibré, psychotique...

– Capable de meurtre, vous voulez dire ?

Le geste de Jury signifiait un rejet.

– Il n'y a pas besoin de folie pour commettre un meurtre. L'assassinat est un acte assez terre à terre. J'essaie seulement de comprendre ces gens.

– Toute la famille a quelque chose qui me déconcerte. Les Craël, passés et présents. – Melrose planta sa fourchette dans une tomate grillée. – Cette maison résonne des échos du passé. Ils vivent dans le passé.

Jury fit tourner un fond de vin dans son verre.

– N'est-ce pas notre cas à tous ? – Il détourna son regard.

– En parlent-ils donc tellement ?

– Non. Ils parlent du présent. Mais ils pensent au passé. Comme s'ils gardaient un œil fixé en permanence sur les portraits des morts. En particulier celui de Lady Margaret. Voilà une femme que j'aimerais avoir connue.

Jury sourit.

– Vous attendez-vous à entendre des grattements sur le couvercle du cercueil ?

– Et vous, vous n'êtes qu'un vampire. Non, je ne m'y attends pas. Mais on sent vraiment sa présence.

– Et est-ce qu'on sent aussi la présence de Dillys March ?

– Pas autant. Peut-être était-elle trop jeune pour laisser une empreinte durable et aussi forte. Mais comme participant de la mélancolie ambiante... oui, je le pense. Et Julian vit comme un moine. Il pourrait aussi bien être dans un monastère pour le peu qu'il sort. Il marche et il pense.

– Il pense à quoi ?

– Julian ne m'ouvre pas son cœur, inspecteur. S'il en a un.

L'image de Julian Craël appuyé contre le manteau de la cheminée s'imposa à Jury.

– Oh, il en a un, je crois.

– En tout cas, il n'a été attendri par aucune des demoiselles du comté.

Bertie était de retour avec le dessert, une tarte aux prunes. Pendant qu'il ôtait leurs assiettes, Jury lui demanda :

– Dis-moi, Bertie. Depuis combien de temps ta mère est-elle partie ?

– Plus de trois mois, monsieur.

– Bien long pour demeurer seul.

Jury avait beau le dévisager, il ne parvenait pas à déchiffrer l'expression de ses yeux, masqués comme ils l'étaient par d'épais verres de lunettes. Et le reste de son petit visage plutôt hâve était tout à fait impassible. Peut-être était-ce épatant de se retrouver tout seul à douze ans sans maman pour vous asticoter perpétuellement. A condition, bien sûr, de savoir qu'elle allait revenir.

– C'est curieux que ta mère n'ait pas pris de dispositions pour que quelqu'un s'occupe de toi.

– Oh, mais elle en a pris, monsieur, riposta Bertie du tac au tac. Cod... je veux dire, Miss Cavendish. Et Miss Frother-Guy. Scrupuleuses, qu'elles sont. Toujours à passer par là.

Jury dissimula un sourire. Ce que pensait Bertie de cette brigade de maintien de l'ordre était clair.

– Elle est partie pour l'Irlande, n'est-ce pas ?

– L'Irlande *du Nord*, précisa Bertie d'un ton catégorique. Chez sa vieille mamé. Je crois qu'elle considère sa grand-mère comme sa propre mère. Quand sa mamé est tombée malade, il a fallu qu'elle y aille.

– Oui. Mais te laisser seul...

– Je ne suis pas seul. Il y a Arnold. Et, comme je l'ai dit, Miss Cavendish...

– Dans quel coin d'Irlande du Nord habite sa grand-mère ?

– A Belfast, répliqua Bertie, sans hésiter. – Puis il lança un coup d'œil aigu en ajoutant : – Dans le Bogside [1].

Et, hop, il s'en fut.

– Le Bogside, répéta Jury en souriant à sa tarte aux prunes.

– Il a de la ressource, il faut le lui accorder. Les gens ont une curieuse façon de disparaître dans ce pays. C'est comme le triangle des Bermudes.

– Mary Siddons, par exemple. La mère de Lily qui est censée s'être noyée accidentellement.

– Oui, j'en ai entendu parler. Le colonel s'inquiète parce qu'il a l'impression que Lily s'est repliée sur elle-même. Sa mère s'est noyée peu de temps après que Lady Margaret et Rolfe Craël se sont tués dans cet accident d'auto. Une période qui n'a pas dû être très agréable pour les Craël.

– Tout compte fait, Rackmoor ne semble pas un endroit très gai.

Melrose tint absolument à payer le repas et Jury s'éclipsa pour aller échanger quelques mots avec Kitty. En enfilant son manteau, Melrose dit à Bertie :

– L'excellence de la nourriture n'était surpassée que par la perfection du service. Je n'ai pas été mieux traité chez Simpson.

Bertie lançait sa serviette sur la table à la manière d'un fléau pour en faire tomber les miettes. Arnold, détectant une flambée d'activité, s'assit sur son séant, oreilles dressées.

Melrose fourra un billet de cinq livres dans la poche de Bertie en disant :

– Tiens, Copperfield [2]. Cela t'aidera à sortir de la pension Salem.

---

1. Quartier traditionnellement acquis aux révolutionnaires nationalistes irlandais.
2. Allusion à *David Copperfield*, de Charles Dickens (la belle-sœur de sa mère qui n'aime pas les enfants oblige sa mère Clara à l'envoyer dans la pension Salem).

12

Percy Blythe était toujours assis à la table de bibliothèque quand Melrose plongea son regard à travers la vitre. Et pour autant que pouvait en juger Melrose, il continuait aussi à trier les coquillages.

– Eh bien, inspecteur, entrons-nous ? J'espère seulement que vous réussirez à placer un mot.

Jury se contenta de sourire.

Et Jury n'attendit pas non plus les présentations. Une fois à l'intérieur, il traversa simplement la pièce, de trois tons plus sombre lors de la précédente visite de Melrose, tendit la main et dit :

– Salut, Percy. Mon nom est Jury. Je suis de Scotland Yard.

Melrose eut un sourire suffisant quand la main de Jury resta suspendue en l'air, sans qu'on y touche. Cela ne parut pas déconcerter l'inspecteur. Il la ramena simplement à lui, poussa un tas de livres qui encombraient un tabouret, traîna celui-ci jusqu'à la table et s'assit dessus, crochant des pieds les barreaux. Melrose quant à lui époussetait un rebord de fenêtre afin d'avoir une place où s'asseoir. De mauvaise grâce, il admira le culot de Jury. Mais que venait-il donc d'extraire de sa poche et de jeter sur la table de Percy ?

– Servez-vous, Percy.

Curieux, Melrose se dirigea vers les rayonnages sur la pointe des pieds et feignit d'examiner l'espèce de boule noire qui semblait crevée dans l'eau de son bocal. Il jeta un coup d'œil vers la table au moment où Percy Blythe ramassait ce que Jury y avait lancé et y mordait maintenant avec ses dents ou ses gencives. Du tabac ? Melrose regarda Jury. L'inspecteur principal Jury chiquait-il ? Mais oui, il était là, mâchant à grand bruit. Tous deux mâchaient bruyamment. Puis Percy Blythe poussa du pied un crachoir pour le rapprocher de Jury. La boule morte remua. Melrose remit vivement le bocal en place.

– J'ai appris que vous étiez couvreur en chaume, Percy, déclara Jury. Un art perdu, ça. Vous êtes de Swaledale, n'est-ce pas ?

Melrose observa Percy Blythe qui chiquait le tabac, son visage remuant comme un accordéon, se rapetissant et s'étirant, se repliant et s'étirant.

– Swardill, oui. Tel que vous me voyez, j'ai été roncheur et jardinier tondeur et réparateur de haies pendant quarante ans.

– On n'en voit plus beaucoup de nos jours.

– Pff ! Veulent plus s'donner la peine de l'faire correctement. Y cassent les branches et coupent pas non plus les bouts. Plus personne fait ça comme il faut. On fait éclater l'écorce et les têtes meurent ; coupent trop près. – Il secoua la tête tristement. – Spécialiste des haies, couvreur et faiseur de balais, j'étais le meilleur dans Swardill, hé oui. Il y a mon écorceur sur ce mur. – Il pointa son pouce par-dessus son épaule en direction d'outils, accrochés au mur comme des tableaux et tous soigneusement disposés. – J'pouvais assouplir les branches de coudrier et couper des chevrons de toiture, aussi. Et lier des bottes de bruyère, pratiquement un champ entier en une journée.

Melrose regarda par-dessus l'oursin Jury qui chiquait allégrement, apparemment transporté de joie par tout cela, son menton dans la main, les coudes sur le bureau.

– J'avons fait ces toits de chaume noir qui dureront cinquante ans. J'étais aussi fabricant de balais. Passez-moi mon aiguille à balai.

Ceci était adressé à Melrose, comme s'il lui était ordonné de servir à quelque chose au lieu de rester là debout planté comme un piquet.

– Aiguille à balai ?

– Sur ce mur.

Percy Blythe pointa le doigt avec impatience vers le mur. Melrose se dirigea vers l'endroit et les outils bizarres qui y étaient suspendus. Il n'en avait jamais vu de semblables. Ils étaient soigneusement étiquetés. *Amincisseur. Tordeur.* Et que diable était un *crochet à parer* ? Il trouva l'aiguille à balai et la sépara de son clou. C'était une longue chose ressemblant à une baguette avec une poignée en forme de boucle, quelque chose dont se servirait pour coudre un géant.

Percy Blythe négligea de le remercier pour sa peine quand Melrose lui tendit l'objet.

– Oui, un des meilleurs, même si c'est moi qui le dis, je l'étais. Et mon p'pa avant moi, c'était le meilleur faucheur qui ait jamais existé. Jadis il fauchait trois acres par jour. Il pouvait faucher et botteler aussi vite qu'il marchait. Et il pouvait traverser ce champ avec une pièce de six pence sur la lame de sa faux. M'a appris à faucher, oui. Je maniais la faux toute la journée quand j'étais gamin. Souip, souip, souip. Faut aller au-devant du blé, vous savez. Y disait : Avance en te balançant. Oh ça, c'était magnifique à voir, un beau spectacle, ce champ avec ses gerbes en meule. Il y avait le vieux Bob Fishpool, une main d'or qu'il avait, presque aussi bon que mon p'pa. Fauchait, gerbait, emmeulait avant d'aller se coucher. Il n'en reviendra plus jamais, des hommes comme ça.

Melrose sentit le coup d'œil sombre lancé vers lui comme pour dire que c'était son espèce qui s'était levée pour piétiner d'autres hommes, meilleurs qu'il ne serait jamais.

– Un peu de bière pimentée pour vous, garçon ? dit Percy Blythe à Jury. Ou peut-être bien une larme de botchet ?

Il se leva en craquant des jointures, sans attendre la réponse de Jury, et descendit un pichet de l'étagère.

– Z'avez jamais un moment de tolérance dans la po-lice ?

Il eut un petit gloussement de rire comme s'il trouvait cela très drôle. Jury rit et but ce qui lui était versé.

Melrose se demanda ce que c'était ; comme il n'avait pas été inclus dans les festivités, il devina qu'il ne le saurait jamais.

– Délicieux, déclara Jury, en s'essuyant la bouche d'un revers de main. Jamais goûté à ça.

– Personne n'en fabrique plus. On trempe à la surface du pain grillé et de la levure.

Melrose fut bien content d'avoir été exclu.

Percy Blythe pointa le pouce par-dessus son épaule et dit :

– Je parie que vous êtes venu à cause de cette fille. La morte.

– C'est exact, Percy. Connaissez-vous quelque chose qui pourrait servir ?

– Pt'ête ben que oui, pt'ête ben que non.

Silence.

– Bertie Makepiece semble penser que vous avez connu cette femme il y a des années.

– Dirais point que non. L'ai vue au *Vieux Renard* et cru que c'était un fantôme. Quinze ans que ça fait depuis qu'elle a filé.

– Vous parlez de Dillys March.

– Oui. Mauvaise graine, celle-là.

– Mauvaise? De quelle façon ?

Mais Percy Blythe se contenta de fermer les yeux sur les péchés de la jeunesse et se remit à boire.

– Vous avez dit ici à Mr. Plant de voir quelqu'un du nom d'Evelyn.

Percy Blythe fit pivoter sa tête en direction de Melrose et lui décocha un regard qui équivalait à un poing en pleine figure.

– Ma foi, vous l'avez dit, vous savez, déclara Melrose par-dessus une étoile de mer fossilisée. Il n'y a pas deux heures. Vous avez dit qu'il fallait s'adresser à elle si on voulait poser des questions sur cette fille March.

Percy Blythe cracha.

– Pas *elle*, espèce de sombre imbécile ! A *lui*. Tom Evelyn ! – Il se retourna comme s'il était le seul pourvu d'un brin de raison. – Il est piqueur. Mène la meute du colonel, la Pitlochary. Tom habite aux chenils, sur le chemin de Pitlochary.

– Il connaissait Dillys March.

Mais Percy Blythe ne tenait pas à s'étendre sur le sujet. Il se contenta de boire sa bière.

– Avez-vous connu la mère de Lily Siddons, Mary ?

– Elle était cuisinière à la Vieille Maison. Je la connaissais, oui. Noyée. Triste, ça.

Il secoua la tête.

– Et Lily? Vous la connaissez aussi.

– Pour sûr. Elle vient ici et nous regardons la boule de cristal. Je lui ai appris tout ce qu'elle sait. Les estivants aiment qu'on leur dise la bonne aventure. Mais Lily ... – Il se tapa la tête. – Elle voit des choses.

– Quelles choses ?

Il secoua la tête, mystérieux.

Melrose, sous la stricte surveillance du chat à l'air féroce qui n'avait qu'un œil, inspectait l'assortiment d'outils de Percy Blythe. Il trouva que le chat ressemblait au couteau à écorcer.

– Percy, questionna Jury, croyez-vous que Lily pourrait savoir quelque chose sur quelqu'un de Rackmoor, quelque chose qui risquerait d'être dangereux ?

– Je ne sais pas, mon vieux. Possible.

Un long silence s'établit tandis que Percy Blythe se remettait à tripoter ses coquillages. Melrose fut infiniment soulagé de voir Jury se lever.

– M'est avis que nous vous avons pris assez de votre temps. Nous allons partir. Merci pour toute votre aide, Percy.

– Faut revenir, garçon, pour une autre lampée de bière épicée.

Melrose remarqua qu'il n'avait pas été inclus dans cette invitation.

Une fois dehors, Jury souffla sur ses mains.

– Loquace, le bonhomme, hein ?

Melrose regarda Jury du coin de l'œil.

– Carotte de tabac noir, taille des haies, couteau à écorcer. Vous n'aviez même jamais entendu parler de ce bonhomme avant que je mentionne son nom. Comment diable saviez-vous tout cela ?

– Simple. J'ai demandé à Kitty avant que nous quittions le *Renard*. – Jury consulta sa montre. – Bon, je pense qu'il faut que je passe prendre Wiggins. Il y a encore une personne que je dois voir : Maud Brixenham.

– Je l'ai rencontrée. Elle m'a fait penser à une antilope.

– Ça vous dit de m'accompagner ?

– Non. Je crois que je vais mettre mes notes à jour.

Wiggins n'était pas trop heureux d'être extirpé de la chaleur de sa chambre au *Renard* pour s'en aller piétiner dans le brouillard.

Au moment où ils quittaient le pub, il disait à Jury que si plusieurs des domestiques se rappelaient vaguement Dillys March ils avaient aussi des alibis en béton pour la nuit du meurtre.

– Excepté Olive Manning, en fait. Elle affirme être montée à peu près en même temps que Julian Craël, aux alentours de dix heures. Et comme sa chambre se trouve dans l'autre aile, eh bien, elle aurait aisément pu sortir en catimini sans que personne ne s'en aperçoive. Et elle est très amère à propos de Dillys March, de tous les ennuis qu'elle a causés à son fils, Leo.

– Oui, je sais. Il va falloir que je parle à Mrs. Manning.

Ils étaient de l'autre côté de l'anse et Jury demanda :

– Où est la Rue du Retour ?

Wiggins désigna un étroit petit croissant de rue, à peine assez large pour que deux personnes y marchent de front.

– Juste là-bas, monsieur. Des maisons de pêcheur rénovées.

– Sacrément chic, dit Jury.

13

Maud Brixenham avançait à travers la vie en éparpillant voiles et épingles sur son passage. Du moins est-ce l'impression qu'elle fit à Jury qui regardait l'écharpe de tulle gris onduler comme une vague jusqu'au sol tandis que son corps anguleux se déplaçait entre le divan et la crédence. Il se demanda si ce tulle avait été drapé là pour dissimuler les signes de vieillissement – les veines du cou, l'amorce d'un fanon.

– Xérès ? demanda-t-elle par-dessus son épaule.

Jury et Wiggins, tous deux assis sur le divan, refusèrent courtoisement.

– Je vais juste en prendre un, si cela ne vous ennuie pas.

Sa voix plana jusqu'à eux comme son écharpe. Elle versait d'une bouteille que Jury ne pouvait pas voir. Il aperçut le mouchoir, qui avait chu d'une poche ou d'une manche, quand elle se pencha pour replacer la bouteille, et le hérissement en porc-épic d'épingles à cheveux pointant du chignon brun mollement noué sur sa nuque. Les épingles semblaient ne pas maintenir grand-chose, car de petites mèches de cheveux se dressaient autour du chignon comme des plumes de poulet.

Maud Brixenham revint s'asseoir en face d'eux, sa main placée sous son verre de xérès comme une petite assiette. Elle soupira.

– Je suppose que vous êtes venus au sujet de cette drôle de jeune femme.

Jury sourit légèrement. Pas « malheureuse » ni « pauvre » jeune femme. Maud Brixenham ne perdait pas de temps à

140

feindre de la compassion. Elle but un peu de xérès et posa sur la table le verre cannelé. Le liquide, nota Jury, était bien pâle pour du xérès. Était-ce du gin ?

– Drôle de quelle façon, Miss Brixenham ?

– A la vérité, j'étais polie. « Intrigante » serait plus proche de ce que je pensais.

– « Intrigante » ?

– Mais oui. Toute cette comédie de Dillys March.

– Comédie ?

Elle lui jeta juste un coup d'œil.

– Ça vous plaît de faire l'écho, inspecteur ? Vous êtes pire que mon psychiatre et c'est un sacré numéro. Très bien, je vais feindre de croire que vous n'êtes au courant de rien et expliquer. Cette Temple s'amène à la Vieille Maison, s'annonce comme la pupille de Titus depuis longtemps perdue et se plante plus ou moins au beau milieu des ors et des cristaux en s'attendant à être réintégrée au sein de la famille.

Elle agita la main dans un geste de désapprobation et saisit son verre.

– Vous ne croyez pas à cette histoire ?

– Pas une seconde. Et vous ?

Elle sortit une cigarette d'une boîte en laque et l'enfonça dans un fume-cigarette en onyx de trente centimètres de long. Ses doigts étaient surchargés de bagues.

– Mais Sir Titus, si.

– Bien qu'il soit mon ami le plus cher, je dois reconnaître qu'il est plutôt crédule. Il faut dire qu'il idolâtrait cette fille quand elle était jeune et vous savez qu'il est horriblement déçu de ne pas avoir eu de petits-enfants. Julian ne lui en donnera jamais, à ce qu'il semble.

– Vous avez de l'affection pour Sir Titus ?

La réponse vint sous forme des deux taches brillantes qui s'enflammèrent sur son gros visage carré. Maud Brixenham n'était pas une beauté, mais elle avait de la classe. Le colonel aurait apprécié ; elle était de la race qui donne des chevaux gagnants.

– Vous êtes allée à cette soirée de la Nuit des Rois, n'est-ce pas ?

– Oui. Presque tout le monde à Rackmoor y va. C'est une fête annuelle. Une grandiose réunion costumée. Mais, bien sûr, vous savez cela. Elle portait un costume quand elle a été tuée, le noir et blanc. Il était impressionnant. C'est Lily qui l'avait imaginé. Rudement original, et très étrange, un peu comme un dessin de Picasso, vous savez, où l'on obtient cet effet déformé moitié-moitié... Bon, j'y suis allée costumée en Sebastian. J'ai pensé que ce serait approprié. Et Lily en Viola. Je dois dire qu'elle était un plus beau jumeau que moi, mais c'est aussi une très belle jeune femme. Les – c'est mon neveu – y est allé sous sa propre apparence. Il est toujours déguisé. Chapeau de cowboy, bottes, veste à franges ou blouson et pantalon en jean. Des T-shirts avec d'affreux dessins dessus, des langues tirées ou des messages indéchiffrables comme *Frizday*. Je refuse purement et simplement de lui demander ce que cela signifie. Vous le savez ?

– *Frisbee*, dit Wiggins. – Tous deux le regardèrent. – Vous savez, cette espèce d'assiette en plastique qu'on lance.

Wiggins pouvait à l'occasion être une mine de renseignements accessoires, Jury l'avait découvert.

– Comme c'est intelligent de votre part, sergent. – Elle regarda en direction du plafond. – Il est là-haut. Je ne comprends pas pourquoi on n'entend pas la musique.

– Vous nous parliez de la réception, miss Brixenham.

– Oh, oui, excusez-moi. Eh bien, il devait y avoir là-bas quarante ou cinquante personnes. Un buffet énorme. La soirée a commencé vers les neuf heures, je crois. La plupart des invités se trouvaient dans la salle Bracewood. Titus donne aux pièces de la maison le nom de ses chevaux, n'est-ce pas cocasse. Mais il y avait des gens un peu partout, en réalité. Y compris les musiciens qu'il avait engagés pour jouer sur le palier. Ce palier ressemble un peu à une tribune, vous savez, comme celle des ménestrels dans les châteaux. Et ils avaient bien l'air de ménestrels. Ils se baladaient de temps à autre, costumés eux aussi. Et le colonel avait engagé comme traiteur... oh, je ne sais plus qui. Des serveurs fourmillaient partout. Et il fallait voir de quels déguisements les gens du village s'étaient affublés. Il y avait Miss Cavendish, de la bibliothèque, pas du tout dans son personnage en Madame du Barry. Vous vous rendez compte ? Puis les Steed, un jeune couple qui habite dans la Rue-Qui-Grince, en Henry VIII et une de ses épouses, je ne me rappelle plus laquelle. Pénible combinaison. Et les Honeybun...

– A quelle heure êtes-vous arrivée ?

– Vers neuf heures trente. Je ne suis pas absolument certaine. Les se rappellerait peut-être. Non, il ne se souviendra pas. Il est incapable de se souvenir de quoi que ce soit. Lily peut-être. Nous sommes passés la prendre.

– Et à quel moment êtes-vous partie ?

– Très vite après. Guère au-delà de dix heures, dirais-je. Lily ne se sentait pas dans son assiette ; elle avait mangé quelque chose qui ne lui convenait pas. Je suis revenue avec elle et lui ai tenu compagnie un bout de temps.

– Avez-vous vu Gemma Temple ce soir-là ?

– Ma foi, non. Comme je l'ai dit à l'inspecteur Hawkins...

– Harkins.

– Oui. Gemma Temple n'est jamais arrivée. – Son regard se porta de Jury à Wiggins comme sous le coup d'une découverte soudaine. – Il me vient à l'esprit que c'était la nuit rêvée pour faire son affaire à quelqu'un. Pratiquement tout le village se trouvait à la Vieille Maison. A l'exception peut-être des habitués du *Renard* et de *la Cloche*. Difficile de les en extraire.

– Par quel chemin vous et Miss Siddons... et Les, n'est-ce pas, êtes rentrés à son cottage ?

– Lily et moi. Les a coupé à travers le bois, je crois. En tout cas, Lily et moi, nous sommes passées par la digue. C'est un peu plus long, mais l'autre chemin, celui qu'a pris Les, est si sombre et inquiétant...

Elle frissonna légèrement et tendit la main vers son verre.

– Donc vous n'étiez pas à proximité du Pas de l'Ange ?

– Non.

– Et vous n'avez croisé personne en vous rendant ici ?

– Non.

Il y eut un bref silence tandis qu'ils s'observaient froidement et que Maud buvait ce qui restait du xérès clair comme de l'eau.

– Vous avez parlé à Miss Temple au *Renard Trompé* ?

– Oui, certes. Je passe beaucoup de temps au *Renard*, à vrai dire. Bien des sacrées heures où je n'arrive pas à aligner deux mots sur le papier, quand l'inspiration pour écrire marche mal. J'aime aussi m'imprégner de l'atmosphère locale. J'aimerais être un auteur de romans policiers, croyez-moi. Je pourrais faire quelque chose de drôlement chouette avec toute cette affaire.

Wiggins leva les yeux de son carnet de notes. La surprise le poussait à parler.

– Vous êtes écrivain, Miss ? – Son coup d'œil circulaire était celui qu'il aurait pu jeter à l'antre de Merlin. – Sur quel genre de sujets écrivez-vous donc ?

– Oh, la camelote habituelle : l'Europe de la luxure, la traite des Blanches, les coupeurs de seins... un minimum sur le caractère des personnages, un maximum sur les mots de trois lettres. Rosalind van Renseleer. C'est mon nom de plume.

– J'ai vu vos livres... vous aussi, monsieur ?

Jury ne les avait pas vus, mais il sourit et hocha la tête.

– De quoi avez-vous parlé avec Miss Temple au *Renard* ?

– Rien de significatif. Elle n'avait vraiment pas le style de Rackmoor, croyez-moi. De la fausse fourrure qui lui tombait pratiquement jusqu'aux chevilles. Très Carnaby Street. Des bottes à la mode qui ne servent à rien pour le temps qu'il fait ici. Elle a parlé de Londres et du temps affreux de Rackmoor, de la mer, ce genre de choses. Si vous avez envie d'en savoir davantage, je suggère que vous voyiez Adrian Rees.

D'un geste détaché, Maud Brixenham ôta de son corsage un bout de peluche.

– Rees ?

– Le fait est que je les ai vus ensemble, un soir. – Elle regarda Jury d'un air qui en disait long. – Ils remontaient la Grand-Rue. En route, je présume, pour chez lui.

Jury n'émit aucun commentaire.

– C'était le soir, la veille du petit dîner de Titus. Le plus curieux, c'est qu'il n'a pas paru la connaître. C'était une petite réception. Juste Titus, Lily Siddons, Adrian et cette Temple. Nous étions dans la salle Bracewood. Je me rappelle que Miss Temple était assise devant le feu. Julian et moi étions debout avec notre xérès. Je crois que c'est à ce moment-là que Lily est entrée. Elle a paru terriblement choquée par la présence de cette Temple, j'entends. Elle est restée paralysée sur le seuil à la regarder.

– Autrement dit, elle était frappée par la ressemblance avec Dillys March ?

– Frappée ? Elle était absolument bouleversée. Sa figure est devenue aussi blanche que sa robe. Ma foi, apparemment, la ressemblance *était* fantastique. Mais dire que cette femme était réellement Dillys March... – Elle haussa les épaules. – Julian est d'accord avec moi, bien sûr. Cette histoire est absurde.

– Vous a-t-elle donné une indication quelconque, je veux dire au pub, sur le fait qu'elle connaissait bien Rackmoor ? Qu'elle y avait habité ?

– Aucune. Mais je suis sûre qu'elle tenait en réserve ce genre de détail savoureux. Elle jouait « cool », comme dirait Les. Elle ne m'a pas donné l'impression d'être du genre à se faire assassiner. Pas assez maline.

Voilà certes un point de vue nouveau, songea Jury.

– Je ne comprends pas tout à fait ce que vous voulez dire.

– Eh bien, elle paraissait plus du genre à exécuter les plans de quelqu'un d'autre qu'à en échafauder elle-même. Ce qui n'a rien à voir avec le fait qu'on se retrouve assassinée, n'est-ce pas ?

– Qu'a-t-elle dit exactement ?

– Qu'elle était en vacances. Et qu'elle avait des amis à Rackmoor. Les Craël, vous vous rendez compte. Je ne l'aurais jamais associée avec eux. Pas leur classe.

– A-t-elle donné des détails sur ses liens avec eux ?

– Non. Mais elle m'a dit les connaître depuis longtemps. Depuis son enfance, prétendait-elle. Il n'y a rien eu d'autre, en réalité.

– Quel itinéraire au juste avez-vous suivi à travers le village, une fois que vous aviez longé la digue ?

– Vous permettez que je prenne un autre xérès pour m'aider à continuer ? J'ai l'impression d'être desséchée jusqu'à l'os ce soir. L'inspiration pour écrire ne va pas fort.

Elle se leva d'un bond, laissant choir en cascade plusieurs épingles qui se détachèrent de ses cheveux et la lanière de cuir qui ceinturait vaguement sa robe chemisier au dessin cachemire. Près du meuble, une fois encore, elle tint la bouteille hors de vue et revint la paume en l'air au-dessous du verre plein à ras bord. Wiggins sortit son inhalateur comme s'il se joignait poliment à elle dans cette libation.

– Nous sommes passées par l'escalier du *Renard*, vous connaissez, les marches qui conduisent à la digue, puis devant le pub jusqu'au cottage de Lily. Comme je l'ai déjà dit, je lui ai tenu compagnie un moment, pour voir si elle n'allait pas avoir besoin de...

Un fracas violent – pas un fracas exactement, mais plutôt un monstrueux coup de klaxon fit dresser leurs trois têtes. Puis ce vacarme assourdissant se divisa finalement en instruments à peine discernables : guitares électriques, batterie, basse. Des voix nasillèrent en cadence, mais aucune parole n'était reconnaissable, en dépit du puissant volume de la musique.

– Je vous l'avais dit, déclara Maud.

Sans se lever elle tendit la main vers la bibliothèque contre laquelle était accotée une longue perche, conservée là apparemment pour l'usage qu'elle en faisait maintenant. *Toc, toc, toc,* elle tapa au plafond. Le vacarme diminua.

– Quelle joie. *The Grateful Dead* [1]. Je vais aller les rejoindre s'il ne retourne pas bientôt aux États-Unis.

– Est-ce votre neveu ? Il est américain ?

– Il vous suffirait de le regarder. C'est le fils de ma sœur. Originaire du Michigan ou de Cincinnati ou de quelque part par là, et elle avait pensé que cela élargirait son horizon s'il pouvait passer ses vacances de Noël en Angleterre. Maintenant il est ici, ses vacances sont censées être terminées, mais je n'arrive pas à le décoller. A mon avis, il doit avoir une petite amie quelque part dans ce nouveau lotissement bon marché. Et, naturellement, il n'est pas pressé de retourner en classe ni ma sœur impatiente de le récupérer. Je me demande bien pourquoi. – Elle donna quelques coups supplémentaires au plafond avec le bâton. Le vacarme diminua encore un peu. – Depuis qu'il est ici, je suis sûre que j'ai subi un changement temporaire du seuil de perception auditive. D'après ce que j'ai compris, l'oreille humaine ne peut tolérer qu'un quart d'heure de son à un niveau de cent quinze décibels. Le concert de rock courant qui m'est offert quotidiennement se situe autour de cent quarante. Le seuil de la souffrance.

Quand la musique s'arrêta, elle leur adressa un sourire qui découvrit toutes ses dents. Il y eut le martèlement sourd de lourdes bottes dans l'escalier.

Wiggins, sujet enclin à tout attraper, y compris la surdité, retira ostensiblement ses mains de dessus ses oreilles.

Un jeune garçon d'environ seize ans entra dans la pièce, courbé en deux comme s'il était poussé en avant par une pluie battante. Chapeau de cowboy, bottes, veste à franges, lunettes noires.

– Mon neveu, Les Aird. Voici l'inspecteur principal Jury, de Scotland Yard.

---

1. « Les morts reconnaissants. »

Jury se souvint que lui-même à seize ans agissait exactement comme le faisait Les : tâchant au mieux de ne pas être impressionné. Jury avait-il réellement jamais eu cet âge ? Tout ce qu'il parvenait à se rappeler, c'était une espèce de jeunot amorphe, terne et mal défini.

Les Aird cherchait à composer une attitude combinant à la fois le respect et l'ennui. Le chewing-gum cessa de remuer, les lunettes furent rajustées, la gorge éclaircie et les mains insérées dans les poches du jean. Pour gagner du temps. Finalement, il choisit de tendre simplement la main, hochant le menton dans un salut sec et sérieux, et de dire :

– Hé, c'est cool.

Il n'y avait aucun manque de respect dans le ton ou la manière de saluer. C'était l'équivalent du « Comment va, mon vieux ! » de quelque général de brigade. Ce que disait Les était simplement tiré de la réserve de nonchalance de la seizième année.

– J'aimerais vous poser quelques questions, Les.

Le meurtre peut à la fois exciter et démoraliser et Jury décela la légère fêlure dans la voix de Les quand il répliqua :

– O.K., posez vos questions...

Il s'assit sur la causeuse à côté de sa tante, tout au bord, penché en avant, un bras en travers de sa jambe gainée de jean et l'autre coude saillant, la main sur la hanche.

– ... allez-y. Feu.

Ç'aurait pu être une invitation littérale. Le chewing-gum reprit son périple à un rythme bien plus rapide.

– C'est au sujet de la jeune femme assassinée. L'avez-vous vue pendant la période où elle est venue ici ?

– Oui. Une dame appétissante, dites donc.

Il sourit et fit danser ses sourcils au-dessus des lunettes.

– Avez-vous essayé de lui parler ?

– Quoi ?

La stupeur était presque aveuglante.

– Lui avez-vous parlé, Les ?

– Heu-heu.

– Mais vous l'avez vue ? dit Jury.

– Ici et là.

– Le soir où elle a été tuée ?

– Non.

– Oui.

Les Aird et Maud Brixenham avaient parlé en même temps. Maud paraissait excessivement surprise.

– Je l'ai vue, tante Maud.

– Tu ne me l'avais pas dit.

Les haussa les épaules.

– Je ne le savais pas à ce moment-là.

– Tu ne l'as pas dit non plus à l'inspecteur Harkins, Les.

– Je ne savais pas non plus *à ce moment-là* que c'était d'*elle* qu'il s'agissait. Il s'était contenté de raconter que cette nana s'était fait refroidir. Il ne l'a jamais décrite. Comment aurais-je pu savoir que celle que j'ai vu c'était *elle* ? C'est après notre départ de la fête, vers les dix heures et quart, dix heures et demie, que je l'ai vue. Avec tous ces gens costumés, j'ai pensé que c'était encore une invitée qui montait au manoir. J'avais pas apprécié, dites donc. Mais le buffet était O.K. De quoi s'en mettre jusqu'aux yeux. Sacrément bon. Mais après avoir vu tous les lapins, j'ai calté.

Jury cligna des paupières.

– Lapins ?

Maud expliqua :

– Trois des gens du village avaient décidé de venir déguisés en lapins.

– Par quel chemin êtes-vous revenu au village ?

– Ce sentier qui débouche près de l'église et de la Sente du Psautier.

– Et ensuite ?

– Ensuite, j'ai descendu cette partie du Pas de l'Ange jusqu'à la Rue-Qui-Grince. Arn traçait son chemin par là, alors j'ai marché avec lui le long de la Rue-Qui-Grince et de l'Allée de la Dague jusqu'à la Grand-Rue. Vous savez, ça faisait un rudement drôle d'effet de voir ce visage surgir sous votre nez de ce mur de brouillard. Un temps de vampire. Le visage était moitié noir moitié blanc. – Les traça une ligne imaginaire partant du front et suivant l'arête du nez, en masquant le côté gauche de son visage. – Même Arn a aboyé. Et il en faut pas mal pour qu'Arn aboie.

– Et cela se passait dans la Grand-Rue ?

– Oui. J'ai cru qu'elle sortait peut-être de *la Cloche*.

– Et de là, où est-elle allée ? Elle a remonté l'Allée de la Dague ?

– Pourrais pas répondre, dites donc. Ou bien elle a filé par là, ou bien elle a continué à descendre la Grand-Rue.

– Et c'était, vous pensez, vers dix heures trente ?

– Pour autant que je le sache.

– Cela vous a pris une demi-heure pour aller de la Vieille Maison à la Grand-Rue ?

Les hocha la tête d'un air un peu gêné.

– Oui. J'ai, heu, raté un croisement et j'ai dû revenir sur mes pas.

Jury n'insista pas ; Les s'était probablement arrêté en route pour fumer une ou deux cigarettes ; il doutait qu'il y ait une interprétation plus sérieuse à faire de ce délai. En revanche, il s'interrogeait sur les implications de cet écart de temps pour la victime.

– Vous l'avez vue grosso modo vers dix heures et demie. Adrian Rees l'a vue juste avant que le *Renard Trompé* ne ferme, aux alentours de onze heures et quart. Où était-elle pendant ces quarante-cinq minutes ?

La question était posée plus à lui-même qu'à Les, mais Les répliqua :

– Ça me dépasse. J'ai marché, moi. Remonté la pente jusqu'au lotissement des Fraisiers. Pour voir ma copine.

– Qui habite à cette extrémité du pays, Wiggins ? Regardons la carte.

Il y avait Adrian Rees, bien sûr. Bonne probabilité, ça. Wiggins sortit et déplia la carte du village fournie par Harkins.

– Il y a Percy Blythe. Il habite la Rue Sombre. Les Steed demeurent en face de la bibliothèque ; c'est en bas, au bout de la Rue-Qui-Grince. La plupart des maisons sont vides à cette époque de l'année.

Jury se pencha et étudia la carte. Jamais il n'avait vu pareil réseau de rues étroites. Ce n'était même pas un réseau en toile d'araignée ; les araignées disposent leurs fils de façon beaucoup plus symétrique que ne l'étaient les rues de Rackmoor. La Rue Sombre était un cul-de-sac sans autre débouché que la Rue-Qui-Grince. L'Allée de la Dague était un passage couvert qui s'enfonçait, mince comme une lame, entre *la Cloche* et un entrepôt vide.

– Eh bien, merci, Les. Prévenez-moi si vous vous rappelez autre chose.

– A plus tard.

Les remonta d'un coup sec ses lunettes sur son nez.

Maud Brixenham suivit Jury et Wiggins jusqu'à la porte, traînant après elle un bout de papier qui s'était collé à sa chaussure et un bouton minuscule qui avait fini par s'abandonner à l'attirance de la pesanteur. Jury se demanda comment Maud Brixenham pourrait jamais commettre de meurtre sans se faire arrêter : elle laisserait derrière elle un tapis d'indices tout le long du chemin, depuis Rackmoor jusqu'à Scarborough.

Au-dehors, dans le brouillard, Jury se tourna vers elle et dit :

– Merci, Miss Brixenham.

– Ne vous perdez pas dans la brume.

Jury sourit.

– Je ne pense pas que Rackmoor soit assez grand pour qu'on s'y perde.

– Détrompez-vous. C'était autrefois un repaire de contrebandiers. Facile de s'y cacher, avec ces petites rues tortueuses.

Jury eut l'impression de sentir chez Wiggins une certaine répugnance à s'en aller.

– Avez-vous d'autres questions, sergent Wiggins ?

– Je m'interrogeais, simplement, dit Wiggins à Maud Brixenham. Est-ce difficile d'écrire ?

Jury poussa un soupir et alluma une cigarette. Wiggins essayait-il de trouver son vrai moi dans Rackmoor ?

14

La déprime et l'anxiété qui l'avaient étreint lors de son entretien avec Lily Siddons déferlèrent sur Jury comme une vague sombre quand il se réveilla le lendemain matin et tourna son visage vers la fenêtre, sachant qu'il ne verrait rien que le brouillard gris isolant la pièce. La tristesse pesait sur sa poitrine comme un cauchemar.

Il se força à se lever, alla à la fenêtre, et regarda au-dehors à travers la brume et la faible clarté qui montait de la mer couleur d'étain. Il distinguait tout juste les petites barques vertes et bleues.

Jury s'habilla, puis se rassit sur le lit, une chaussure à la main. Il contempla le tapis, au dessin de feuilles et de tiges sinueuses disparaissant presque dans le fond gris. Il n'aimait pas cette affaire ; des sentiments qu'il avait remisés sur la plus haute planche de son esprit menaçaient sans cesse d'en tomber.

Il attacha son autre lacet, se leva, se dirigea vers la psyché, y jeta un coup d'œil et pour la centième, non, la millième fois se demanda pourquoi il était devenu policier et pourquoi il le restait. Il se demanda aussi s'il agissait en inconsciente collaboration avec le commissaire Racer pour tenir à distance cette promotion au rang de commissaire qu'il aurait dû avoir depuis longtemps. Il songea, en regardant dans le miroir, qu'il avait l'air d'un flic, ou de l'idée qu'on s'en fait : grand, massif, vêtu de sombre. Solide. Comme un flic ou la Banque d'Angleterre.

Comme cela lui arrivait souvent quand il était déprimé, il examina ses vêtements avec un souci maniaque du détail, à croire, par exemple, qu'enlever un mouchoir d'une poche pour le mettre dans l'autre le changerait de grenouille en prince.

La métamorphose ne s'accomplit pas. Pourquoi s'était-il affublé de cette vieille cravate bleue ? Qu'elle aille au diable. Il l'arracha d'un coup sec, ôta sa veste et enfila un chandail épais sur lequel il pourrait porter son anorak. Du lit à colonnes il décrocha une casquette irlandaise qu'il enfonça sur sa tête. Pourquoi agissait-il ainsi, planté inutilement devant cette glace, à perdre son temps avec ses vêtements comme une débutante qui change de robe avant le bal ? Il ne lui manquait plus maintenant que deux chiens et une canne d'épine noire pour arpenter la lande.

Une image se forma dans son esprit et disparut aussitôt, à la façon d'une chose qui flotte au bord d'une mare, juste hors de portée, lance un bref reflet puis coule. Comme le nom sur le bout de la langue, le visage fugitif, l'image du rêve qui surgit et s'efface. C'est en se regardant dans ce miroir qu'elle lui était venue en tête. Il repassa en mémoire ses gestes, debout là, au même endroit, mais la chose refusa de remonter à la surface. Il était certain que s'il pouvait le découvrir, ce petit détail, il détiendrait une pièce très importante du puzzle.

Il se contempla à nouveau, patiemment ; il soupira. Était-il seulement assez intelligent pour être un flic ? En descendant prendre son petit déjeuner, il se posa la question.

Le petit déjeuner fut une séance légèrement plus agréable que ne l'avait été son lever, malgré Wiggins qui avalait des pilules bicolores avec du jus d'orange, mais qui eut la bonne grâce, ce matin au moins, de ne pas s'empresser de décrire les diverses toux, les frissons et les courants d'air qui l'avaient fait se tourner et retourner comme une crêpe toute la nuit. En vérité, Wiggins semblait ragaillardi. Il se répandit en compliments sur le déjeuner matinal de Kitty : hareng fumé, œufs brouillés, pain frit et tomates grillées.

— L'inspecteur Harkins a téléphoné ce matin. Il avait des renseignements à vous donner sur Gemma Temple. Cela concernait les Rainey, une famille avec qui elle a vécu pendant huit ou neuf ans.

— Pouvaient-ils affirmer qu'elle était Gemma Temple ?

– Oui et non.

– C'est-à-dire ?

– Elle avait déjà dix-huit ou dix-neuf ans quand ils l'ont engagée. Comme jeune fille au pair. Ils habitent Lewisham.

– Wiggins lut dans son carnet : – Au 4, Kingsway Close.

– Mais ils avaient dû demander des références ; ils l'avaient engagée pour s'occuper de leurs gosses.

– Oh, elle avait des références mais, quand Harkins les a vérifiées, il a découvert qu'elles étaient fausses.

– Et la photo de Dillys March ? Ne pouvaient-ils rien en dire ?

– Si, que c'était le portrait craché de Gemma. Naturellement, ils étaient en mesure d'identifier Gemma d'après les photos prises à la morgue. C'était Gemma, effectivement.

– Mais était-ce Dillys ? Harkins a-t-il obtenu des résultats sur le plan dentaire ?

– Il ne l'a pas dit. Cette Olive Manning, je crois que vous devriez lui parler, elle est rudement amère en ce qui concerne Dillys March. Mobile puissant, si vous voulez mon avis.

– Mobile puissant, peut-être. Mais il y a peu de chances que Dillys March ait été réellement la cause de la dépression de Leo Manning. Je ne pense pas que des gens puissent en rendre d'autres fous, pas vous ?

Wiggins parut réfléchir.

– Eh bien, c'est ce que Charles Boyer a fait à Ingrid Bergman. J'ai vu ça à la télé justement l'autre soir.

Jury feignit de ne pas avoir entendu.

– Olive Manning paraissait-elle croire que c'était la jeune March revenue au bercail ?

– Absolument pas.

– Alors aurait-elle une raison de la tuer ?

– Eh bien, non. Mais il se pourrait qu'elle mente quand elle affirme que ce n'est pas Dillys.

– Hmmm. Regardez ça, Wiggins. – Jury montra la photo qu'il avait subtilisée dans la collection de Lily. – Mary Siddons, la mère de Lily.

Wiggins la prit.

– Noyée, n'est-ce pas ?

– Un accident, dit-on ; je suis sûr qu'il s'agit d'un suicide. Du moment qu'elle vivait ici, elle savait fichtrement bien qu'on ne peut pas franchir ce passage dangereux sous la falaise à marée haute. Mais c'est la photo qui m'intéresse. Elle a été coupée. – Jury l'avait enlevée de son petit cadre. – Sur la gauche, là, regardez. Je me demandais pourquoi la femme qui y figure était placée si près du bord de la photo. Coupée, mais pourquoi ?

– Retaillée, pour tenir dans le cadre ?

– Plus vraisemblablement, quelqu'un a été supprimé.

Wiggins regarda de nouveau.

– Le père, peut-être ? Il est parti en les laissant dans la panade.

Jury haussa les épaules, rempocha la photo. Wiggins sortit ses gouttes pour le nez.

Jury renversa son siège en arrière et examina attentivement la rangée de gravures de chasse accrochées au mur.

– J'étais en train de réfléchir à ce costume. Pourrait-il y avoir eu un mobile derrière le fait que Lily prête ce costume à Gemma Temple ? Lily Siddons craignait que quelqu'un ne cherche à la tuer. C'est arrivé deux fois déjà, deux tentatives. Qui sait si elle n'avait pas simplement décidé de laisser Dillys March prendre sa place ?

Appliquant le minuscule compte-gouttes à sa narine droite, Wiggins répliqua :

– Hiréparléveu.

Il aspira les gouttes.

Bien que Jury fût devenu parfaitement familier avec les mots de Wiggins filtrés par des nuages de mouchoirs et de médicaments, cette phrase-là, issue du lexique personnel de Wiggins, échappa à Jury.

– Je vous en prie, traduisez.

– Excusez-moi, monsieur. C'est cette damnée humidité qui se porte sur mes sinus. Je disais seulement que c'était un peu tiré par les cheveux, n'est-ce pas ? Je veux dire, Lily Siddons n'est même pas certaine... ou du moins ne l'était pas avant le meurtre de la femme Temple... que quelqu'un *tentait* de la tuer. Lui faire porter ce costume simplement dans l'espoir que l'assassin prenne la Temple pour Lily elle-même, eh bien, c'est terriblement aléatoire. Et qu'est-ce qu'elle pouvait avoir contre cette Gemma Temple ?

– Rien contre Gemma Temple. Un sacré paquet contre Dillys March. Elle la haïssait. C'était probablement mutuel. J'avoue pourtant que je suis d'accord avec vous. Ce serait un moyen diablement incertain de se débarrasser d'une ennemie.

– Et qu'aurait-elle à y gagner, sinon la vengeance ?

– Éventuellement de l'argent, du colonel Craël. Je ne peux pas croire qu'elle n'ait pas à recevoir une somme conséquente, et c'est assez facile à vérifier. Si Dillys March venait à se présenter maintenant, elle creuserait une vaste brèche dans ce testament. – Jury se pencha par-dessus la table. – Jetons un coup d'œil sur la liste de ceux qui perdraient probablement pas mal si Dillys March devait revenir. Mobile et opportunité : faisons les comptes pour chacun. Julian Craël : à mon sens, le mobile le plus puissant, mais un alibi à toute épreuve.

– De quoi s'interroger, justement, commenta Wiggins en pliant soigneusement sa serviette.

– Sauf que les choses ont pu se passer exactement comme il l'a dit. Ensuite, Adrian Rees. Belle occasion : il remontait le Passage de la Treille et l'a vue. Mais dans son cas le mobile est terriblement mince. J'imagine que le patronage du colonel, quoique sous une forme peut-être un peu amoindrie, continuerait quand même.

» Maud Brixenham : à la fois le mobile et l'occasion. Le colonel, si le mariage l'intéresse ; le retour de la fille prodigue (comme vous dites) pourrait accaparer une bonne part de son capital émotionnel.

» Lily Siddons : un mobile, oui. Mais une occasion... très minime. On peut l'écarter complètement sauf si elle s'avérait capable de quitter son cottage en courant comme une dératée, de tuer la femme et de retourner chez elle, le tout en dix minutes. C'est le temps qu'il faut rien que pour faire l'aller. Tout cela se complique encore du fait que quelqu'un essaie peut-être de la tuer, *elle*.

» Kitty Meechem...

– Oh, sûrement pas, monsieur !

Wiggins considéra le copieux petit déjeuner dont il venait de se régaler comme s'il ne pouvait pas croire qu'il ait été servi par une meurtrière.

– Voulez-vous encore des toasts, Wiggins ?

– Oh, non merci. Je suis plein comme un œuf.

Il se tapota l'estomac.

Jury jeta quelques pièces sur la table, un pourboire qu'il destinait à la serveuse plutôt lente nommée Biddie ou Bitsy qui avait passé une grande partie de son temps à arranger puis à réarranger les couverts sur les autres tables en regar-

dant les deux hommes avec de grands yeux jusqu'à ce que Kitty finisse par lui mettre la main dessus.
– Eh bien, allons-y.

Jury étendit les bras et se pencha par-dessus le parapet au pied duquel la marée avait laissé ses débris de galets et de coquillages et quelques bateaux à demi échoués. La matinée était plus claire, l'horizon comme voilé, le soleil brumeux. Le minuscule village, avec son échafaudage de toits brun-rouge, avait une apparence extraordinairement précaire, comme s'il allait s'écrouler d'un instant à l'autre comme les cubes des jeux d'enfants.
– Quand Maud Brixenham a décrit ce dîner... Cherchez cela dans vos notes, voulez-vous ?
Wiggins sortit son carnet. Jury s'était souvent émerveillé qu'il puisse entasser autant dans un espace aussi étroit, sans doute grâce à ses pattes de mouche. Il trouva le passage et lut :
– « C'était une petite réception. Juste Titus, Lily Siddons, Adrian et cette Temple. Nous étions dans la salle Brace-wood. » C'est la pièce où vous avez discuté avec Julian Craël, monsieur. « Gemma Temple était assise au coin du feu. Julian et moi étions debout, notre xérès à la main... »
Jury regardait vers le large, sans se formaliser de l'ennui que les notes de Wiggins éveillaient souvent chez lui. Son exaspération, provoquée par le ton d'éditorialiste et les longueurs parfois pénibles de Wiggins, était atténuée par le fait que nul ne pouvait battre Wiggins sur le plan de la précision absolue. Cette fois, la prolixité du rapport se combinait avec la passion de la Brixenham pour les détails. La voix de Wiggins continuait sa psalmodie, peignant, pratiquement, les textures mêmes des matériaux, les tableaux sur les murs. Anthony Trollope, célèbre chroniqueur de la vie provinciale britannique, n'aurait pas eu, en l'occurrence, la moindre chance de surpasser le talent descriptif de Wiggins. Jury attendit simplement le passage qu'il souhaitait et regarda le pâle soleil qui faisait la navette entre les nuages et projetait un dessin inégal d'ombre et de lumière sur les galets qui brillaient comme des flocons d'or terne. Un pétrel s'élança comme une flèche vers la mer.
– « ...Puis la porte s'est ouverte et Lily est entrée. Elle est restée paralysée sur le seuil à dévisager la jeune Temple. »

« ... Autrement dit, elle avait été frappée par la ressemblance avec Dillys March ? » Là, c'est vous qui parlez, monsieur. Puis Miss Brixenham a répondu : « Frappée ? Elle était absolument bouleversée. Sa figure est devenue aussi blanche que sa robe. »

– C'est ce que je ne parviens pas à comprendre, commenta Jury. Elle a réagi comme si elle pensait que c'était sûrement Dillys March et n'en a témoigné guère de plaisir. Pourtant elle n'a pas paru mettre en doute cette histoire farfelue du colonel, concernant la cousine. L'auriez-vous crue, si vous aviez été Lily Siddons ?

– Non, je pense que non. Pourquoi cette cousine ne serait-elle pas revenue avant ?

– Et toute cette histoire de costume.

Jury tourna le dos au parapet, sortit un nouveau paquet de cigarettes et en arracha lentement le rabat. Wiggins, comme pour une communion de compagnonnage avec son supérieur, sortit une boîte neuve de pastilles contre la toux.

– Admettons pour le moment que Lily ait réellement cru que cette soi-disant Gemma Temple était bien Dillys. Elle la détestait. Elle avait toujours joué les seconds rôles auprès d'elle quand elle était enfant. Pourquoi aurait-elle abandonné son costume à Dillys March ?

– Pour faire plaisir au colonel Craël ?

– Peut-être. Mais pourquoi ne pas fabriquer rapidement un autre costume pour Miss Temple ? Je pense qu'elle ment.

– Oh, ma foi, monsieur. – Le visage de Wiggins était presque déformé par son sourire de loup. – Si on pousse le bouchon par là, il est probable que tous mentent. Dans votre liste, vous n'avez jamais cité le colonel. Vous estimez donc qu'il est hors du coup ? Et je ne vois franchement pas quel mobile pourrait avoir *Kitty*.

Jury rit.

– Cela vous tourmente, n'est-ce pas ? Ma foi, elle n'en a probablement pas. Toutefois, vous pouvez parier que le colonel lui lègue sa part de propriété dans le *Renard*. Néanmoins, il me paraît difficile de relier directement cela au meurtre de Gemma Temple. En tout cas, l'alibi de Kitty est le même que celui de Lily. Elles étaient ensemble. Quant au colonel lui-même... il a eu amplement l'occasion de tuer, mais je ne parviens à lui trouver aucun mobile.

– Vous avez omis Olive Manning. Elle avait à la fois le mobile et l'occasion.

Jury sourit.

— Vous paraissez lui accorder la préférence, Wiggins. Vous revenez sans cesse à elle.

— Le fait est qu'elle connaissait *bien* Dillys March, n'est-ce pas ? S'il y a eu collusion, elle serait une personne tout indiquée pour avoir découvert cette Gemma Temple, constaté à quel point elle ressemblait à Dillys et l'avoir amenée à la Vieille Maison.

— Oui. Votre raisonnement se tient.

— Et votre instinct est bon, monsieur. Lequel d'entre eux est le coupable, à votre avis ?

— Je n'ai pas encore rencontré la Manning, évidemment, mais...

— Parmi les autres, alors ?

Voilà ce qui l'avait déprimé ce matin. L'élément qui avait orienté ses pensées vers la voie de cette promotion fantôme, le poste de commissaire qu'il avait si modestement écarté, en se disant qu'il n'avait pas besoin de l'argent, du prestige, du gonflement de son moi. Il se demandait à présent s'il ne devait pas éviter d'affronter une situation pire encore, le dilemme qui s'offrait maintenant à lui. Il ne savait pas comment répondre à la question de Wiggins. Contemplant au-delà des galets ponctués de mouettes l'or sombre de l'horizon, il finit par répliquer :

— Aucun d'eux.

Ses sentiments troublaient son objectivité.

15

Le chat gris se laissa glisser du rebord de la fenêtre et se dirigea vers le fond de la Galerie de Rackmoor, d'une allure de propriétaire. Jury avait interrompu sa sieste en encadrant de ses mains son visage qu'il avait pressé contre la vitre. Il faillit piétiner en entrant une enveloppe qu'on avait dû glisser sous la porte. Il la ramassa. Le rabat s'était décollé et un billet d'une livre en était sorti, un parmi plusieurs. L'enveloppe, de qualité fort ordinaire, était adressée à *B. Makepiece* et avait été expédiée des mois auparavant. Jury nota l'adresse de l'expéditeur, ou ce qui en était indiqué : *R.V.H. Londres S.W.1.* Il l'étudiait quand Adrian Rees apparut, revêtu de son tablier taché de peinture et portant un petit bol qu'il déposa sur le plancher. Le chat s'en approcha.

– Je dirais bien : Entrez, mais vous êtes déjà là.

Rees bâilla.

Jury tendit l'enveloppe.

– J'ai trouvé ceci par terre.

Adrian la regarda, et son cou s'empourpra.

– Oh, je sais. Rien qu'un petit prêt. De Bertie. – Comme Jury se contentait de le regarder, il poursuivit : – Pour l'amour du ciel, qu'est-ce que vous croyez ? Que je le fais chanter ? Bertie est le seul dans Rackmoor sur qui on puisse compter pour se faire prêter un peu d'argent.

– J'imagine que c'est un très bon administrateur. Pourrais-je avoir l'enveloppe, si vous n'en voulez pas ?

Adrian la regarda, en extirpa les billets et la rendit à Jury.

– Le *Renard* manquerait-il encore de papier à lettres ? – Il eut un sourire narquois. Puis il se rembrunit. – Bon Dieu, je sais que c'est terrible d'emprunter à un gamin. Mais je suis un peu à court d'argent... ce n'est pas ce qu'il y a de mieux à dire dans les circonstances présentes.

Il soupira et frotta machinalement sur son tablier un pinceau pour l'essuyer.

– Que pensez-vous de son histoire ?

– L'histoire de qui ?

– De Bertie. Sa mère partie pour l'Irlande.

Adrian sourit.

– C'est difficile de croire que quelqu'un se donnerait tant de peine pour soigner une vieille grand-maman malade.

– Vous connaissiez sa mère ?

– Roberta ? Je l'ai rencontrée, c'est tout. Une bouffée de vent l'aurait emportée, du moins sa cervelle. Mais les vieilles rabat-joie de la ville ont l'air d'avoir gobé la chose. Codfish et Frog-Eyes, ces femmes-là. Vous admettrez en tous cas que la trouvaille est excellente. Qui filerait jusqu'à Belfast pour vérifier ? C'est pour ça que vous êtes venu ?

– Non. C'est à propos de Gemma Temple que je suis venu. Vos relations mutuelles étaient un peu plus étroites que vous ne l'avez admis.

Pendant un long moment, il garda le silence, frottant de long en large le pinceau. Puis il haussa les épaules et dit :

– Quelqu'un nous a vus, je suppose ?

Jury acquiesça et attendit.

– A vrai dire j'appellerais difficilement cela des « relations ». Ça a été l'unique fois.

– Bien des choses peuvent se passer en une seule fois.

Jury était toujours surpris par cette façon qu'avaient certaines gens de mesurer cela par le nombre. Il revit en pensée ces dernières années, songea aux femmes qu'il avait connues. Oui, beaucoup peut arriver en une seule fois, c'est certain.

– Pourquoi ne me l'avez-vous pas dit, monsieur Rees ? J'aurais pu le découvrir si aisément. Et je l'ai découvert. Autre chose : avez-vous vu Gemma Temple le soir où elle a été assassinée... j'entends *avant* que vous l'ayez vue dans le Passage de la Treille ?

– Quoi ? Non, absolument pas ! Quiconque prétend que je l'ai vue ment.

– Elle a été aperçue dans la Grand-Rue. Près d'ici.

– Je n'en sais strictement rien. Quant au fait d'avoir gardé pour moi l'autre histoire, rappelez-vous que j'avais déjà collés sur le dos tous les soupçons possibles. J'étais le dernier à avoir vu la jeune Temple et cela juste après ces déclamations stupides au *Renard* sur Raskolnikov et le meurtre.

– Vous ne pensez pas que j'y attache vraiment d'importance, dites-moi ? Ce genre de crime est peut-être convaincant dans les mains de Dostoïevski, mais je ne l'ai jamais rencontré dans les rues de Londres.

– Alors, pourquoi ne me l'avez-vous pas dit ? Peut-être qu'à ce moment-là j'aurais admis que je connaissais Gemma Temple.

– Il ne s'agit pas d'un marchandage, pour l'amour du ciel. Maintenant, je vous prie, voudriez-vous me parler de Gemma Temple ?

– Oh, très bien, riposta avec humeur Adrian. Elle m'avait vu ici une fois, et deux fois au *Renard*. Et moi, bien sûr, je l'avais remarquée. Qui ne l'aurait pas fait ? Une belle fille, quelqu'un de nouveau vers qui tourner ses pensées. Un soir, juste après la fermeture, elle est sortie du pub et je l'ai suivie. Elle longeait le parapet en direction de la Vieille Maison. Je l'ai rattrapée, nous avons bavardé un peu et j'ai suggéré qu'elle vienne chez moi prendre un pot. Pas très malin peut-être, mais c'est tout ce qui m'est venu en tête, Rackmoor n'étant pas la Sodome et Gomorrhe de l'Angleterre. En tout cas, nous sommes venus ici.

– Et puis quoi ?

– Et puis quoi « quoi » ? Vous savez quoi. Le scénario est bien connu.

– Il n'a pas fallu beaucoup de persuasion, c'est ça ?

– Inspecteur, il n'y a pas eu besoin du tout de persuasion. Et je ne me considère pas non plus comme tellement magnétique.

Jury songea qu'il se montrait d'une modestie exagérée. Adrian Rees exsudait la sensualité, la virilité, accentuée par la touche exotique de son métier de peintre.

– Quel soir était-ce ?

– Deux soirs avant le meurtre.

Adrian sourit stoïquement.

– Que vous a-t-elle raconté sur elle-même ?

– Absolument rien, et c'est la vérité. Je vous ai déjà tout dit à ce propos. Elle a fait le tour de mes peintures, un verre à la main, en les examinant et en faisant des commentaires à leur propos, obligatoires je suppose, et stupides. Puis elle a parlé du village qu'elle trouvait un peu morne. Il n'y a pas eu grande conversation.

Adrian eut un sourire coquin.

– Elle n'a pas mentionné qu'elle avait vécu ici autrefois ?

Adrian secoua la tête.

– Et quand elle est apparue le lendemain soir à cette petite réception dînatoire, c'est moi qui ai balbutié et rougi. Vous auriez cru qu'elle ne m'avait jamais rencontré de sa vie avant ce soir-là. Je ne me doutais absolument pas qu'elle était une sorte de cousine de la famille Craël.

– Que saviez-vous sur Dillys March ?

– Vous parlez de la pupille des Craël, celle qui a disparu ?

Jury hocha la tête.

– Seulement ce que le colonel m'en a raconté. Sur elle, sur Lady Margaret et son fils Rolfe. Je montais là-haut et il descendait ici pendant que je peignais le portrait de Lady Margaret... Qu'est-ce que vous avez en tête exactement ?

A cela, Jury ne répondit pas.

– Vous êtes absolument certain que vous n'aviez jamais vu Gemma Temple avant qu'elle vienne à Rackmoor ?

Adrian eut l'air furieux.

– Sacré nom de nom ! Bien sûr que j'en suis sûr !

Jury eut un bref sourire.

– Ne vous montrez pas excessivement indigné. Vous ne m'avez pas dit la vérité avant, vous savez. – Son regard plongea vers l'arrière-plan sombre où le chat faisait sa toilette. – Avez-vous terminé ce portrait, celui de Gemma Temple ? J'aimerais le voir.

– Non, mais je vais le faire. J'étais en train d'y travailler quand vous êtes arrivé.

Le regard de Jury s'abaissa.

– Avec un pinceau sec ?

La colère qui avait commencé à déserter le visage d'Adrian revint.

– *Mon Dieu*, mais vous remarquez tout, hein ?

– C'est pour cela qu'on me paie. A plus tard.

16

La clochette tinta au-dessus de la porte du *Café du Chemin du Pont* quand Jury y pénétra. La salle à manger était petite, avec un plafond aux poutres basses, des murs blanchis à la chaux, de petites tables avec des chaises à dossier à barres horizontales. Une grande desserte avec des piles de vaisselle de porcelaine bleue et blanche. Très propre, séduisante et vide de clients. On pouvait difficilement s'attendre à ce que les affaires marchent à plein rendement au cœur de l'hiver.

Lily Siddons apparut, ses cheveux clairs noués en arrière sous un foulard, revêtue d'un tablier. Jury supposa que c'était l'entrée de la cuisine.

— Oh. Bonjour.

Il porta la main à sa casquette et éprouva un peu de surprise en sentant la mollesse de son tissu de tweed. Il avait presque oublié l'avoir mise ce matin.

— Miss Siddons, verriez-vous un inconvénient à ce que je vous pose quelques autres questions ?

Elle essuya ses mains sur son tablier.

— Non. Non, cela ne m'ennuie pas, si vous ne voyez pas d'inconvénient à venir avec moi à la cuisine pour que je puisse continuer mon travail.

A l'intérieur de la cuisine, il vit qu'elle avait entrepris de couper des légumes en julienne. Jury tira une chaise et s'assit. Elle travaillait à une vaste table au centre de la pièce, un énorme étal de boucher.

— Je voulais vous questionner à propos de votre mère.

Pendant un instant, elle demeura silencieuse. Puis elle dit :

– Je n'en vois pas la nécessité.

Elle souleva une tasse de café, maintenant froide, apparemment. Elle la vida dans l'évier et tourna le dos à Jury.

Il attendit qu'elle lui fasse de nouveau face, promenant son doigt dans la farine qui restait sur la table, probablement des pains laissés à lever dans des bols sous des torchons. Sur les murs près de la grande cuisinière, s'alignaient des bassines de cuivre. Une rangée de hautes petites fenêtres surplombaient l'eau vive du ruisseau qui passait sous le pont. Des bandes de soleil matinal franchissaient le rebord des fenêtres, traçant des losanges de lumière sur le sol et allumant des étincelles au fond des bassines de cuivre.

– Vous faites tout cela vous-même ?

Se retournant vers l'étal, elle hocha la tête et prit en main le couteau.

– En hiver, oui. En été, j'ai de l'aide. Nous recevons beaucoup de gens en vacances ici.

Jury n'avait jamais vu hacher aussi vite. Elle maintenait immobile la pointe du grand couteau avec les doigts de sa main droite et de la gauche soulevait le manche dans de courts mouvements rythmés. Le couteau coupait les carottes en morceaux toujours plus petits à mesure qu'elle hachait, ramenait le tas en arrière, hachait, et recommençait.

– Vous êtes très adroite avec ce couteau.

Jury pêcha une cigarette dans sa poche de chemise, tapota ses poches à la recherche d'allumettes.

– Le truc, c'est que la lame ne quitte jamais complètement la planche. – Elle ne le regardait pas quand elle ajouta : – Et je suppose que vous avez l'intention de suggérer que je pourrais tailler quelqu'un en morceaux comme une carotte, c'est ça ?

– A-t-elle été tuée avec un couteau ? Première fois que je l'entends dire.

Lily s'arrêta, furieuse, la main sur la hanche.

– Puis-je récupérer ma photo, s'il vous plaît ? Celle que vous avez prise hier soir ?

Jury fouilla dans sa poche.

– Désolé, Lily. Je l'avais emportée par erreur.

Elle se remit à hacher les légumes.

– Je doute que vous fassiez quoi que ce soit par erreur.

Il posa la photo, de nouveau dans son cadre, sur la table.

– Votre père ne paraît pas être quelqu'un de très sérieux,

pour être parti et vous avoir laissées en plan toutes deux de cette façon. – Lily ne répondit pas. – C'est bizarre aussi qu'elle ait épousé quelqu'un qu'elle a dû si peu connaître. Combien de temps ont-ils été mariés ?

Le couteau s'immobilisa.

– Vous voulez dire quelque chose d'assez déplaisant, n'est-ce pas ? Laisser entendre par exemple qu'il l'aurait mise enceinte et qu'elle aurait été contrainte de l'épouser ?

– Était-ce le cas ?

– Non.

Elle souligna l'unique syllabe en se servant du couteau pour expédier tous les légumes dans une bassine en acier inoxydable.

– Après votre naissance, votre mère est restée comme cuisinière à la Vieille Maison.

Lily s'essuya les mains sur son tablier.

– Monsieur Jury, vous *savez* tout ceci. Pourquoi continuez-vous à *questionner* ?

Pour voir si la réponse sera différente, songea Jury. Il observait avec attention son visage. Sa réplique fut autre :

– Parce qu'il doit y avoir dans tout ceci une raison qui explique son suicide et ces menaces contre votre vie, Lily. – D'un mouvement empreint de tristesse, elle abaissa son regard sur la bassine serrée entre ses mains. Elle ne dit rien. – A cause peut-être de votre mère ?

Surprise, elle leva les yeux vers lui.

– Qu'est-ce que vous entendez par là ?

– Quelque chose qui se serait passé quand elle était en vie ? Ou quelque chose qu'elle a laissé derrière elle ? Je ne sais pas au juste.

Lily se détourna, secouant la tête avec fureur et plaquant le couteau et la bassine sur la paillasse de l'évier.

Jury insista :

– Serait-ce quelque chose que vous ne connaissez même pas, mais que quelqu'un pense que vous connaissez ? Représenteriez-vous une menace pour quelqu'un ?

– Une menace ? C'est idiot.

– Et pour les Craël ?

Elle pivota comme l'éclair pour lui faire face et sa peau était aussi blanche que la farine sur la table.

– Une menace ? *Moi* ? – Elle plaqua ses mains contre le tablier démodé en coton comme s'il prouvait son identité. –

Je n'étais que la gamine de la cuisinière. « La gamine de la cuisinière », c'est comme ça qu'ils m'appelaient. Pas Lily, juste « la gamine de la cuisinière ». – Deux taches brillantes apparurent sur ses joues comme si elle venait de les pincer pour les colorer. – Je croyais même que c'était mon prénom. Maman m'a raconté que quelqu'un dans la rue m'avait demandé mon nom et que j'avais répondu « gamine de la cuisinière ». Elle avait trouvé cela follement drôle.

– Mais vous visiblement pas.

Son dos était à présent tourné vers lui et sa tête penchée. Jury fut sûr qu'elle pleurait quand il vit sa main se porter d'un geste vif à son visage et retomber. Elle fit couler de l'eau dans l'évier, s'en aspergea la figure, puis décrocha un torchon. Ensuite, elle se retourna et continua :

– Le seul qui était gentil, c'est le colonel. Lui au moins savait mon nom. Et il a été le seul à défendre maman quand... – Elle s'arrêta, regarda dans le vide. – Dillys me haïssait, mais il ne l'a jamais su. L'unique raison pour laquelle nous étions si souvent ensemble est que le colonel avait de l'affection pour nous deux. Il avait toujours eu envie d'avoir une fille, je crois. Et il n'est pas snob, comme l'étaient les autres... Lady Margaret, Julian, Rolfe aussi, bien qu'il ait aimé s'amuser un peu plus qu'eux tous, je crois. Le colonel avait l'habitude de m'emmener à la chasse aux papillons. C'était magnifique.

Elle tourna la tête pour regarder par la petite fenêtre le faible soleil d'hiver qui dorait les branches.

Imaginait-elle l'été ? Jury se le demanda. Image superbe que celle de cette immense maison aux pelouses de velours, dominant d'un côté le tapis pourpre de la mer et de l'autre la levée des landes couvertes de bruyère. En l'observant maintenant, son profil découpé dans la lumière, il avait l'impression de pouvoir pénétrer dans sa tête, courir dans l'herbe, voir s'abattre en sifflant le filet à papillons.

– Vous disiez que le colonel Craël avait été le seul à défendre votre mère. La défendre contre quoi ?

Lily vint s'asseoir en face de lui. Elle semblait très fatiguée.

– Contre Lady Margaret. Des bijoux, des émeraudes ou des diamants, je ne sais pas, avaient disparu. Elle disait que c'était maman qui les avait pris. Après toutes ces années passées à leur service ! Elle avait commencé comme fille de cuisine. Et tout d'un coup elle se serait mis en tête de *voler* ?

Elle se détourna encore une fois de Jury, offrant seulement son profil : assise sur un haut tabouret, les jambes croisées, les coudes dans le creux des paumes. Elle semblait s'être simplement retirée, comme un corps astral, laissant derrière elle cette pose de marbre.

– Cela ne paraît pas un motif suffisant pour se suicider, néanmoins, n'est-ce pas ?

Avec lenteur, elle tourna la tête et Jury vit que ses yeux d'ambre s'étaient assombris, fonçant jusqu'à la couleur profonde de la cornaline, comme ils l'avaient fait à la clarté du feu. Sa voix restait égale mais à l'évidence elle était fortement irritée.

– Vous connaissez donc toutes les raisons du suicide ?

– Non, mais il faut qu'on soit très, très déprimé. Être injustement accusée – et vous paraissez absolument certaine que tel était le cas – devrait provoquer une colère offusquée plutôt qu'une dépression conduisant au suicide. Est-ce que vous croyez, *vous*, qu'elle se serait suicidée pour une raison pareille ?

Elle répliqua évasivement :

– Je n'avais que onze ans quand elle est morte.

– Oui. Mais le croyez-vous ?

– Je ne sais pas.

Son visage, sa voix étaient de pierre.

– Qu'avez-vous fait alors ? Après sa mort ?

– Je suis allée chez ma tante Hilda à Pitlochary. Elle ne voulait pas de moi, mais elle se complaisait dans l'idée qu'elle était une chrétienne craignant Dieu ; c'était donc son devoir de me recueillir.

– Je suis assez surpris que les Craël ne vous aient pas prise chez eux. Il a tellement d'affection pour vous.

– Enfin, inspecteur ! Je n'étais que l'enfant d'une domestique. L'affection ne s'étend pas vraiment jusque-là. Et même si *lui* l'avait voulu, les autres ne l'auraient pas accepté. Julian, Olive Manning, Dillys. *Elle* le menait par le bout du nez, et elle n'était même pas de son sang. Mais il a veillé à ce que j'aie de l'argent de poche, des vêtements et a fait en sorte que je continue mes études. Il a versé une bonne somme à ma tante, j'en suis sûre. Je pense qu'elle m'aurait, sans cela, placée comme serveuse ou quelque chose comme ça quand j'ai été en âge de travailler.

– Cette cousine, Gemma Temple, qui apparaît subitement. Il semble qu'elle aurait été capable aussi de mener le colonel Craël par le bout du nez.

– Je ne comprends pas ce que vous voulez dire.

– Non ?

Jury était sûr qu'elle mentait.

17

La bibliothèque de prêt de Rackmoor était une longue salle étroite, occupant tout le rez-de-chaussée d'un ancien cottage à terrasse, qui ressemblait beaucoup de l'extérieur aux maisons voisines.

Une fois les murs enlevés, le vestibule, la salle à manger, le salon et la cuisine s'étaient fondus en une seule et même salle. Le comptoir près de l'entrée paraissait emprunté à un vieux pub. Une pancarte y réclamait le SILENCE avant même que l'emprunteur de livres se soit orienté. Les rayonnages de hauteurs différentes, le tapis usé jusqu'à la corde, les petites lampes dépareillées sur les tables bancales, tout le décor laissait penser que la salle avait été meublée avec les restes d'une vente de charité.

L'apparence de Miss Cavendish elle-même renforçait cette impression : une vieille jupe marron qui descendait presque aux chevilles, un cardigan déformé de couleur olive, des cheveux châtains rassemblés en chignon style pelote à épingles. Elle était apparemment en train de sermonner quelques galopins d'âge scolaire quand Jury entra. Lorsqu'elle le vit et s'avança vers le devant de la salle, les enfants se serrèrent à nouveau comme des conspirateurs et se remirent à glousser de rire et à chuchoter. A part eux, il n'y avait qu'une seule autre personne, une femme corpulente qui passait lentement le long d'un des rayonnages.

Bibliothécaire, Miss Cavendish avait la tête de l'emploi. Ses yeux, qui scrutaient Jury par-dessus ses lunettes en demi-lune attachées à un étroit ruban, paraissaient faibles, comme usés par trop de nuits passées à lire tard. Son teint jaunâtre était semé d'une multitude de grains de beauté comme un livre aux pages maculées. Et quand elle se déplaçait, Miss Cavendish donnait l'impression de bruire et de craquer comme les pages d'un vieux livre, bien que le son provînt probablement d'un jupon raide.

Jury présenta sa carte d'identité.

– Il y a quelques questions que je désirerais vous poser, mademoiselle.

– Je me doutais un peu de qui vous étiez. – Elle le toisa avec un claquement satisfait de lèvres vierges de tout fard. – Mais je ne vois pas en quoi je puis être utile. J'habite à l'autre bout du village, loin du lieu où elle a été... si sauvagement tuée. Je l'ai dit à l'autre policier.

– Oui, je sais. A la vérité, je suis venu pour une affaire différente. – Miss Cavendish leva les sourcils, surprise qu'il puisse y avoir autre chose. – Cela concerne Mrs. Makepiece, la mère de Bertie. Nous avons cru comprendre que vous jetiez de temps à autre un coup d'œil sur son garçon.

– Oui. Roberta – c'est la mère de Bertie – m'a demandé de surveiller un peu le gamin. Rose Honeybun et Laetitia Frother-Guy s'en sont chargées aussi. Écoutez, ce n'est pas une affaire de police, n'est-ce pas ? Nous ne devons pas être jugées responsables de son bien-être, j'espère. – Jury ouvrit la bouche pour répliquer, mais elle se hâta de poursuivre sa défense : – Cela n'a strictement rien à voir avec nous. Laetitia Frother-Guy a pris contact tout de suite avec les employés du service social et ils sont allés au cottage Makepiece, mais tout semblait se passer à peu près comme il faut. Naturellement, Roberta s'est déjà absentée, ne croyez pas le contraire. Bref, j'appelle ça choquant. Absolument choquant, parente malade ou pas et, à parler franc, j'ai même des doutes là-dessus. D'après le gamin, elle est partie pour Belfast, alors que ce n'est pas ce qu'elle m'avait dit, *à moi*. Et ce n'est pas la première fois qu'elle me demande de veiller sur lui quand elle se met en tête de prendre un peu de vacances ; ce doit être la troisième ou la quatrième. Vous comprenez ce que je veux dire, des *affaires d'amour* [1] plutôt que des mamies malades, voilà à mon avis ce qu'elle manigance. Je dois reconnaître que c'est son absence la plus longue. N'aurait jamais dû avoir d'enfant, celle-là. Voilà ce

---

1. En français dans le texte.

que j'ai dit à ma « collègue », Rose Honeybun. Les gens comme Roberta devraient se contenter d'une perruche, si c'est de la compagnie qu'ils veulent. Cet enfant a dû prendre soin de lui-même pratiquement depuis sa naissance et il le fait mieux qu'elle n'y serait jamais parvenue. Savez-vous qu'il s'est chargé seul de presque toute la lessive, de la cuisine et des commissions depuis qu'il est entré à l'école maternelle ? Mais tout de même, il a besoin d'être guidé, n'est-ce pas ? Il devrait vivre en famille. Mais je n'ai jamais connu d'enfant qui soit à ce point capable de se suffire à lui-même. Je dois reconnaître que je trouve son attitude légèrement déconcertante. On ne sait jamais ce qui se passe dans cette petite tête, c'est un peu un *enfant terrible*, à mon sens, et ce chien me met mal à l'aise. Une créature diabolique, s'il en fût jamais. On la croirait capable de lire vos pensées, et la façon dont elle vous regarde, eh bien...

– Où Mrs. Makepiece vous a-t-elle dit qu'elle se rendait ? Jury endigua le flot.

– Londres. Oui, Londres, j'en suis sûre. C'est pourquoi j'ai été tellement surprise quand le garçon m'a dit que la mamie – celle qui est malade – habitait Belfast et qu'elle était allée là-bas. Un endroit pareil !

Des visions de nationalistes irlandais bardés de cartouchières et coiffés de bérets noirs l'assaillaient sans doute au même instant.

– Vous ne vous êtes pas demandée, alors, pourquoi elle disait partir pour Londres ?

– Si, bien sûr. Mais, comme je l'ai dit, Roberta Makepiece était toujours en train de s'offrir des petites vacances et elle se fâchait tout rouge si vous aviez seulement l'air de tiquer sur ses affaires de cœur. Le mari est mort assez jeune, vous savez, et je ne suis pas sûre que vivre avec Roberta n'ait pas eu quelque chose...

– Donc cela vous a surprise qu'elle soit partie pour Belfast ?

– J'ai pensé simplement, je crois, qu'elle était allée à Londres prendre un train ou je ne sais quoi pour rejoindre le bateau. Ou l'aéroport d'Heathrow.

Jury réfléchit un instant. Depuis le Yorkshire, ce serait assurément une perte de temps et d'argent. Si elle avait voulu gagner l'Irlande du Nord, Roberta aurait d'abord gagné l'Écosse et pris le ferry à Stranraer.

– Inspecteur, pourquoi la police me pose-t-elle ces questions ? Je vous ai expliqué que je m'efforçais simplement d'apporter mon aide à cet enfant.

– J'étais simplement inquiet à son sujet. Il semble bien jeune pour demeurer là-bas tout seul.

Elle parut considérer cela comme une critique implicite.

– Ne pensez-vous pas que je le sais ? Choquant, qu'une mère fasse une chose pareille. Pas plus tard que l'autre jour, je disais à Rose et à Laetitia que nous devrions pousser les responsables du service social à faire quelque chose. Mais ils avaient l'air de trouver qu'il était encore trop tôt pour s'inquiéter. Eh bien, je vous le demande. Plus de trois mois se sont écoulés et cette mère n'est toujours pas de retour ? Ce garçon devrait être placé dans un orphelinat.

L'œil intérieur de Jury parcourut de longues salles austères, des rangées d'étroits lits de fer. Il essaya de se représenter Bertie entre ces murs. Il en fut incapable.

Dehors, devant la fenêtre de la bibliothèque, un petit chien était attaché, affublé d'une collerette de fourrure autour du cou et d'un nœud bleu ridicule. Il attendait probablement que la dame corpulente errant au milieu des rayonnages vienne le reprendre.

– Je ne crois pas que ce serait la meilleure solution pour Bertie, répliqua Jury. D'ailleurs, qu'adviendrait-il d'Arnold ? Ils sont camarades.

– Ma foi, un *chien* ne me paraît guère une compagnie suffisante pour un enfant. Une créature *diabolique*, je vous ai dit.

Elle renifla. Jury regarda le comptoir. L'affiche SILENCE aurait dû tuer Miss Cavendish.

– Oui. Eh bien, *delenda est Carthago*. Bonne journée, Miss Cavendish.

Comme il se détournait, elle cligna des paupières et le suivit d'un œil arrondi par la surprise.

Une fois dehors, dans la Rue-Qui-Grince, il se demanda pourquoi il lui avait dit qu'il fallait détruire Carthage. Probablement parce que c'était la seule chose qu'il avait réussi à extirper de sa mémoire sur le moment. Jury adorait Virgile.

Il prit la Rue-Qui-Grince et, jetant un coup d'œil par la fenêtre de Bertie, il ne vit aucun signe de lui ou d'Arnold.

Tout semblait sombre et tranquille à l'intérieur. Dans la cuisine, le grand tablier était suspendu à une patère près du plan de travail. Bertie devait être en classe.

Quand il arriva au Pas de l'Ange, il décida de grimper jusqu'à la Sente du Psautier et d'approcher la Vieille Maison par le chemin qui coupait à travers bois. Au sommet des marches, juste au-dessous de l'église, il se retourna pour regarder vers le bas. Même au cœur de l'hiver, Rackmoor gardait une irréalité superbe. Le village entier s'étalait à ses pieds, sculpté au flanc de la falaise, ses maisons étagées comme des marches, ses rues sinueuses, les petits bateaux bleus et verts jetant les seules notes éclatantes sur les gris monochromes de la pierre, du ciel et de la mer. Mais il y avait en réalité deux vues, et non une seule : sur sa droite, Jury apercevait dans le lointain le commencement des landes d'York, des kilomètres et des kilomètres d'étendues de neige inviolée.

Il regretta de ne pas pouvoir imaginer de prétexte pour s'en aller marcher sur cet océan immaculé.

18

Tel un oiseau migrateur, le sergent Wiggins se débrouillait toujours pour voler vers la chaleur ; c'est ainsi que Jury le trouva installé dans la cuisine près de l'âtre, avec une théière pleine de thé, assis en face d'Olive Manning.

Celle-ci n'apportait toutefois aucune chaleur à l'environnement ambiant. Elle présenta à Jury une main sèche, plutôt fraîche, et un sourire plus froid encore. Elle donnait l'impression d'être mal à l'aise dans ses vêtements, comme s'ils étaient de mauvaise confection (ce qu'ils n'étaient certainement pas) ou faits pour quelqu'un d'autre. Assise dans sa robe noire, un trousseau de clefs à la ceinture, Olive Manning paraissait tout en angles : coudes, pommettes, nez droit pointu. Sa voix aussi était coupante, vibrant d'un timbre métallique. Le sourire de commande disparut après qu'elle eut salué Jury, et son expression devint aussi figée que la face d'une pièce de monnaie. Ses yeux étaient couleur d'argent terni, sa bouche mince. Un voile gris s'était posé sur ses cheveux naguère noirs comme la teinte poudreuse des vieilles tablettes de chocolat.

Jury tira une chaise pour s'asseoir, refusant la tasse de thé offerte.

— Madame Manning, je ne veux pas vous obliger à revenir sur tout ce que vous avez dit ici même au sergent Wiggins. Ce qui m'intéresse surtout, c'est de savoir si vous pensiez que cette jeune dame était bien Dillys March.

Elle secoua la tête avec décision.

— Absolument pas.

– Comment en êtes-vous aussi certaine, alors que Sir Titus, lui, en était persuadé ?

Jury ne doutait guère qu'Olive Manning fût sûre de tout ce qu'elle pensait et sentait.

Elle eut un léger sourire.

– Je dirais que dans son cas, c'est prendre son rêve pour la réalité, inspecteur Jury. Vous vous rendez compte, naturellement, que Julian est d'accord avec mon point de vue *à moi* sur la question. – Jury hocha la tête. – Il y a évidemment une ressemblance superficielle...

– Beaucoup plus que superficielle, assurément. D'après les photos de la jeune March que j'ai vues, je dirais que Gemma Temple était son sosie.

– C'est vrai. Seulement ces photos de Dillys remontent à quinze ans, n'est-ce pas ? Et l'apparence de la jeune femme n'est pas uniquement en cause. Il y a d'autres critères. Les gestes, le vocabulaire...

– Pas vraiment dignes de la demoiselle du manoir ?

– Oui, si vous voulez l'exprimer de cette façon. Je l'ai trouvée un peu vulgaire. Après tout, l'éducation, ça ne s'invente pas.

– Ne pouvait-elle, en quinze ans, s'être un peu détériorée ?

Elle ne répondit pas.

– Je crois que votre fils, madame Manning, est, malheureusement, dans une maison de santé ?

Les yeux d'acier se chargèrent de haine mais elle se contenta de répliquer :

– Oui.

– D'après ce que j'ai entendu dire, vous tenez Dillys March pour largement responsable de sa dépression.

Son visage, son attitude étaient résolus, mais elle entrelaçait ses doigts couverts de bagues comme si elle s'efforçait de les retenir loin de la gorge de Jury.

– Eh bien, puisque vous êtes au courant de tous les cancans, il n'est pas nécessaire que j'amplifie, n'est-ce pas, monsieur l'inspecteur en chef ?

– Vous avez toutes les raisons du monde, si c'est uniquement cela... des cancans. Que s'est-il passé entre Dillys et votre fils ?

– Pendant la période où Leo a séjourné ici, c'est-à-dire l'année où il a servi de chauffeur au colonel, cette fille lui a constamment couru après.

– Avec succès ?

Il y eut un silence.

– Elle le faisait marcher. Ce n'aurait pas été trop grave s'il avait été le seul. Il n'était qu'un parmi beaucoup.

– Elle était donc tellement séduisante ?

Olive Manning eut un sourire affecté.

– Franchement, inspecteur. On n'a pas besoin d'être séduisant, on n'a qu'à... – Elle regardait Jury comme s'il devait savoir. – Et elle a bien failli le faire renvoyer au bout d'un mois à peine. Puis il y a eu cette odieuse enquête de police, tout le monde s'imaginait que Leo avait une responsabilité quelconque dans... – Elle s'arrêta, devint très pâle. La colère qu'elle devait contenir à grand-peine parut jaillir.

– Le pauvre garçon n'a pas pu supporter une telle tension ; il était sincèrement épris d'elle.

Jury porta cela au compte d'un sentiment maternel, encore qu'Olive Manning ne semblât en avoir guère.

– Vous êtes celle qui a vu Dillys March s'en aller ce soir-là, il y a quinze ans, n'est-ce pas ? Racontez-moi cela.

– Je dors mal, je n'ai jamais bien dormi, et j'étais levée. Je ne sais pas ce qui m'a attirée à la fenêtre ; peut-être le claquement de la portière. J'ai regardé au-dehors et je l'ai vue près de la porte du garage, la tête baissée, cherchant ses clefs, je suppose. Puis elle est montée dans cette voiture rouge qu'elle avait et s'en est allée. Elle a foncé à tombeau ouvert dans l'avenue. Elle conduisait toujours comme ça.

– Et c'est la dernière fois que vous l'avez vue ? – Elle hocha la tête. Jury changea de sujet. – Vous avez séjourné chez votre sœur à Londres, n'est-ce pas, quinze jours seulement avant Noël ?

– Oui. Je descends là-bas quand je rends visite à Leo... Mais ce policier, cet inspecteur Harkins ou l'un de ses hommes, qui n'a rien trouvé de mieux que d'aller interroger Leo ! Vraiment, c'est une honte. Ne peut-on laisser ce pauvre garçon tranquille ? Il est parfaitement innocent de tout...

Jury fut surpris de la voir au bord des larmes, mais pensa que seul son fils peut-être était capable d'émouvoir sa sensibilité.

– On lui a parlé, oui. Je ne pense pas que Leo ait pu être de quelque utilité. Il ne se rappelait... pas grand-chose. C'est le colonel Craël qui paie pour la maison de santé où se trouve Leo, n'est-ce pas ?

Elle leva brusquement les yeux.

– Le colonel a toujours su prendre ses responsabilités. Je pense qu'il se rend compte à qui est la faute, ici.

– Mais ce serait fâcheux, n'est-ce pas, si Dillys March réapparaissait et peut-être le faisait changer d'avis sur ce point ? – Olive Manning lui décocha un regard furibond, ouvrit la bouche, la referma. – J'aimerais m'entretenir avec votre sœur, madame Manning. Peut-être pourriez-vous me donner son adresse ?

– Pourquoi ? Qu'est-ce qu'elle a à faire avec ça ? Croyez-vous que je mens au sujet de cette visite ?

– Non. Puisqu'il suffirait d'un coup de téléphone pour en avoir la confirmation. Quelle est son adresse, s'il vous plaît ?

Elle était troublée. Ses mains donnèrent l'impression de battre l'air comme de petites ailes.

– Je ne vois pas pourquoi vous avez besoin de lui parler. C'est Fanny Merchent. Les Victor Merchent. Ils habitent dans Ebury Street, au numéro dix-neuf. C'est près de la gare Victoria.

– Merci, madame Manning. – Jury se leva et Wiggins l'imita. – Peut-être devrais-je bientôt avoir une nouvelle conversation avec vous.

Olive Manning ne répondit pas, et elle ne tourna pas non plus la tête quand ils quittèrent la cuisine.

– Avez-vous vu Mr. Plant ce matin, Wood ?

– Non, Monsieur. Il n'est pas descendu, du moins pas à ma connaissance.

– Voudriez-vous lui dire, quand vous le verrez, que je suis parti pour Londres ? – Jury eut un sourire. – Et dites-lui aussi de ne pas rester éternellement au lit.

Le minuscule sourire du majordome avait un air de complicité, comme si eux – Wood et Jury – partageaient la même connaissance intime des manières de faire de l'aristocratie.

Tandis qu'ils foulaient le marbre blanc et noir du vestibule, Jury dit à Wiggins :

– Pendant que vous dénichez une voiture, je vais aller voir Tom Evelyn. Je ne resterai pas longtemps à Londres – une journée au maximum. Mais il faut que je prenne langue avec quelques-uns de ces gens.

177

– N'y a-t-il pas un risque que l'inspecteur Harkins interprète cela comme impliquant qu'il a été peut-être négligent de ses devoirs ? Comme une espèce d'affront ? demanda Wiggins en souriant.

– Peu importe. Quoi que je fasse, il le jugera de cette façon. Je vous déposerai à Pitlochary, néanmoins, et vous pourrez lui expliquer la chose.

– C'est aimable de votre part, monsieur, dit Wiggins avec un visage parfaitement impassible, masqué seulement en partie par son inhalateur.

19

Melrose Plant était effectivement au lit, ou plutôt dessus, mais pas dans le sens où l'entendait Jury.

Il était étendu tout habillé, contemplant le plafond peint de scènes miniatures représentant des dieux, des déesses et des amours. Il souriait ; il pensait à l'appartement de Julian Craël – à trois portes de sa propre chambre.

Melrose venait de prendre dans cet appartement la photo avec laquelle jouaient ses mains. Elle le rendait, en vérité, très heureux.

Melrose s'était d'abord assuré que Julian partirait pour sa promenade matinale en lui proposant de l'accompagner. Julian lui avait adressé le même genre de regard que si Melrose avait proposé de partager son bain dans sa baignoire. Marcher pendant une heure sur la lande (comme Julian disait avoir l'intention de le faire) alors qu'on pouvait rester auprès d'un bon feu à boire du porto Cockburn de première cuvée, semblait à Melrose l'acte d'un fou, mais cela lui donnait l'occasion d'entreprendre sa fouille.

Ils n'avaient aucune sympathie l'un pour l'autre, c'était clair. Les similitudes d'âge, de rang, de fortune, de situation ne créaient pas de liens entre eux. Et Melrose éprouvait un sentiment de culpabilité : il avait réellement voulu obtenir de Julian quelque chose – ne serait-ce qu'une impression – qui allège l'anxiété du colonel. Il avait beau s'en défendre, Melrose sentait que Sir Titus Craël était très inquiet au sujet de son fils – alibi ou pas.

Tirer du sang des pierres. Voilà à quoi il avait abouti avec Julian Craël, quoiqu'au fond il pût difficilement l'en blâmer.

Tandis que Jury, c'était plutôt Moïse frappant le rocher : tout ce que *lui* avait eu à faire, c'était entrer dans le cottage de Percy Blythe et des fontaines de conversation avaient jailli.

Aussi Melrose avait-il résolu que s'il ne pouvait pas obtenir de renseignements d'une façon, il essaierait d'une autre, et c'est ce qu'il avait fait. Fouiller l'appartement d'un gentleman n'était peut-être pas une action digne d'un homme bien élevé. Mais l'assassinat n'en était pas une non plus.

Il s'était rendu dans l'appartement de Julian, sans trop savoir quel genre d'indice chercher. Il n'avait pas pensé, non plus, avoir la moindre chance de le découvrir. Pourtant, il l'avait trouvé.

La maison était parfaitement silencieuse. Le colonel était sorti pour aller patauger dans les chenils de Pitlochary. Olive Manning s'était rendue à Whitby, et les domestiques ne faisaient rien, comme de coutume.

Aussi Melrose avait-il virtuellement la maison pour lui tout seul. Et il eut la sagesse de laisser la porte de la chambre de Julian grande ouverte pour le cas improbable où quelqu'un passerait ; de cette façon, il n'aurait pas l'air de fouiner. Il pouvait toujours invoquer quelque vieux prétexte, dans le genre d'un emprunt de livre ou une invention du même acabit. Julian avait une merveilleuse bibliothèque de vieux livres sur le Yorkshire.

Melrose fouilla tout sans bruit – tous les tiroirs, toutes les étagères, tous les placards. Cela ne demanda pas longtemps, car les pièces étaient spartiates, presque lugubres avec leurs tentures couleur de mousse et leur lourd mobilier de style Tudor.

Melrose écarta les rideaux et regarda par les hautes fenêtres qui donnaient sur la mer pour s'assurer que Craël Junior n'avait pas décidé subitement de revenir plus tôt. C'était un matin de faible soleil tamisé d'un brouillard léger qui lui laissait voir jusqu'à une certaine distance le sentier en bordure de la falaise. Aucun signe de Julian Craël.

Il y avait deux pièces, une chambre et un petit bureau ou bibliothèque. Il commença par la chambre. Sur une commode se trouvait l'habituelle panoplie du gentleman, y compris une mallette victorienne garnie, un nécessaire contenant des brosses à cheveux au dos en argent (que Melrose prit en main et envia). Il y avait aussi des clefs, de l'eau de toilette, une photographie de Lady Margaret. Les tiroirs ne révélèrent rien d'intéressant. Dans la penderie étaient accrochés des costumes en petit nombre mais d'une très bonne qualité, merveilleusement taillés, une robe de chambre, une jaquette d'équitation. Il avait vu Julian sortir un des chevaux une fois de très bonne heure le matin, alors qu'il ne voulait jamais participer à la chasse.

Melrose retourna dans la bibliothèque, où un élégant secrétaire se nichait dans un décrochement de la paroi d'étagères garnies de livres. Il releva l'abattant, ne trouva que des accessoires pour écrire – aucun papier personnel en dehors de quelques factures d'un tailleur de Londres. Il visita systématiquement chaque tiroir et ne fit guère de découverte intéressante : du papier à lettres, des plumes et, dans un des tiroirs, des instantanés en vrac. Qu'il examina. C'était principalement des vues du manoir et des landes, prises, lui sembla-t-il, depuis déjà quelque temps. Il referma les tiroirs et commença à passer en revue les étagères. Elles semblaient en ordre parfait, rien de dissimulé derrière, pas de panneaux secrets, aucun document caché.

De petites photographies encadrées étaient disposées le long des étagères, une douzaine ou plus sur deux rayonnages. Elles avaient cette teinte brune qui signale le passage du temps. Sur plusieurs d'entre elles, il reconnut Julian, l'élégante Lady Margaret (ici au bras de son mari), et comprit que la jeune fille aux cheveux noirs devait être Dillys March, car Melrose avait déjà vu les photos que le colonel avait sorties pour la police.

Il devait y avoir une demi-douzaine de clichés de Dillys, davantage même s'il comptait ceux sur lesquels elle apparaissait avec d'autres. Il y avait une photo de Dillys et de Lady Margaret, prise dans le jardin, à l'époque où elle n'était guère plus qu'une enfant – dix ou onze ans, peut-être. Une autre d'elle, de Julian et d'un jeune homme qui devait être le frère, Rolfe. Ils étaient tous à cheval. Rolfe avait l'air d'un homme à côté des deux autres, photographiés à un âge ingrat. Il était joli garçon, mais rien de comparable à Julian sur le plan de la pure beauté physique, à l'exception de cette chevelure dorée, qui lui venait de sa mère. Puis il y en avait deux de Dillys et de Julian, prises un peu plus tard, tous deux plantés comme des pieux sur le perron de la Vieille

Maison. Trois autres photos montraient Dillys seule. Sur l'une d'elles, elle était de nouveau à cheval. Sur les deux autres, elle était appuyée contre une clôture, affectant un air réservé, la tête inclinée, les yeux levés sous l'ombre des cils et de la frange. Elle avait peut-être bien alors dans les dix-sept ans, portant la même robe de soie légère que sur le perron de la maison.

Au total, sept photos de Dillys March, plus que de quiconque d'autre, et pourtant Julian Craël affirmait n'avoir aucune sympathie pour elle.

Melrose ne sut pas ce qui, à cet instant, lui remit spontanément en mémoire une vieille habitude de sa mère. Quand elle avait plus de photographies que de cadres, ou quand elle voulait remplacer une photo plus ancienne, dont elle s'était lassée, par une plus récente, elle faisait simplement glisser le dos en carton et plaçait la nouvelle devant l'autre. Commençant par les photos de Dillys et de Julian, il retira le dos de velours et ne trouva que le morceau de carton. Il renouvela l'opération pour quatre autres photos. A la cinquième, celle de Dillys appuyée à la barrière, il trouva un autre instantané : Dillys dans un parc, quelque part. Était-ce Regent's Park ? Ou Hyde Park ?

Mais cette jeune fille n'était plus une adolescente ; c'était une femme. Dillys March ? Gemma Temple ? Melrose n'avait pas vu les photos de Gemma Temple, mais si la ressemblance était aussi grande qu'il l'avait entendu dire...

Dans le sixième cadre, il trouva une autre photo derrière la première. Sur celle-ci, elle se tenait devant un immeuble, adossée à une grille. L'immeuble ne se singularisait pas de centaines d'autres bâtiments de brique d'une grande ville. Il aurait aimé examiner toutes les autres photos, mais il craignait le retour de Julian ; Melrose était déjà dans la bibliothèque depuis une bonne demi-heure.

Il ouvrit le tiroir du secrétaire, celui dans lequel il avait trouvé les instantanés en vrac, en prit deux et les glissa derrière les photos de Dillys. C'était courir un risque, bien sûr, mais si Julian se contentait de vérifier les cadres pour s'assurer qu'ils contenaient deux clichés, il ne se donnerait peut-être pas la peine d'enlever celles de derrière pour les regarder. Cela valait le coup, assurément. Il fallait que Jury voie ces photos.

De retour dans sa propre chambre, étendu sur son lit, il savait qu'il avait découvert ce qu'il cherchait. Que la femme fût Dillys March ou Gemma Temple n'avait pour le moment pratiquement pas d'importance. Quelle qu'elle fût, elle n'aurait pas dû être à Londres. Ni dans un cadre de photo dans l'appartement de Julian Craël.

20

– Dillys March ? Je l'ai connue ça fait déjà un bon bout de temps. Qu'est-ce qu'elle a à faire dans cette histoire ?

Tom Evelyn, veneur de la meute de Pitlochary, était en train de porter aux chenils ce qui ressemblait à des seaux de porridge quand Jury l'avait abordé.

– Avez-vous vu cette Gemma Temple lorsqu'elle était à Rackmoor ? – Evelyn secoua la tête. – Il y avait une forte ressemblance entre Gemma Temple et Dillys March.

Ses yeux, très bleus, se dilatèrent. Il approchait de la quarantaine mais paraissait moins de trente ans. Dans dix ou quinze ans, Tom Evelyn aurait à peu près le même aspect que maintenant – droit, mince, séduisant, le cheveu sombre, plus grand qu'il ne l'était réellement à cause de la façon dont il se tenait.

– Vous ne me racontez pas que cette femme assassinée était Dillys March, voyons, hein ?

– Non. Mais nous serions heureux d'être renseignés sur Dillys March par quiconque la connaissait.

Evelyn déroula ses manches, boutonna lentement son gilet de cuir.

– Elle signifiait des ennuis, je peux vous le dire, mon vieux.

– Pour qui ?

– Pour n'importe quel homme a qui elle s'intéressait.

– Vous ?

Ses yeux bleus se perdirent dans le lointain, par-delà la cour qui entourait les chenils. Il était gêné, songea Jury, mais ne le montrait guère. Jury se demanda si sa raideur –

le maintien droit, les traits sculptés – venait de ce qu'il fréquentait plus les animaux que les humains. Et sans aucun doute les aimait plus que les gens, aussi. Une légère rougeur avait teinté sa figure bronzée en permanence.

– Oui, si je l'avais laissée faire. Je suis veneur de cette meute depuis plus de dix ans. Avant ça, j'étais piqueux. N'allais pas perdre ça pour quelqu'un comme elle.

Son ton n'était pas seulement méprisant, mais hargneux. Evelyn n'était pas du genre à montrer ses sentiments ; si Dillys March pouvait susciter une telle réaction au bout de quinze ans, c'est qu'elle avait dû causer pas mal de grabuge. L'homme faisait montre d'une grande fierté que Jury s'efforça soigneusement de ne pas heurter.

– Peut-être ne teniez-vous pas à avoir quoi que ce soit à faire avec Dillys, mais elle, vous a-t-elle laissé en paix au moins ?

Evelyn s'accroupit, remua le porridge, assez épais pour qu'une cuillère y tienne debout. Dans les chenils, à quinze mètres de là, les chiens menaient un raffut terrible pour qu'on leur donne leur nourriture.

– Elle a obtenu mon renvoi, pas moins. Pour un temps.

– Qu'est-ce qui s'était passé ?

– Une fois, cette seule fois-là, j'ai été stupide. Jeune, vous comprenez. Bref, Dillys vient aux chenils – j'étais second valet de chiens à l'époque. Elle accompagnait le colonel. Elle est restée après son départ, et... – Il haussa les épaules, laissant Jury compléter cette partie de l'histoire. – Elle voulait que ça continue, mais j'avais la frousse. Mon Dieu, la pupille du colonel ! Mais elle n'a rien, absolument rien d'eux. D'où elle sortait, je m'en moque et où elle est partie également. Dillys March était une propre à rien.

– Où pensez-vous qu'elle soit allée ? Et ne trouvez-vous pas ça bizarre, qu'elle soit partie de cette façon ?

– Ma foi, je ne suis pas payé pour réfléchir à des trucs comme ça.

– Et le fils d'Olive Manning, Leo ? Quelque chose s'est passé là, à ce que j'ai entendu dire.

Le rire d'Evelyn fut sec, comme un signal aux chiens courants.

– Bien sûr. N'importe quel homme, comme je le disais. Olive Manning l'aurait volontiers tuée... – Evelyn jeta un rapide coup d'œil à Jury. – Vous comprenez ce que je veux dire. Olive a eu le cœur brisé quand Leo a été envoyé à l'asile.

– Vous ne croyez tout de même pas que cette jeune femme ait pu transformer un homme par ailleurs sain d'esprit en malade mental ?

Evelyn ne répondit pas. Il se baissa pour ramasser les seaux de porridge.

– Je trouve bizarre qu'elle ne se soit pas attaquée au seul qui se trouvait juste sous son nez, celui qui sûrement, de son point de vue, devait être le plus beau parti.

– Rolfe Craël s'intéressait aux *femmes*, pas aux gamines. – Evelyn sourit et ce sourire avait une cordialité surprenante. – Mais je suis sûr qu'elle a essayé.

– Je ne pensais pas à Rolfe. Je pensais à Julian.

– Qu'est-ce qui vous fait penser qu'elle ne lui a pas couru après, aussi ?

– Rien, à la vérité, sinon qu'il éprouvait certainement une forte aversion à son égard.

De nouveau ce rire sec.

– Quelle blague. Julian était fou d'elle. Ça crevait les yeux.

21

Quasi imperceptible, l'effleurement d'un frappement se fit entendre à la porte de Melrose. Il fourra les photos sous son oreiller et dit :

– Entrez.

Wood présenta sa personne momifiée et déclara :

– Je vous demande pardon, Monsieur, mais il y a une communication téléphonique pour vous. Et le colonel Craël serait désireux de vous parler, Monsieur, quand vous descendrez. Il est dans la salle de la Chasse. Son petit bureau, Monsieur.

Melrose prit note de la désapprobation qui passa comme un éclair sur la figure de Wood : un gentleman faisant un somme tout habillé à midi sur le couvre-lit, qui plus est avec ses chaussures ? Son propre majordome, Ruthven, aurait masqué cette expression. Il remercia Wood en balançant ses jambes à bas du lit.

– Avez-vous une loupe dans les parages, Wood ? J'ai besoin de regarder quelque chose de près.

– Le colonel Craël en utilise souvent une pour sa collection de papillons. Je vais vous la chercher.

– Je descends tout de suite. Et pourriez-vous me dénicher du thé et des toasts ? Serait-ce l'inspecteur Jury qui téléphone, par hasard ?

– Non, Monsieur. L'inspecteur Jury voulait que je vous avertisse qu'il était parti pour Londres. C'est Lady Ardry qui appelle.

Oh, Dieu ! songea Melrose. Et Jury à Londres. Qu'allait-il faire de ces photos ?

– Le sergent Wiggins a-t-il accompagné l'inspecteur Jury ?

– A la vérité, je ne saurais vous répondre. Toutefois, ils ont quitté la maison ensemble. Je vais dire à la cuisinière de préparer votre thé, Monsieur. – Avant d'accomplir sa sortie, le dos raide comme des bois de justice, il ajouta d'un air réfléchi : – Un homme très occupé, l'inspecteur Jury.

Agatha lui donna l'impression, consternante pour lui, d'être dans la pièce voisine.

C'est d'ailleurs là, précisait-elle, qu'on la trouverait dans les vingt-quatre heures. La chère Teddy avait été invitée aussi par Sir Titus. Elles arriveraient ensemble en voiture.

Elle s'était invitée, naturellement. Melrose savait qu'il ne pouvait ni la raisonner, ni l'insulter, ni la menacer. Elle était insensible à tout traitement de ce genre. Il pouvait, bien sûr, la matraquer à mort. Hélas, elle se trouvait à York et lui ici. La seule solution qui lui restait était donc de ruser avec elle.

– Quelle plaisante perspective, lui dit-il, crispant de douleur ses paupières fermées. Mais écoutez-moi, Agatha. Si vous pouviez seulement rester là-bas encore un jour ou deux, je vais passer. – Il baissa la voix. – Il y a quelque chose de très important que Jury veut que vous fassiez *à York ;* il a demandé tout particulièrement votre aide.

Jury le tuerait.

Silence extasié d'Agatha. Ses vibrations se propagèrent littéralement le long du fil du téléphone. Elle lui rappela qu'elle était toujours prête à aider la police. Avait-il oublié à quel point elle avait su se rendre utile à Northants ?

Finalement, Melrose raccrocha sans avoir la moindre idée de ce qu'il allait lui faire faire à York. Il imaginerait quelque chose.

Mais du moins le téléphone lui donna-t-il une petite inspiration. Comme Wood surgissait dans son champ de vision dans un bruissement de cygne noir, Melrose lui demanda s'il n'y avait pas quelque part un annuaire de Londres. Wood dit qu'il en trouverait un et l'apporterait en même temps que la loupe.

– Je viens d'avoir une très agréable petite conversation avec votre tante, dit Sir Titus Craël en refermant dans un claquement son livre. Et voici votre thé. Dormi tard, eh ?

Avec un sourire un peu acide, Melrose accepta poliment la tasse.

– C'était terriblement gentil à vous de l'inviter ici, colonel Craël. C'est infiniment aimable, vraiment.

– Je regrette seulement que vous n'ayez pas dit qu'elle était aussi près, Melrose. Elle est à York, tout simplement. Ce n'est qu'à quelques heures d'ici.

Ne le sais-je pas ? songea Melrose. Il essuya ses lunettes à monture dorée, refourra son mouchoir dans sa poche. On ne devrait tout bonnement pas faire venir Agatha dans un village si estimé, si précieux qu'un arrêté de protection avait été pris à son sujet. Ce serait un peu comme d'installer une vache dans la maison natale de Shakespeare. Son œil parcourut la pièce, tandis que son esprit revivait péniblement les « années Agatha » et il se demanda pourquoi il fallait qu'elle fût la dernière parente qui lui restait.

– Croyez-vous toutefois que ce soit le meilleur moment pour une visite, colonel ?

Sir Titus sembla surpris.

– Mais elle a dit qu'elle était une tellement grande amie de l'inspecteur Jury, qu'ils avaient travaillé effectivement ensemble sur une affaire criminelle dans votre propre village à Northants. Vous n'en aviez pas parlé, Melrose.

Melrose émit un petit rire faible.

– J'avais l'impression que vous en aviez assez sur les bras avec tout ce tintouin...

Sa voix s'éteignit tandis que son regard voletait çà et là en quête d'inspiration. Il pouvait prétendre au colonel Craël qu'elle avait subitement pris froid ou rendu l'âme, ou quelque fable du même tonneau. L'œil de Melrose tomba sur une série de gravures de chasse, assorties apparemment à celles du *Vieux Renard Trompé*.

– Vous lui avez bien parlé de la chasse, Sir Titus ?

– Hmmm ? La chasse ? Ma foi, non, je n'en ai rien dit. Pourquoi ?

Melrose se plaqua la main sur le front.

– Oh, mon Dieu. Ça, c'est dommage. Agatha souffre d'une violente allergie aux chevaux.

Sir Titus regarda Melrose bouche bée. Comme si ce dernier venait d'annoncer que sa tante avait une maladie vénérienne.

– Oui. Qu'elle s'approche d'assez près pour les sentir, et

elle a une attaque. – Il haussa les épaules. – Quand je lui annoncerai qu'il y aura une chasse dans trois jours, je crains qu'elle ne change d'avis. Ces allergies sont des histoires délicates.

Il avait vu une fois Agatha montée sur Videur. S'il lui avait été impossible de savoir qui, de Videur ou d'Agatha, avait commencé le premier à agacer l'autre, on pouvait dire tout de même que Videur s'était très vite débarrassé d'elle.

Comme tout le monde devrait le faire. Melrose soupira et but lentement son thé.

De retour dans sa chambre, Melrose promena la loupe sur la seconde photo, celle prise devant la grille d'un immeuble.

Au début, il crut que la tache blanchâtre derrière la femme était le reflet dans la vitre de sa robe blanche. Mais la loupe fit ressortir que c'était une silhouette en veste blanche. Un serveur, peut-être. Sur la vitre, dessinant une courbe derrière son épaule droite, il y avait les lettres ACE. Un mot complet – ou une partie d'un mot ? Il passa la loupe au-dessus des ombres amorphes suspendues derrière la vitre. Des lanternes. Très probablement ces lanternes de papier qui forment souvent le plus clinquant des décors dans les restaurants orientaux. Cela expliquait les vestes blanches. L'immeuble, ce qu'il pouvait en voir, avait l'aspect d'entrepôt de ce genre de restaurant. ACE – ce pouvait être n'importe quoi. Melrose saisit l'annuaire de Londres, consulta les listes de restaurants et fut immédiatement découragé. Il y avait plus d'une centaine de restaurants orientaux. Puis, en parcourant la liste, son œil tomba sur un dénominateur commun à quelques-uns d'entre eux. Le mot *Palace*. Il regarda de nouveau la photo. Cela pouvait, peut-être bien, expliquer le ACE.

Il recommença à éplucher la liste des restaurants, notant tous ceux qui se terminaient par le mot *Palace*, à commencer par le *China Palace*. Quand il eut fini, il en avait accumulé près de vingt, mais c'était déjà mieux qu'une centaine.

Melrose ferma l'annuaire d'un claquement sec et étudia le problème. Il supposait qu'en l'absence de Jury et de Wiggins il devait donner les photos à Harkins. Mais Harkins, aux dernières nouvelles qu'il avait pu glaner, se trouvait à Leeds avec le commissaire principal.

Pourquoi s'en faire, après tout ? Il pouvait faire d'une pierre trois coups en se rendant à Londres lui-même : déposer les indices à New Scotland Yard, seconder Jury en dénichant le restaurant *Palace Machin* et s'arrêter à York pour faire quelque chose d'éminemment astucieux qui le débarrasse d'Agatha. (Pas très astucieux compte tenu de ce qu'était Agatha.) Il regarda sa montre : il n'était pas encore une heure. Melrose pouvait être à York pour un déjeuner tardif ou un thé précoce à deux heures, et à Londres vers neuf heures et demie ou dix heures au plus tard. Vu la façon dont il conduisait.

Il était extrêmement content de lui-même. D'une pierre trois coups.

Ou deux coups et une toquée...

22

Le Xérès Club était un immeuble à façade plate, couleur crème, sobre. Situé à proximité des Abattoirs et dans l'ombre tutélaire de la cathédrale d'York, il avait fait de sérieux efforts pour se dissocier de tout ce qui était commercial ; son unique identification était une petite plaque de cuivre à droite des doubles-portes de chêne. Il conservait l'atmosphère et la fonction d'un club pour hommes, mais admettait les dames dans sa salle à manger, pour autant sans doute qu'elles se montraient discrètes sur leur qualité de femmes et se déplaçaient en silence.

Ce n'était pas l'endroit idéal pour rencontrer Agatha.

Melrose était purement et simplement enragé d'avoir à perdre une ou deux heures précieuses à prendre le thé avec sa tante, mais une fois pleine de nourriture, il la savait plus malléable, et puis cette rencontre était à son avis un prix à payer assez faible pour la tenir éloignée de Rackmoor. Pour ne rien dire de la fameuse Teddy.

Il avait demandé une table proche d'une des hautes fenêtres donnant sur la rue. Non pas qu'il fût désireux d'avoir ce premier coup d'œil sur sa tante mais, en dépit de ses instructions, elle était capable de passer devant sans s'arrêter, dans la mesure où le Xérès Club faisait aussi peu pour que sa présence soit connue. A cette place, il pouvait si nécessaire cogner au carreau.

Melrose était arrivé exprès de bonne heure afin de pouvoir examiner les clients avant qu'elle vienne. Il y avait peu de monde dans la salle car l'heure était tardive pour déjeuner. A une table du fond étaient installés un homme et deux femmes. Les seuls autres étaient un minuscule gentleman, pareil à un oiseau, qui mangeait des muffins, et un homme qui paraissait offrir plus de possibilités : costume noir, melon noir et parapluie, tel un officier de la Garde. Son visage était figé, avec un profil de rapace. Le chapeau melon était posé sur la table ; le parapluie roulé serré (sûrement jamais ouvert) était accroché sur une chaise. Il lisait un journal.

D'un geste, Melrose appela le serveur.

– Ce monsieur, là-bas, m'a un air bien familier ; je crois que nous étions ensemble à Harrow il y a bien des années. L'Honorable John Carruthers-White, n'est-ce pas ?

Le serveur suivit la direction du regard de Melrose.

– Oh, non, Monsieur. C'est Mr. Todd, Monsieur. Il vient ici régulièrement pour son déjeuner, c'est si près de la cathédrale.

– Ça alors ! dit Melrose avec une expression abasourdie. C'est tout le portrait de Carruthers-White. La cathédrale ? Qu'a donc à faire Mr. Todd à la cathédrale ?

– Il est chargé des visites, Monsieur. – Le serveur chassa d'un coup de serviette blanche sur la table des miettes inexistantes et déclara : – Très populaire, la cathédrale.

Comme si la cathédrale d'York avait été la plus récente exhibition d'un nouveau groupe de rock.

– Oui, j'en suis bien conscient. Et Mr. Todd fait ces visites guidées pendant l'hiver ? Maintenant ?

Le serveur ne paraissait nullement se demander pourquoi Mr. Todd, qui n'était pas Carruthers-White, suscitait encore l'intérêt de Melrose.

– Oh, oui. Il y a une ou deux visites cet après-midi. Vers trois heures, je crois.

Il pouvait donc partir bientôt. Sacrée Agatha ; elle était en retard.

– Apportez du thé pour deux, s'il vous plaît, voulez-vous ?

Le serveur s'esquiva. Quelques minutes à peine s'étaient écoulées quand il revint avec le thé, disposant théière, tasses et gâteaux sur la table. Soudain, Melrose vit sa tante. Elle restait plantée bouche bée à regarder le Xérès Club, se débrouillant comme d'habitude pour avoir l'air dépaysée, tel l'émigré d'un autre système solaire. Le chapeau qu'elle portait confortait cette illusion : c'était une violente combinaison de pourpre et de bleu surmontée d'une longue plume verte. Elle disparut.

Elle réapparut dans la salle à manger, conduite à la table de son neveu par le serveur. Melrose jeta un coup d'œil en direction de Todd pour s'assurer qu'il ne s'apprêtait pas à s'en aller juste au moment où Agatha venait d'arriver. Non, il paraissait bien installé derrière son journal et son pot de café.

— Eh bien, Melrose, je vois que tu as commencé sans moi.

Elle rabattit d'un geste vif le couvercle de la théière d'argent, jeta un coup d'œil à l'intérieur, puis examina le choix de sandwiches et de gâteaux. Elle fourragea du doigt dans le plat, énonçant *sotto voce* le contenu.

— Hum. Pas de petits fours.

— Les endroits les plus chics ne donnent pas de petits fours, Agatha. Voyons, vous n'en avez pas chez Fortnum, n'est-ce pas? Vous devrez vous contenter des pâtisseries.

Elle débarrassa sa personne d'un renard d'aspect miteux et s'installa pour manger.

— M'as-tu traînée hors de chez Teddy jusqu'ici rien que pour parler gâteaux, Melrose? As-tu de nouveau bu plus que de raison?

Non, mais il regretta de ne pas s'être fortifié avec plusieurs cognacs bien tassés avant d'essayer de s'entretenir avec elle. C'était comme de remonter le courant d'une rivière à la nage à travers des bancs de saumons. Elle vida sa première tasse de thé, avala un sandwich au pâté de poisson, puis se mit en devoir de manger pour de bon.

Melrose beurra un scone aux raisins. Il n'aimait pas vraiment les scones piquetés de bouts de raisin sec.

— Je... nous... avons quelque chose que nous voudrions vous faire faire. Mais il faut que vous gardiez le plus grand secret.

— De quoi s'agit-il? Et comment va Jury? Et pourquoi n'est-il pas ici? Dommage qu'on l'envoie toujours dans ces endroits perdus. N'est-il pas assez bien pour travailler à Londres?

— Vous savez pertinemment qu'il l'est. C'est un des membres éminents de la Police judiciaire. Il est désolé que le meurtre n'ait pas été commis dans un coin plus élégant, comme Belgravia ou Mayfair. De toute façon, je pensais que vous admiriez tellement Jury.

194

– Oh, *admirer*. Voilà qui est beaucoup dire. C'est un assez bon garçon, je suppose.

Elle tartina un scone de caillebotte.

Visiblement, elle était vexée par l'absence de Jury.

– Agatha, il y a un monsieur assis là-bas derrière vous à gauche... Non ! Ne vous retournez pas, vous allez attirer son attention.

Elle s'abstint laborieusement de se retourner. Ayant fini son scone, elle commença à grignoter un congolais, décida qu'elle n'en avait pas envie et, tel un enfant mal élevé, le remit sur le plateau et prit une tartelette aux fruits.

– Qu'est-ce qu'il a ?

– Je crois qu'il me suit. Je ne peux pas l'affirmer, naturellement, mais... Non ! Ne regardez pas ! Jury estime que ce doit être un *agent provocateur* [1].

Si le dicton populaire est vrai et que la curiosité voue un chat à la mort, la curiosité d'Agatha, Melrose le savait, aurait suffi à tuer l'entière population féline d'York. Il déplaça sa cuillère et poursuivit :

– Il y a quelque chose que je... heu, c'est-à-dire, Jury voudrait que vous et Mrs. Harries-Stubbs fassiez pour nous...

– Teddy ? Qu'est-ce donc ?

– Pendant mon séjour chez elle, j'ai été, j'ai honte de l'avouer, très étourdi. Un bulletin de consigne a été égaré. Il se trouvait dans mon portefeuille et je ne vois vraiment pas comment il a pu en tomber. Mais je sais qu'il a été perdu quelque part dans la maison, parce que je me suis aperçu de sa disparition immédiatement après mon départ.

– C'était pour quoi, ce bulletin ?

Melrose étudia plusieurs réponses possibles, s'arrêtant finalement à « la consigne de Victoria ». Les gens dans les romans policiers n'abandonnaient-ils pas toujours quelque chose à la consigne ?

– Et qu'est-ce que ce Todd a à faire avec ça ?

– Mr. Todd s'intéresse aussi à ce bulletin.

Melrose alluma une cigarette nonchalamment comme s'il n'était nullement poursuivi par des agents secrets.

Les yeux d'Agatha s'exorbitèrent.

– Est-il dangereux ?

– Je ne le pense pas. En somme, il ne sait pas que ce bul-

---

1. En français dans le texte.

letin est dans la maison de Teddy, n'est-ce pas ? – Melrose eut un sourire épanoui : voilà qui les obligerait à rester fouiller la maison avant que Mr. Todd ne leur tombe dessus. – Vous et Teddy devez mettre cette maison sens dessus dessous. C'est si petit qu'il a facilement pu passer inaperçu.

– Et si les domestiques l'ont balayé ?

Melrose examina le bout de sa cigarette.

– Fouillez les poubelles, alors.

Comme elle semblait renâcler à cette besogne, il posa la main sur la sienne. C'était un geste si inhabituel de sa part qu'elle regarda cette main comme si un poisson avait atterri sur la table.

– Agatha, c'est terriblement important. Vous n'allez pas me... nous laisser tomber, n'est-ce pas ?

Elle fit s'envoler quelques miettes de son scone qui avaient chu sur la manche de Melrose et répliqua :

– Eh bien, je pense que si c'est en souvenir du passé... – Apparemment, elle ne s'avisait pas que, pour des recherches de ce genre, Jury avait à sa disposition toute la police du Yorkshire. – Quand vais-je le voir ? Pour lui annoncer le résultat ?

Chantage, probablement. Peut-être parviendrait-il à décider Jury de s'arrêter en revenant de Londres. Il serait sûrement aussi désireux que Melrose lui-même d'écarter Agatha de Rackmoor. Diable non. Ce n'est pas ce qui le tracasserait. Jury saurait simultanément se rendre agréable et la neutraliser sans qu'elle s'en aperçoive. Où avait-il pêché son style, franchement ? Amer, Melrose pensa de nouveau à Percy Blythe.

– Jury reviendra avec moi. Demain, le jour suivant, le jour d'après, peut-être.

Ou jamais. Il y avait peu de chances qu'Agatha visite la cathédrale, mais mieux valait assurer les arrières de ce côté-là aussi.

– A propos, Mr. Todd travaille à la cathédrale. C'est sa couverture. Il guide les touristes.

– Vraiment ? Mais qu'a donc à voir ce Todd avec les Craël ?

Melrose aurait pu passer ici le reste de l'après-midi à bâtir toute une histoire sur Todd et les Craël, mais il voulait aller à Londres. D'ailleurs, il vit que Mr. Todd rassemblait son journal et son parapluie. Si Melrose voulait être suivi, mieux valait qu'il agisse vite. A voix basse, il dit à Agatha, qui s'affairait à manger un croquet au gingembre :

– Si nous partons maintenant, nous réussirons peut-être à le semer, Agatha.

Elle répliqua d'un ton maussade :

– Eh bien, je n'ai pas fini mon thé, mais s'il le faut...

Il passa la main sous son bras et la mit debout.

Au pied du perron du Xérès Club, Melrose gagna du temps en laissant choir ses clefs de voiture. Il vit la porte s'ouvrir derrière eux et Mr. Todd apparaître.

– Pas assez vite, je m'en rends compte, chuchota-t-il. Faites semblant de ne pas le remarquer. Il sera obligé de continuer à avancer, vous savez ; il ne peut pas s'arrêter ici pour contempler le ciel, n'est-ce pas ?

Et, comme Melrose l'avait prédit, Mr. Todd s'élança d'un pas rapide dans la rue.

– Il est astucieux, hein ? commenta Agatha. Je ne me serais jamais imaginée qu'il te suivait. – C'était maintenant sa main qui se plaçait sur le bras de son neveu, dans un geste de réconfort. – Rappelle-toi ceci, Melrose : s'il t'arrivait quelque chose, Ardry End est entre de bonnes mains.

Regardant la main dodue plaquée sur son bras, Melrose accepta cette déclaration comme parole d'évangile. Elle portait deux des bagues de sa mère.

– C'est très aimable de votre part, chère tante.

Il tira son chapeau.

Et tous les trois – Melrose, Agatha et Mr. Todd – s'en allèrent chacun dans une direction différente.

V

Limehouse Blues

1

Jury passa chez lui afin de prendre son courrier ; quelques factures, des circulaires et une lettre de sa cousine qui habitait aux Faïenceries. Elle était – elle ne cessait de le lui rappeler – plus une sœur qu'une cousine pour lui. Toutefois ce lancinant leitmotiv semblait toujours concerner les obligations fraternelles de Jury et non les siennes.

Il éventra l'enveloppe et lut la lettre en montant jusqu'à son appartement. Comme d'habitude, Alec (son mari alcoolique), ses enfants, le manque d'argent et la surabondance de travail la rendaient folle. Jury regarda le cachet de la poste. La lettre gisait dans sa boîte depuis trois jours.

Trois jours seulement ? Avec lassitude, il s'étira. Il avait plutôt l'impression d'avoir arpenté les landes depuis trois semaines. Il alluma la lampe de son bureau, jeta un coup d'œil au désordre – le salon envahi par des livres à divers stades d'être lus, les vieilles tasses de café – puis saisit le téléphone et l'installa dans son giron. Il appuya sa tête sur le dossier de l'unique fauteuil et songea à sa cousine. D'accord, le mari ne valait pas grand-chose. Néanmoins, elle l'avait choisi. Ne choisissons-nous pas notre vie, du moins jusqu'à un certain point ? Alors pourquoi faut-il que les gens avec qui nous vivons nous surprennent toujours, obstacle sur lequel nous trébuchons comme sur des meubles dans le noir – *qui vous a placés là ?*

A regret, il décrocha le combiné, conscient qu'elle allait lui énumérer ses ennuis durant un bon quart d'heure. Cela se solda par plus d'une demi-heure, les larmes en sus. A la fin, Jury lui dit de partir en vacances, d'engager une femme de ménage et de s'en aller une semaine, à Blackpool ou ailleurs, et qu'il lui enverrait l'argent pour le faire. Quand elle raccrocha, elle semblait presque heureuse. A la vérité, il faisait cela plus pour ses parents à elle que pour elle-même, il le savait. Ils s'étaient conduits tellement gentiment à son égard après la guerre, le sortant de cet orphelinat pour l'installer chez eux. Ils étaient morts à présent. Et il pensait aussi à ses enfants. Si elle en arrivait à avoir les nerfs à vif, ce serait eux qui le paieraient. Leurs visages s'alignèrent dans son esprit comme une brillante rangée de pièces de monnaie. Et cela l'amena à songer à Bertie Makepiece. Il était certain que la mère de Bertie vivait à Londres. Jury sortit de sa poche l'enveloppe qu'Adrian lui avait donnée et étudia l'adresse de l'expéditeur : *RVH, SW 1*. Il écarta l'idée que les initiales étaient celles du correspondant, l'adresse était insuffisante pour cela. Une maison de commerce, probablement. Il tapota son pouce avec l'enveloppe en réfléchissant pendant un moment. Et si la lettre *H* était l'initiale d'*hôtel* ? Ce serait assez facile à vérifier au Yard.

Comme il écrivait une brève lettre à sa cousine, un léger coup résonna à la porte, le bruit même évoquant l'idée d'excuses.

– Oh, inspecteur Jury.

C'était Mrs. Wasserman. Elle n'avait pas encore posé son manteau et son chapeau noirs et serrait étroitement son sac contre sa poitrine. Elle était comme toujours vêtue de noir. Mrs. Wasserman portait perpétuellement le deuil.

– Pardonnez-moi, je parie que vous venez juste de revenir, mais savez-vous ce qui est arrivé ?

– Entrez donc, madame Wasserman.

Avec prudence, elle avança à l'intérieur de la pièce, vérifiant que personne ne s'y dissimulait.

– Je vais rendre visite à mon amie, Mrs. Eton, vous la connaissez. Toujours est-il qu'aujourd'hui, un peu plus tôt dans la matinée, j'ai été suivie tout le long du chemin depuis le Passage Camden. Il y avait cet homme...

Pour Mrs. Wasserman, les rues étaient pleines de dangers. Ils bondissaient vers elle comme des chiens aux babines dégoulinant de bave derrière des grilles de fer. Jury se demanda si les rues lui rappelaient cet étroit espace de terrain qui s'étendait le long du train d'où elle avait été sortie comme une bête d'un troupeau et poussée vers le camp de concentration. La peur qui avait commencé là s'était enracinée fermement dans son esprit.

– Quelle apparence avait-il ? questionna Jury.

Inutile d'apaiser ses frayeurs en niant qu'elle ait été suivie, il le savait. Il prit son petit carnet et mit en position de marche son stylo à bille.

Elle eut immédiatement une expression de soulagement. Elle avait seulement envie d'être prise au sérieux.

– Petit... – Sa main se dressa pour mesurer l'air. – Plutôt maigre, avec une tête de squelette, des yeux étroits... mauvais, vous voyez. Il avait un manteau et un chapeau marron.

Ne quittant pas des yeux Mrs. Wasserman qui en faisait autant, Jury inscrivit tout cela.

– Il ne devrait pas être difficile à trouver ; nous tenons à l'œil tous les pickpockets qui travaillent dans le quartier.

Mrs. Wasserman adorait aller là-bas fouiner à la recherche de bonnes affaires qu'elle ne découvrait jamais.

– Avez-vous acheté quelque chose ? Montré de l'argent ?

– Seulement ceci...

Elle fit jouer la serrure de son sac et en sortit un petit anneau enveloppé de papier de soie. Comme il fallait s'y attendre, c'était une bague de deuil, avec la petite tresse de cheveux enroulée à l'intérieur. L'objet était assez joli, néanmoins.

– Je l'ai payée avec un billet de dix livres.

– Ah, ma foi, vous connaissez ces pickpockets et les voleurs à l'arraché. Ils voient de l'argent plié et s'imaginent qu'ils ont trouvé l'Eldorado. – Jury empocha son carnet. – Ne vous tracassez pas, nous l'attraperons. Vous l'aviez déjà remarqué ? – Elle secoua négativement la tête avec vigueur. – Le Passage Camden attire des quantités d'escrocs à la petite semaine. Ils sont assez inoffensifs, en fait.

– On n'est plus en sécurité dans les rues, monsieur Jury. – Ses petits doigts ornés de bagues pressaient son sac contre elle. – Rien n'est sûr.

Ses yeux étaient comme des perles noires pleines d'angoisse.

La peur qui avait dû se déclencher quand elle était jeune et jolie s'était métastasée et répandue partout, songea Jury. Elle serait toujours prisonnière.

– Ne vous tracassez pas, madame Wasserman. Mais écoutez-moi, toutefois. Si j'étais vous, je me procurerais une de ces ceintures porte-monnaie. Alors vous n'auriez plus besoin d'emporter un sac avec vous quand vous vous rendez là-bas. On les fabrique de telle sorte qu'on peut les glisser à l'intérieur de la ceinture de la jupe. C'est simple. Ou vous pourriez en prendre une qui se fixe à la jarretière et la porter autour de votre jambe. Bien sûr, quand vous chercheriez votre argent, vous risquez d'avoir d'autres problèmes que ceux que vous aviez avec les coupeurs de bourses.

Il cligna de l'œil. Le rire de Mrs. Wasserman fusa.

– Mes jambes, inspecteur ? Pleines de varices, vous savez. Je ne crains pas que quiconque veuille y jeter un coup d'œil.

Jury eut un sourire.

– Aviez-vous emporté ce sifflet que je vous ai donné ? Le portiez-vous sur vous ?

Elle rougit et baissa les yeux.

– J'avoue l'avoir oublié. Et vous qui êtes si gentil de me l'avoir offert.

– Oh, allons, aucune importance. Prenez-le la prochaine fois. Il faut que je sorte aussi. Allez-vous à l'Ange ?

– Oui. Oui, j'y vais. Mrs. Eton habite Chalk Farm.

Josie Thwaite vivait dans Kentish Town.

– Eh bien, vous avez de la chance, madame Wasserman. Je vais à Kentish Town, et ce n'est qu'à une station de métro de là. Ainsi vous serez escortée par un policier.

– Oh, monsieur Jury, ce serait vraiment merveilleux.

L'étreinte sur le sac noir se relâcha.

2

Dans l'entrebâillement de la porte que retenait une chaîne, deux yeux d'un doux brun vulnérable l'examinèrent. Jury présuma qu'ils appartenaient à Josie Thwaite.

– Miss Thwaite? Je suis l'inspecteur Jury de...

La façon qu'elle eut d'aspirer l'air le fit s'interrompre.

– Vous venez pour les plaques L[1]?

– Non. Je désirais vous poser quelques questions au sujet de votre amie, Gemma Temple.

– Oh, excusez-moi.

La porte se rabattit légèrement comme elle retirait la chaîne. Puis elle, l'ouvrit en grand, rejetant par-dessus son épaule un flot de cheveux noirs. Son pull blanc soulignait la minceur des épaules. Elle était maigre de la tête aux pieds, Jury le constata quand elle recula et l'invita du geste à entrer. Elle marchait un peu voûtée. Tout en elle exprimait l'excuse – sa posture, son expression, sa voix. L'air vibrait de tristesse.

Mais ce n'était pas apparemment à cause de sa colocataire. Elle se montra sur ce point on ne peut plus positive.

– Voyez-vous, Gemma m'a emprunté ma voiture. Elle venait d'obtenir son permis et voulait partir pour ces vacances, seulement elle n'a pas dit où, sinon qu'elle craignait d'être contrôlée en route et qu'elle avait seulement cette plaque L.

S'avisant qu'elle laissait Jury debout, elle dit « Oh,

---

1. Pour *Learning* « conducteur débutant », équivalent de notre « 90 ».

excusez-moi » et lui montra une espèce de canapé en forme de masse cubique. Il sentit le tissu qui le recouvrait lui picoter la peau.

— C'est donc ma voiture qu'on a retrouvée à cet endroit...

— A Rackmoor, dans le Yorkshire.

— Oui, c'est cela. Un policier venu du Yorkshire était ici avant-hier. Vous n'êtes pas le premier.

Jury esquissa un sourire. On eût dit l'aveu de la perte de sa virginité. Il extirpa de sa poche la photo que lui avait donnée Harkins.

— Est-ce Gemma Temple ?

— Oui, cela lui ressemble bien. Elle a le soleil en plein visage, néanmoins. Mais, oui, c'est Gemma.

Jury reprit l'instantané.

— Vous avez dit que vous ne connaissiez pas grand-chose de son passé, sauf qu'elle avait mentionné une famille appelée Rainey.

— C'est exact. Je pense qu'elle est allée la voir deux fois pendant qu'elle habitait avec moi.

— Comment avez-vous trouvé Gemma ?

— Par annonce. J'avais besoin de quelqu'un pour partager le prix du loyer. — Elle jeta autour d'elle un regard triste. — Non pas qu'il soit tellement grand, juste cette pièce et une chambre, mais c'est mieux qu'un studio, convenez-en.

— Beaucoup mieux que le mien. Cigarette ?

Il offrit son paquet.

Rien qu'à sa façon de regarder le paquet comme si c'était une espèce d'oiseau exotique, il était évident qu'elle ne fumait pas beaucoup. Finalement, elle saisit une cigarette et se pencha en avant avec précaution, ramenant ses cheveux en arrière, loin de l'allumette de Jury. Puis elle se radossa à son siège et souffla des bouffées en l'air avec hésitation, tenant la cigarette entre le pouce et l'index. Alors elle se détendit, comme si elle venait de goûter à l'opium, croisa les jambes et balança son pied dans sa pantoufle fourrée. L'impression d'une petite fille jouant avec les fards de sa mère était irrésistible.

— Donc elle a répondu à votre annonce...

— Hmmm.

— Dites-moi, aviez-vous de la sympathie pour Gemma ? Vous entendiez-vous bien ?

Elle le regarda, détourna les yeux.

– Ma foi, nous n'avions pas de vraies disputes, si c'est ce que vous voulez dire, mais je ne l'aimais pas tant que ça. Et elle restait très secrète, vous savez, sur tout ce qui la concernait personnellement. J'aurais dû demander des références. n'est-ce pas ?

Elle leva vers Jury de grands yeux chargés d'excuses comme s'il allait la critiquer pour sa stupidité.

– La sagesse après coup est toujours merveilleuse, Josie. De cette façon-là, j'ai résolu des centaines d'affaires. Pensez-vous que Gemma *ait eu* des références à donner ? Ou était-elle du style oiseau sur la branche ?

Elle s'inclina vers lui et baissa légèrement la voix, comme si elle craignait que sa maman la découvre derrière la grange en train de fumer et d'échanger de vilains secrets.

– Oiseau sur la branche est trop gentil, à mon sens. Elle amenait des hommes ici. Et pas le même deux fois de suite, pour autant que je sache. J'étais couchée ici dans mon lit, et je les entendais... – Josie se redressa avec une expression non pas d'indignation devant cette invasion de sa demeure, mais de perplexité, comme si elle se demandait encore ce qu'ils avaient fait. Elle continua : – Voilà, Gemma avait déclaré qu'elle était comédienne. Je crois bien qu'une fois elle a eu un petit bout de rôle dans un de ces théâtres qui sont juste un grenier où on installe les chaises avant chaque représentation. Pas grand-chose, si vous comprenez ce que je veux dire. Bref, Gemma ne *travaillait* pas, en réalité. Mais elle obtenait de l'argent de temps à autre...

– Vous entendez par là qu'elle faisait le trottoir, c'est cela ?

Josie hocha la tête, recommença à se concentrer sur le bout de sa cigarette, comme si elle essayait d'attraper le truc pour fumer.

– Elle n'a jamais dit un mot sur son passé ?

Josie secoua la tête.

– Pourquoi lui avez-vous prêté votre voiture, si vous n'aviez pas confiance en elle ?

Elle se mit sur la défensive.

– Eh bien, la sienne était tellement mieux que la mienne, n'est-ce pas ? Et elle m'avait écrit un genre de

207

reçu. Spécifiant que, si quelque chose arrivait à la mienne, j'aurais la sienne. C'est la jaune qui est là dehors maintenant, mais je pense qu'on va l'emmener.

Son ton laissait entendre qu'elle était plus triste de voir partir la voiture que de voir partir Gemma.

– Comment a-t-elle eu l'argent pour l'acheter, au départ ?

Le sourire de Josie s'étira de travers.

– Vous me l'expliquerez, alors nous le saurons tous les deux. D'un de ces hommes, ça ne m'étonnerait plus.

– Avez-vous effectivement rencontré l'un d'eux ?

– Seulement croisé dans l'escalier, quand j'allais à mon travail. Au beau milieu de la journée, s'il vous plaît. Chaque fois quelqu'un de différent. Non, j'étais sur le point de lui demander de trouver un autre logement.

– Mais vous n'avez jamais su leur nom ? Aucun que je puisse questionner sur elle ?

Sincèrement triste, elle regarda Jury.

– Zut, désolée. Je n'ai jamais su comment ils s'appelaient.

– Ce n'est pas votre faute, voyons. – Jury se leva. – Où travaillez-vous ?

– A la laverie automatique, juste en bas de la rue. – Elle se tenait le visage appuyé au chambranle, levant les yeux vers lui, presque comme si elle était navrée de le voir partir. S'enveloppant de ses bras recouverts par son chandail, elle reprit : – Eh bien, au revoir. Vous ne croyez pas qu'on va me poursuivre à cause de la voiture, hein ? Je veux dire, pour l'avoir laissée la conduire et tout ?

Il lui tendit sa carte.

– Personne ne va rien vous faire, Josie. Si quelqu'un venait, téléphonez-moi. Mais je doute que qui que ce soit vienne. Vous n'avez pas commis de crime, somme toute.

Son énorme soulagement était palpable. Elle sourit, et dans le noir, ses petites dents blanches étincelèrent presque. Cela procura à Jury un curieux sentiment de joie, de savoir qu'elle avait au moins ce trait ravissant, quelque chose qui lui serve d'atout dans la vie.

– Eh bien, bonsoir, Josie.

Un coup pour rien, songea-t-il, une fois sorti de l'immeuble. Il jeta un coup d'œil du haut en bas de la rue et vit au coin les *Trois Tonneaux*, se demanda s'il allait prendre une bière ou continuer sa route jusqu'à l'arrêt de Chalk Farm pour attendre Mrs. Wasserman, à qui il avait promis de la raccompagner. Il était dix heures et quart, trop tôt pour cela. Un verre l'aiderait peut-être à dormir. Il lança sa cigarette dans le ruisseau et c'est alors qu'il vit la petite voiture, d'un jaune maladif dans la lueur fantomatique du réverbère.

Espèce d'imbécile, se dit-il en contemplant le sigle « L », signalant un conducteur possédant son permis depuis peu. Tout ce temps passé à parler de cette plaque et il ne s'en était même pas avisé.

3

Melrose Plant ne savait pas comment s'y prendre pour manger encore dans six autres restaurants chinois. Ceux de Soho et de Kensington lui avaient valu des brûlures d'estomac et il s'était trompé en croyant que payer un repas lui procurerait des renseignements. Le regard incompréhensif des serveurs (qui feignaient aussi de ne pas comprendre l'anglais) avait été sa seule récompense quand il avait exhibé la photo de Gemma Temple. Il était onze heures passées, mais il ne pourrait pas dormir avant d'avoir fait une ultime tentative. A l'arrêt d'Aldgate East, Melrose se déplia donc de sa banquette de métro et se dirigea vers Limehouse.

Il découvrit le restaurant *Sun Palace*, le Palais du Soleil dans une sinistre rue latérale où le soleil ne brillait probablement jamais. L'endroit n'était pas très grand, avec un vaste vitrage et la grille contre laquelle Gemma Temple avait pris la pose. Une peinture dorée qui s'écaillait dessinait une suite de lettres en courbe : SUN PALACE.
Il était fermé.
Poussant un soupir, Melrose regarda autour de lui, ne vit personne, et se mit à remonter la rue avec l'espoir de découvrir quelqu'un qui connaîtrait le restaurant.

– B'soir, chéri, dit-elle sans beaucoup d'enthousiasme. En balade dans les quartiers chauds ?
La jeune personne était assez séduisante – quoiqu'il fût difficile de déterminer son âge dans la flaque de clarté dispensée par le lampadaire, qui faisait paraître noir son rouge

à lèvres et donnait à tout son visage un teint plombé. Elle était assise sur le perron conduisant à la porte écaillée d'un immeuble si étroit qu'il n'y avait de place que pour la porte à imposte et une fenêtre guère plus grande qu'une balafre. Melrose s'arrêta et s'appuya sur le pilier de pierre contre lequel elle reposait son dos, une jambe repliée, l'autre posée sur la marche inférieure, exposant un jean serré comme un vêtement mouillé, découvrant des chevilles nues et des talons aiguille. Surmontant cela, tout à fait à la bonne franquette, il y avait un cardigan aux manches retroussées et au décolleté profond. Lequel était obtenu en laissant les quatre boutons du haut déboutonnés et les coins du cardigan rentrés à l'intérieur pour former un V plongeant. Ses vêtements étaient tellement collés au corps qu'elle aurait pu se lancer dans la traversée de la Manche à la nage rien qu'en envoyant balader ses souliers et en enfilant un bonnet de bain. C'eût été dommage, toutefois, car le bonnet aurait caché une masse de bouclettes à la Shirley Temple, soyeuses, brunes, naturelles, les siennes. Il le voyait bien. C'était comme quelque chose qui lui restait de l'enfance, quelque chose de son passé qu'elle n'avait pas été en mesure de dompter ou de brûler. C'était étrange. Ces boucles semblaient réduire le reste de sa personne, l'entière aura sexuelle, à des débris de rien du tout, tandis que la petite fille, tel un phénix, renaissait des cendres de Limehouse.

– Mon nom, c'est Betsy, dit-elle en se levant, s'époussetant les fesses et se tournant pour monter le perron.

Il demeura sur place un instant pendant qu'elle gravissait les marches en ondulant des hanches ; voyant qu'il ne suivait pas, elle agita le bras avec impatience.

– Allez, viens, mon pote.

Melrose la suivit.

Derrière la porte s'étendait un long couloir vide, recouvert d'un vieux linoléum, avec des roses trop épanouies sur un fond gris. Une lampe à l'abat-jour couvert de chiures de mouches pendait du plafond au bout d'un long fil. Il se demanda si les portes à droite et à gauche du couloir recélaient d'autres Betsy. L'une d'elles s'ouvrit et une toison de cheveux roux enchevêtrés se pencha un bref instant audehors, avant de se retirer discrètement.

Betsy conduisit Melrose dans la première chambre sur la gauche, celle avec la fenêtre haute et étroite. La pièce était monopolisée, comme on pouvait s'y attendre, par un énorme lit, dont la majesté lui coupa le souffle. C'était un magnifique meuble ancien, Tudor ou Renaissance, un lit à colonnes avec de la marqueterie. A côté du lit, il y avait une coiffeuse, avec un miroir à trois faces, couverte d'une peinture vert pâle qui s'écaillait, une commode d'origine douteuse et une unique chaise de bois peinte. Du haut en bas du papier mural défraîchi, des petits bouquets de fleurs avec des nœuds s'égrenaient comme le souvenir estompé de bouquetières.

D'une main, elle ferma la porte et, avec un geste automatique, allongea l'autre vers lui — pour enlever quelque chose, sans doute.

— Pourquoi n'ôtes-tu pas tes lunettes ? Quels yeux formidables ! Verts comme une bouteille d'Abbot.

Il ne pensait pas que cela faisait partie de la routine ; il imaginait que les compliments n'étaient guère nécessaires. Elle sourit légèrement, renforçant l'impression enfantine : ses dents étaient petites et l'une manquait.

Comme il écartait sa main (sachant que l'enlèvement des lunettes ne serait qu'un préliminaire à l'enlèvement d'autres choses), elle haussa les épaules et se détourna.

— A ta guise.

Elle se laissa choir sur le lit, commença à tirer sur le jean. Elle avait un air menaçant. Pas à son adresse, à celle du jean peint sur son corps. Visiblement, elle était obligée de s'allonger pour parvenir à en sortir.

— Hé, aide-moi à ôter ce sacré pantalon, chéri.

Elle l'avait descendu assez bas pour qu'il aperçoive en dessous le bikini à fleurs.

— Croyez-vous que nous pourrions parler, Betsy ?

— Parler ? — Elle s'arrêta de tirer et le regarda comme si c'était une idée neuve et plutôt singulière. — A quel sujet ?

Elle continua à se tortiller avec impatience. Elle avait besoin d'aide pour s'extirper du jean comme John Wayne pour enlever ses bottes. Melrose se demanda comment elle se débrouillait toute seule.

— Je cherche quelqu'un.

Avec indifférence, elle haussa les épaules, renonça à enlever le pantalon et s'attaqua aux boutons du cardigan.

— Ne cherchons-nous pas tous ?

Cette interprétation métaphorique le désarçonna complètement. Il sortit son étui à cigarettes et l'offrit :

– Cigarette ?

Elle secoua ses boucles, se pencha sur les boutons du cardigan, qu'elle détachait avec une concentration enfantine, ses petits sourcils froncés. Sauf à recourir à la violence, il était apparemment impossible d'arrêter Betsy une fois qu'elle s'y mettait. Toutefois il s'intéressait plus à ses renseignements qu'à Betsy. Il n'avait rencontré dans son existence que peu de femmes fascinantes – intelligentes, intéressantes. Les autres étaient, au mieux, sympathiques – comme Betsy, qui en avait maintenant presque fini avec ses boutons, les boucles à la Shirley Temple oscillant tandis qu'elle commençait à enlever le cardigan, ce qui était difficile pour elle parce qu'elle était entravée par son jean. Sous le cardigan il y avait un petit rien de soutien-gorge à fleurs comme le panty. Une des bretelles était rattachée au bonnet par une épingle de sûreté minuscule. Melrose en éprouva un sentiment de désolation, il ne comprit pas pourquoi.

Quand ses mains passèrent derrière son dos pour dégrafer le soutien-gorge, il dit :

– Halte, Betsy !

Sa figure de gamine se leva vers lui.

– Tu es homo ou quoi ? Tu tiens seulement à regarder ? Tu es une sorte de voyeur ?

– Probablement.

D'un même mouvement, Melrose extirpa de son portefeuille l'instantané qu'il avait pris dans la chambre de Julian Craël et un billet de dix livres. Il lui tendit l'un et l'autre.

– Tout ce que je souhaite, franchement, c'est un petit renseignement.

Son regard alla de Melrose à l'argent. Elle sourit, montrant la dent cassée.

– Et rupin avec ça. – Puis, comme elle fourrait le billet à l'intérieur de son soutien-gorge, elle plissa les yeux. – Mince. Vous êtes de la police ?

Elle se débattit farouchement avec son jean, s'efforçant de le renfiler.

– Non. Regardez la photo, là. Est-ce que vous vous rappelez l'avoir vue entrer au *Sun Palace* qui est là, à côté, ou en sortir ?

Elle secoua ses boucles, examina plus attentivement la photo.

– Jolie robe, hein ? Coûteuse.

– Les vêtements valent cher, mais pas la dame.

– Elle est dans le métier ?

Melrose appuya le coude sur son genou, fumant.

– Cela ne me surprendrait pas.

Betsy roula machinalement une boucle autour de son doigt, la tirebouchonnant encore plus.

– M'a l'air bien chic, si vous voulez mon avis.

– C'est probablement juste les vêtements, Betsy.

Son regard se releva et croisa le sien.

– C'est gentil, la façon dont vous prononcez mon nom.

– Combien y a-t-il de façons de le dire ?

Elle haussa les épaules.

– La plupart ne le disent jamais.

Elle se renversa en arrière, le cardigan encore enlevé, sans se rendre compte que les bretelles du soutien-gorge glissaient et laissaient s'étaler ses seins. Perdant tout intérêt pour la photo, elle paraissait prête à lui raconter sa pénible existence.

Il lui coupa l'herbe sous le pied.

– Peut-être que quelqu'un d'autre ici... je présume qu'il y en a d'autres ?

– Vous êtes un drôle de numéro, dit-elle sans sourire. – Après avoir redressé ses bretelles et soulevé les jambes au-dessus du lit, elle se rempaqueta dans son jean. – Vous voulez que je demande ?

– Je vous en serais certainement très reconnaissant. Montrez la photo. Quelqu'un la reconnaîtra peut-être.

Betsy bâilla. Il ajouta :

– Pour quiconque aura des renseignements sur elle, qui elle est et où elle habite... il y aura cinquante livres.

Cela la mit aussitôt debout.

– Cinquante billets ? Seigneur. Je reviens dans une seconde. – Elle ondula coquettement de la hanche. – Vous n'allez pas vous en aller maintenant, hein ?

Mais il aurait difficilement eu le temps de partir. Moins de cinq minutes après, des jacassements résonnèrent à la porte. Trois autres se tenaient là, toutes plus grandes qu'elle : la rouquine, une Africaine aux longues boucles d'oreilles violettes et une très grasse qui avait largement dépassé la quarantaine. Toutes les trois portaient des peignoirs style kimono, comme des girls sortant de scène. Et toutes commencèrent à parler à la fois. La grosse réussit à avoir le dessus.

– Je l'ai vue, dit-elle, la respiration haletante en s'asseyant sur le lit, une cuisse grasse relevée.

Melrose vit un bas roulé et maintenu sous le genou par une jarretière.

– Je ne peux pas dire que je la connais, mais je l'ai vue.

– Où ?

La grosse femme ramena entre ses lèvres pulpeuses une mèche de cheveux décolorés et la mâchonna, l'expression gravement soucieuse.

– J'y ai réfléchi.

Cela devait en soi être tout un travail, songea Melrose. Elle fit claquer ses doigts dodus.

– C'était au *Sun*... – Elle plaqua sa main sur sa bouche, puis demanda en minaudant : – Est-ce que j'aurai les cinquante fafs si je peux vous dire *qui* la connaît ?

– Vingt-cinq, dit Melrose. La personne qui peut me parler d'elle aura les vingt-cinq autres. C'est loyal.

Ce n'était pas l'avis de la Noire et de la rouquine. Elles donnaient l'impression que le simple fait d'être associées avec la grosse devait leur valoir une récompense. Il distribua à chacune un billet de cinq livres et elles se calmèrent. La grosse, elle, prit ses vingt-cinq livres et les fourra dans le bas roulé.

– C'est Jane Yang qui la connaît. Elle travaille au restaurant. C'est là que j'ai vu celle-ci. Serveuse au *Sun Palace*. Elle habitait peut-être dans le quartier aussi, je ne sais pas. Mais Jane Yang pourra vous le dire.

Melrose se leva.

– Merci beaucoup. Pourrai-je dire qui m'a parlé de Miss Yang ?

– Dites juste la Grosse Bertha. Elle saura.

– La Grosse Bertha. Très bien, merci. – Il se tourna vers Betsy : – Est-ce votre lit ?

Il ramassa sa canne à pommeau d'argent, ajusta son manteau. Elle eut l'air déconcertée.

– Eh ben, j'étais couchée dessus, n'est-ce pas ? Oui, c'est le mien.

– Je veux dire, vous appartient-il ?

– Non. Il est à la logeuse.

Melrose imaginait sans peine ce que faisait la propriétaire pour vivre.

– Croyez-vous qu'elle le vendrait ?

– Sûr, elle vendrait sa propre grand-mère si elle en avait une.

– Que pensez-vous qu'elle en demanderait ?

– Pourquoi, vous en avez envie ? Cinquante, soixante livres qu'elle m'en a proposé.

– Non, je ne le veux pas. Mais si vous pouvez réunir les cinquante billets, achetez-le, Betsy. – Il sortit une carte de visite, écrivit un nom au dos et la lui tendit. – Puis téléphonez à ce monsieur et demandez-lui de venir l'évaluer. Je n'en suis pas totalement sûr, mais je vous verrais bien en tirer mille livres, facilement.

Ses grands yeux s'ouvrirent plus grands encore.

– Vous plaisantez ?

Il secoua la tête.

– Flûte alors !

Comme il passait devant elles en se dirigeant vers la sortie, Betsy l'enlaça et l'embrassa. Les autres gloussèrent.

4

La sonnerie du téléphone recouvrit dans le rêve de Jury le gémissement lugubre de la corne de brume du Taureau de Whitby et quand finalement ses yeux se décollèrent et qu'il regarda vers la fenêtre, il se demanda pourquoi elle n'était pas obstruée par la brume. Il tâtonna à la recherche du téléphone près de son lit.

– Londres a de la chance. – La voix du commissaire Racer courut le long du fil. – Vous voilà de retour. La question est : pourquoi êtes-vous là et pas ici, à me faire un rapport. Sans le sergent Wiggins qui, en plus du bon sens de se moucher, a aussi celui de se présenter au bureau, je n'aurais pas su où diable vous étiez, Jury.

Le réveil de Jury annonçait huit heures moins dix. Racer au bureau d'aussi bonne heure ? Jury prit le réveil et le secoua.

– Il faut que je me rende à Lewisham, monsieur...

– Lewisham attendra, Jury. Je veux vous voir d'ici une heure. Enfilez vos chaussettes.

Le téléphone devint muet.

5

Fiona Clingmore était une blonde claire qui préférait le noir. Ce jour-là, c'était un pull noir ajusté passé dans une jupe noire étroite. Elle servait à Racer de secrétaire et de factotum ; Jury espérait qu'elle ne servait à rien d'autre.

Fiona appartenait aux années quarante. Elle était comme un personnage d'une pièce démodée qui se jouerait par hasard sur une scène moderne. Chaque fois qu'il la regardait – qu'il voyait la coiffure d'un autre âge, la bouche remodelée au rouge à lèvres, les toques qu'elle aimait – Jury était submergé par un sentiment de nostalgie qu'il ne s'expliquait pas pleinement. Quelquefois, il avait emmené Fiona déjeuner et s'était demandé si ce n'était pas avec le faible espoir que quelque sentiment du passé déteindrait sur lui. Bien qu'elle prétendît, chaque fois qu'il mentionnait la guerre, qu'elle n'en avait pas gardé de souvenir personnel, il la soupçonnait d'être plus âgée que lui. Une fois, quand elle avait sorti son portefeuille, il avait vu, parmi les cartes de crédit et autres photos, un vieil instantané d'un beau jeune homme en uniforme de la Royal Air Force. Il lui avait demandé si c'était le « Joe » auquel elle ne cessait de faire allusion et elle avait rougi et déclaré que c'était la photo d'un ami de sa mère. Il aurait été beaucoup trop âgé pour elle.

Jury se demanda si en réalité Fiona ne vivait pas dans deux univers. Si ces vêtements qu'elle portait à présent, au lieu d'être les plus récentes imitations d'anciens d'une boutique de Carnaby Street, n'étaient pas en fait les *originaux* :

des costumes extraits de vieilles malles que d'autres avaient emballés des années auparavant.

– Comment va le boulot, Fiona ? questionna Jury en allumant sa cigarette.

– J'ai été pourchassée autour d'un bureau par des hommes qui valaient mieux que celui-là, n'est-ce pas ?

– J'en suis sûr. – Jury sortit l'enveloppe de sa poche et la lui tendit en disant : – Découvrez-moi ce que signifient ces initiales, voulez-vous, mon chou. Je pense qu'il s'agit peut-être d'un hôtel dans SW 1. Dans ce cas-là, ce devrait être facile.

– N'importe quoi pour vous, mon bon monsieur, répliqua Fiona en lui remettant une enveloppe couleur crème.

– Qu'est-ce que c'est ?

Fiona, maintenant occupée par la tâche délicate de se limer les ongles, haussa les épaules.

– Comment saurais-je, cher ami ? Un des agents de service au rez-de-chaussée me l'a montée. Il a dit qu'un gentleman l'avait apportée tard hier soir, un rupin en voiture de luxe qui pense que le devant de la porte est un parking public et qui a failli se faire mettre en cabane. Il lui a dit de décaniller illico presto...

Jury avait déchiré l'enveloppe, extrait l'unique feuille de carnet et récupéré une photo qui avait glissé sur le plancher. Sans prêter attention au bavardage de Fiona, il lisait :

Cher inspecteur Jury,

J'espère que l'annexe ci-jointe vous intéressera – je l'ai trouvée dans la chambre de Julian Craël. J'espère aussi que vous ne m'en voudrez pas de conserver l'autre aux fins d'identification. Vous et Wiggins étiez apparemment partis pour Londres avant que je puisse vous joindre, mais cela m'a donné une chance de m'arrêter à York pour voir Agatha : vous serez heureux d'apprendre qu'elle travaille pour vous. Elle fait une excellente taupe. Je descendrai au Connaught et j'ai pensé que nous pourrions nous retrouver plus tard et rentrer ensemble à Rackmoor. J'ai une voiture très rapide.

Plant

Il examina la photo. Elle ressemblait bien à un portrait de Gemma Temple – ou Dillys March ? – mais c'était un cliché très récent, qui ne sortait pas d'un album d'autrefois. Il présuma que Plant s'était posé la même question : que faisait cette photo dans la chambre de Craël ?

— Un vrai sac de nœuds, déclara le commissaire Racer, après que Jury lui eut exposé l'affaire de Rackmoor.

Le commentaire n'était pas censé être une marque de sympathie, mais impliquait plutôt que ces embrouilles étaient de la faute de Jury !

— Alors pourquoi diable n'êtes-vous pas dans ce fichu bled à dénouer la situation ? Pourquoi êtes-vous ici à arpenter toutes les rues de Londres ?

— Je vous l'ai dit. J'ai besoin de faire quelques recherches.

Racer regarda autour de lui, écartant les bras, dans une mimique de stupéfaction.

— Bizarre. J'aurais *juré* que nous avions une police entière quelque part dans les parages, toutes sortes de gens qui sont capables de mener des enquêtes. — L'expression changea, le front reprenant ses lignes dures habituelles. — Si quelqu'un devait venir ici, pourquoi n'avez-vous pas envoyé Wiggins ?

Jury chercha une raison.

— J'avais besoin de lui là-bas. Il y a quelque chose qu'il pouvait faire mieux que moi.

Racer s'esclaffa.

— Wiggins ne peut rien faire mieux que *personne*. *Vous* compris, Jury.

Racer esquissa une sorte de sourire brutal, comme s'il n'avait pas eu l'intention d'infliger cet affront, ce qui avait été bien entendu le cas.

Le ton de Jury était toute innocence quand il questionna :

— Alors pourquoi continuez-vous à me l'affecter ? Vous devez penser que c'est l'alliance de l'aveugle et du paralytique ?

Quoique Jury se fût toujours promis de ne jamais s'engager dans aucune sorte de prise de bec avec Racer, c'était généralement une promesse qu'il ne tenait pas.

— Il a besoin d'être formé, n'est-ce pas, mon vieux ? Je suppose que vous pensez qu'un de vos copains devrait avoir à supporter le sergent Wiggins, c'est ça ? Toujours l'autre type, hein ?

L'illogisme de Racer était aussi impeccable que la coupe de son costume de Savile Row.

– Ce n'est pas bon d'être un solitaire, Jury. Un policier doit appartenir à une équipe. Vous savez que ma politique est d'avoir deux hommes sur une enquête. Où diable irait le pays si la haute direction de la police se balade dans tous les coins au lieu d'envoyer un de ses sous-fifres ?

– Je ne savais pas que vous me teniez en une telle estime, dit Jury en souriant.

– Très drôle. – Racer cracha un brin de tabac. – Ce n'est pas ce que je veux dire, mais vous payez vraiment de votre personne, hein ? Dommage que vous n'ayez pas plus d'ambition.

Jury devina ce qui suscitait cette conversation sur « l'ambition ».

– Le sujet de ma promotion est-il revenu sur le tapis ?

– Cela fut mentionné, effectivement, oui.

L'aveu était fait de mauvaise grâce.

Jury ne se donna même pas la peine de sourire. Quand Racer se leva de derrière son bureau, les pouces coincés dans les petites poches de son gilet, Jury sut que c'était le moment du sermon. Du résumé du Juge. La carrière entière de Jury tracée en raccourci, présentée dans le style flamboyant, bourré de clichés, de Racer. Il commençait maintenant, contournant son bureau, l'œillet rouge dans sa boutonnière oscillant légèrement à chaque pas élastique. Tandis que Racer relatait – de façon interminable, semblait-il – les faiblesses de Jury, ce dernier regardait par la fenêtre au-delà des cheminées fumantes, entre les hauts bâtiments formant comme un tunnel au bout duquel s'étendait un bout de la Tamise. Le ciel était gris tourterelle et quelques flocons de neige s'écrasaient contre la vitre.

– ... y renoncer à moins que vous ne vous présentiez devant la commission de sélection, Jury. – Il interrompit sa promenade circulaire dans la pièce pour adresser à Jury un sourire tendu. – La frousse, hein ?

Jury ne se laissa pas prendre à cet hameçon-là.

– J'en ai l'intention. Un de ces jours.

– Un de ces jours ? *Un de ces jours ?* Pourquoi pas maintenant ? Quand j'étais dans votre situation...

Il poursuivit son discours. Jury supposait que tous ces propos parallèles étaient la façon de Racer de gloser sur la carrière assez illustre d'un certain Racer, en s'arrangeant pour donner à celle-ci plus de relief, grâce à la méthode comparative. Racer distillait à plaisir l'idée que Jury avait peur d'un échec ; alors que ce dernier repoussait le moment de passer devant la commission de sélection simplement parce qu'il hésitait à se voir promu au grade de commissaire.

Cette conversation concernant la carrière de Jury était un rite annuel, voire même parfois bisannuel. Jury y prenait presque un malin plaisir. Il était fasciné par les explications archicompliquées prodiguées sur le sujet par Racer, qui adorait en parler. Le délicat équilibre que maintenait son chef entre la parole et l'action était une merveille d'agilité. C'était comme s'il le voyait escalader une barrière, cherchant toujours en filigrane, de nouveaux points d'appui pour ses doigts et ses pieds. Le sous-préfet évoquait régulièrement l'avenir de Jury, et Racer était obligé de découvrir de nouvelles raisons pour le bloquer. Le mobile qui l'incitait à agir ainsi était beaucoup trop complexe pour être réduit au seul esprit de vengeance. Jury se demandait parfois si Racer le voyait comme un clone plus jeune de lui-même, comme la *tabula rasa* sur laquelle Racer pouvait écrire ses propres échecs et ainsi les nier.

Racer parlait toujours en arpentant la pièce. Débordant de son gilet écossais, s'épanouissait comme une fleur rare une cravate piquée d'une épingle ornée d'un saphir – simple embellissement de son costume parfait. Où prenait-il l'argent ? Jury crut se rappeler que son épouse avait une fortune personnelle. Racer vint s'arrêter devant un tableau – une des deux horreurs qu'il avait fait venir des réserves du Mobilier national. C'était une étude minable du pont de Westminster. Tournant le dos à Jury, il passa méticuleusement en revue la liste des affaires dont celui-ci s'était occupé, s'attardant sur les détails d'une d'entre elles que Jury avait menée tout de travers bien des années auparavant. C'était sa manière : il s'appesantissait sur les échecs de Jury comme si c'étaient des tableaux qu'il pouvait examiner à loisir et en détail.

– ... alors j'apprécierais un rapport. Vous n'avez qu'à soulever le combiné et former le numéro. – Le doigt de Racer traçait de petits cercles en l'air. – Facile. Vous n'irez pas loin comme commissaire si vous ne savez pas travailler en équipe, Jury.

Jury quitta la réconfortante présence de Racer pour trouver Fiona Clingmore ajustant son chapeau noir. Son manteau noir était posé à côté d'elle sur le bureau.

– Je vous ai trouvé ce nom. – Elle prit un bloc-notes, en arracha un feuillet et le tendit à Jury. – *Royal Victoria Hotel.* Dans le quartier de Victoria.

– Vous êtes merveilleuse, Fiona. Je vous emmènerais bien déjeuner, seulement j'ai des gens à voir.

Avec un clin d'œil de conspirateur et un doigt recourbé, elle lui fit signe de s'approcher et lui dit :

– Je pense que je ne devrais pas en parler, mais le sous-préfet et votre commissaire ont eu une dispute en règle à votre sujet, l'autre jour.

– Comme c'est flatteur.

– Vous allez être commissaire, vous savez.

– Je n'y compterais pas trop.

Jury but dans la tasse de Fiona une gorgée de café amer et la reposa.

– Cette fois, c'est différent. Tout le monde sait que vous auriez dû avoir cette promotion depuis longtemps, non ? C'est honteux, vraiment, cette façon dont il ne cesse de vous barrer la route. – Elle désigna du pouce la porte de Racer. – J'en ai beaucoup entendu parler. – Elle ferma son sac avec un petit clic décidé, le posa sur le manteau. – En fait, j'ai même entendu certains dire que vous devriez être chef. Curieux, pourtant...

– Qu'est-ce qui est curieux ?

Elle haussa les épaules.

– Vous n'avez pas l'air d'y tenir tellement.

Jury regarda le bras de Fiona, enveloppé à moitié dans la manche du pull noir, la peau blanche sur la laine noire.

– Peut-être bien que non, se contenta-t-il de répondre.

6

Les Rainey habitaient une minuscule maisonnette dans une impasse baptisée Kingsman's Close, au cœur du quartier de Lewisham. Lewisham en soi était un endroit tombant carrément en ruine et bruyant, mais Jury avait toujours aimé cette partie de Londres située de l'autre côté de la Tamise qui l'emmenait à travers Greenwich et Blackheath, ses étendues d'herbe verte et ses arbres. Et en hiver la neige.

Une traînée maladive de lierre se collait autour de la porte d'entrée que finit par ouvrir un garçonnet de six ou sept ans à la mine désagréable.

– Ma m'man, elle est pas à la maison, annonça-t-il, puis il ferma la porte.

Jury frappa de nouveau et entendit une voix appeler : « Gerrard ! Qui était-ce ? » Il y eut alors une certaine agitation avant que la porte ne fût ouverte brutalement par une femme plutôt jeune qui se servit de sa main libre pour distribuer quelques taloches à l'enfant.

– Sale gamin !

– Inspecteur Jury, madame. De la Police judiciaire. – Elle dévora sa carte des yeux comme si elle était privée de choses à lire. – J'aimerais parler à Mrs. Rainey.

– Eh bien, je suis l'une d'elles, répliqua-t-elle en soufflant dans ses joues et en écartant de son front ses cheveux châtains. Mais je suppose que c'est M'man que vous voulez. Ma belle-mère Gwen. Mais Gwen est sortie pour la journée. Elle est allée au cinéma. Entrez donc.

Essuyant ses mains rouges et rêches sur son tablier, elle

tint le battant largement ouvert et donna de l'autre main une claque sur les doigts de son fils pour les écarter de son nez dans lequel il n'avait cessé de fourrager en dévisageant Jury.

– M'man m'a dit qu'un autre policier était passé ici avant-hier.

D'un air assez éperdu, elle jeta un coup d'œil dans le petit salon encombré, à la recherche d'un siège pour Jury. Une grande corbeille à linge occupait le divan. Un chat sauta de la corbeille et vint serpenter à travers leurs jambes. Gerrard lui décocha un coup de pied et reçut une autre calotte. Jury pensa que c'était le mode de communication habituel entre mère et fils.

– Nous pourrions aller dans la cuisine, si vous voulez ? C'est une vraie maison de fous ici quand les jumeaux se réveillent.

Ils se trouvaient derrière le divan, dormant dans un parc. Gerrard faisait de son mieux pour les tirer de leur sommeil en tapant sur les coussins du sofa avec un bâton.

– Arrête, sale gamin. – Sa mère lui flanqua une taloche sur l'oreille. – Venez donc, dit-elle à Jury d'une voix amicale.

Elle était probablement satisfaite de la moindre diversion.

Jury la suivit, en direction de la cuisine, Gerrard formant l'arrière-garde, criant de toute la force de ses poumons :

– M'man ! Tu devais me donner ma tartine de *Marmite !* [1]

Jury l'empoigna par les bretelles de sa salopette.

– Tu es en état d'arrestation, mon vieux.

Le gamin hurla puis gloussa de rire. La jeune Mrs. Rainey se retourna et lança à Jury un regard ridiculement reconnaissant pour avoir pris en charge l'enfant. Il supposa qu'elle avait besoin d'un peu d'aide.

Si le salon avait tout du champ de bataille, la cuisine était un joyau d'ordre et de propreté, probablement l'unique refuge de la jeune femme. Posés sur le plan de travail, il y avait une bûche au chocolat coupée en tranches, un pot de *Marmite* et des tartines de pain, pré-

---

1. Produit à base de levure très riche en vitamines, donnant du goût aux viandes et bouillons et servant aussi comme supplément alimentaire diététique.

parés pour le déjeuner du garçonnet. Tandis qu'elle versait le thé sur fond sonore des pleurnicheries de Gerrard, Jury étala de la *Marmite* sur le pain. N'étant pas du genre à faire des cérémonies, il fourra la tranche dans la bouche du gamin. Gerrard s'étrangla et gloussa de nouveau, trouvant épatant d'être ainsi brutalisé par un inconnu, policier de surcroît.

Mrs. Rainey fourra dans la main de Jury une tasse de thé au lait.

– A propos, mon nom est Angela. C'est au sujet de Gemma que vous êtes venu, n'est-ce pas ? L'autre policier qui est venu ici a posé à M'man une foule de questions.

– Oui. Je suis désolé de vous déranger de nouveau, mais je me suis dit qu'il était possible que votre belle-mère ou peut-être vous-même vous rappelleriez quelque chose d'autre qui soit utile.

Angela Rainey secoua la tête.

– Franchement, il n'y a apparemment rien. Croyez-moi, nous en avons discuté tant et plus. Vous savez, Gwen a dit que c'est seulement quand cette histoire est arrivée qu'elle s'est rendu compte à quel point elle en connaissait peu sur Gemma Temple. Je n'en connais guère davantage, et je pense pourtant que je la connaissais mieux que M'man. Vous comprenez, Gemma et moi avions à peu près le même âge. J'habitais à côté. La maison voisine, je veux dire, quand nous vivions tous à Dulwich il y a des années.

Gerrard réclamait « du choc dans mon lait ! » et sa mère alla prendre dans le réfrigérateur une bouteille et une petite boîte de fer blanc de chocolat en poudre.

– Gemma Temple ne vous a-t-elle donc jamais parlé de la vie qu'elle menait avant de venir travailler au pair chez les Rainey ?

Angela secoua la tête en écartant d'une tape la main de Gerrard qui s'allongeait vers la bûche.

– Elle disait qu'elle avait été élevée par une vieille tante, qui était morte depuis. Disait aussi qu'après cela elle avait été dans un foyer pendant un temps. Mais nous ne pouvons pas nous souvenir du nom du foyer. *Si* elle était vraiment...

Gerrard, qui avait soutenu jusque-là un niveau de bruit passablement constant grâce à des gémissements ou des borborygmes divers, vit qu'il n'obtenait pas grand-chose pour sa peine, renonça et s'endormit. Son menton tomba en avant sur sa poitrine.

— Quel âge avait-elle quand elle est venue vivre chez les Rainey ?

Angela calcula.

— Environ dix-neuf ans, je dirais.

— Et son anniversaire ?

— Anniversaire ?

— Oui. Est-ce qu'elle le fêtait ?

— C'est drôle. Je ne peux pas dire que oui. Curieux, je ne me rappelle même pas que Gemma ait eu un anniversaire.

— Jamais parlé d'autres parents ?

— Non. Elle disait qu'elle était orpheline.

— Pourtant, même les orphelins ont un passé quelconque.

— Pas Gemma. Croyez-moi, cela piquait aussi ma curiosité. Gemma était très secrète.

— Y avait-il chez elle quoi que ce soit de mémorable ? J'entends par là des habitudes, des tics nerveux, des sympathies et des antipathies, ce genre de chose ?

Angela regarda Jury par-dessus le bord de sa tasse.

— Seulement les hommes. Les hommes semblaient être son principal « intérêt ». Croyez-vous que ce soit peut-être quelque chose remontant très loin dans son passé qui l'ait... tuée ?

— Cela se pourrait, oui. Est-ce que vous la fréquentez... fréquentiez encore ?

— Oui. Elle passait à peu près une ou deux fois dans l'année. Elle était ici il y a juste un mois environ. Nous avions eu une bonne conversation. Gemma se prenait pour une actrice et elle avait même réussi à obtenir un bout de rôle dans une pièce. C'était l'été dernier. La dernière fois que je l'ai vue. Pauvre Gem.

— Ces hommes. Est-ce que vous en connaissiez ?

Angela secoua la tête.

— Autre chose : est-ce qu'elle conduisait ?

Angela parut interloquée.

— Conduisait une voiture, je veux dire.

— Oh ! Maintenant que vous en parlez, non, elle ne conduisait pas. Tout le temps qu'elle a été ici, elle n'a jamais appris à conduire. Mais est-ce qu'on n'a pas trouvé sa voiture ou je ne sais quoi ?

– Oui.

Angela jeta un coup d'œil au plan de travail et reposa sa tasse de thé avec fracas.

– Regardez-moi ça, voulez-vous ! Où il est, mon gâteau au chocolat ?

Gerrard, la bouche masquée sous des miettes de gâteau, eignait d'être endormi et s'efforçait de ne pas sourire.

Au son d'une gifle retentissante et d'un cri encore plus fort, Jury leur dit au revoir et quitta la maison.

7

Victor Merchent était assis en gilet et bretelles, grattant alternativement son estomac et son chien comme si l'un était une extension de l'autre. Le chien était étendu paresseusement sur les carreaux devant la fausse bûche de l'âtre. Autour des pieds de Victor Merchent, enfoncés dans des pantoufles, gisaient éparpillées les pages du *Times*. Lui-même était plongé dans un bulletin de pari hippique.

Fanny Merchent était fermement installée au beau milieu du divan. Elle paraissait plus réceptive que son mari à cette interruption de la routine journalière. Elle en était probablement contente, pensa Jury ; Victor devait tenir une place importante dans cette routine.

Le salon d'Ebury Street était comme Victor – pléthorique. Les meubles allaient de la pire antiquité au pire modernisme : il n'y avait rien de l'habituel charme du chintz anglais. Et Mrs. Merchent, elle aussi, paraissait du genre à amasser du bric-à-brac. Des cadeaux de Brighton, Weston-super-Mare, Blackpool et autres villes d'eaux fréquentées par la classe moyenne s'alignaient sur les étagères et les tablettes des fenêtres. Les reliques sentimentales d'une vie entière s'éparpillaient sur des tables et des bureaux : coquillages, photos dans un cadre, albums de souvenirs. De petites figurines de porcelaine ornaient le dessus de la cheminée au-dessus du chien endormi.

– Vous posiez des questions, inspecteur, à propos du fils de ma sœur. Olive était justement ici avant Noël. Elle supporte sa croix en vraie chrétienne.

Le prétexte imaginé par Jury pour expliquer sa présence

était qu'il avait besoin de renseignements supplémentaires sur le fils d'Olive Manning et que toute information concernant la mère serait d'un intérêt purement marginal.

Victor Merchent leva le nez de son bulletin.

– Est-ce qu'elle n'est pas toujours là à l'époque de Noël ?

Il avança la lèvre inférieure et les coins de sa bouche s'abaissèrent en témoignage des sentiments que lui inspiraient les visites d'Olive.

– C'est mon affaire, Vic. Si je regarde quelques-uns des membres de ta famille *à toi...*

– Eh bien, sacré bon Dieu, ils ne viennent pas vivre ici aux frais de la princesse, hein, ma petite ? – Il fit claquer le journal. – Et où est mon thé ?

– Aie un peu de patience, non ?

– J'aime avoir mon thé à l'heure.

Il considéra Jury d'un air morne.

– Vous disiez, inspecteur... ?

– Le fils de votre sœur est dans une institution ?

Avant que la pauvre femme ait eu le temps de répondre, son mari lança :

– Psychiatrique. Cinglé, qu'il est celui-là.

Du doigt, il traça sur sa tempe un cercle autour d'un point.

– Ce n'est pas gentil, Vic. Il s'agit de ton neveu.

– *Par mariage.*

Et son expression signifiait clairement que tout ce qui était folie venait à n'en pas douter de sa famille à elle.

S'adressant à Jury, elle dit :

– C'était tragique, monsieur. Le garçon a eu il y a longtemps une sorte de dépression nerveuse. Olive vient ici le voir plusieurs fois par an. Terriblement coûteux, cet établissement, mais elle n'a pas voulu qu'il en soit autrement. Leo a les meilleurs soins possibles.

– Cela doit peser lourdement sur la bourse de Mrs. Manning.

Autre occasion d'intervenir pour Victor :

– Sur *notre* bourse. Sa Majesté Mrs. Olive Manning s'amène chez nous pour manger nos provisions et boire notre whisky. – L'œil de Victor s'égara en direction d'un meuble près de la fenêtre. – Une petite goutte vous tenterait, inspecteur ? – Il leva le pouce et l'index pour montrer à sa femme à quel point serait « petite » la goutte en question.

Ce geste amical inattendu, Jury le savait, était destiné à procurer à Victor lui-même ce fameux petit verre. Si Jury refusait, Victor continuerait à dresser en travers des questions de Jury tous les obstacles qu'il imaginerait.

– Merci, je ne demande pas mieux. Rien qu'une petite.

Victor arbora un large sourire.

– Eh bien, alors j'en prendrai avec vous. On ne doit pas boire seul, je le dis toujours.

Il se leva, alla vers la vitrine et ouvrit la petite porte en dessous.

– Et toi, maman ? Un verre de xérès, peut-être ?

Avec un visage figé par la désapprobation que lui inspiraient ces libations tôt dans l'après-midi, elle secoua la tête. Victor Merchent devint tout à fait cordial et encourageant quand il revint avec une bouteille et des verres.

– Allez-y, inspecteur Jury. Vous disiez à propos de Leo... ?

Jury prit le verre que Victor lui mettait dans la main.

– Quels étaient les sentiments de Mrs. Manning à l'égard des Craël ? A l'époque, s'entend ?

– Je ne suis pas sûre de vous comprendre, répliqua Fanny.

– Commençons par leur pupille... vous vous souvenez peut-être de la jeune fille. Dillys March. Elle s'est enfuie, à ce qu'il semble, il y a une quinzaine d'années.

Fanny poussa une exclamation.

– Elle ! Ah, oui, je me rappelle ce nom. Olive *détestait* cette fille. Voyez-vous, Olive estimait qu'elle était la cause de ce qui était arrivé à Leo.

– Qu'est-ce qu'elle était, cette Dillys March, quand elle était là-bas ? questionna Victor, contemplant d'un regard morose son verre déjà vide, puis la bouteille, avec l'air de se demander s'il oserait.

– Oh, tu te rappelles, voyons, Vic. Olive ne parlait de rien d'autre quand Leo a commencé à aller mal.

– Je ne prête pas attention aux bavardages de cette femme. A mon sens, Leo a eu l'esprit dérangé depuis toujours.

Il reprit en main son bulletin hippique.

– Mais elle aurait peut-être pu tenir les Craël en général pour responsables ? suggéra Jury.

– Je crois qu'elle l'a fait. Elle pensait qu'ils n'auraient jamais dû recueillir cette fille.

Fanny Merchent dut subitement s'aviser que ces questions, curieusement, concernaient Olive, pas Leo. Jury lut dans ses yeux ce qu'elle allait demander avant que les mots soient sortis de sa bouche.

– Pourquoi ne pouvez-vous pas apprendre tout cela d'Olive ? interrogea-t-elle en se raidissant sur son siège.

– Je le ferais bien, naturellement, Mrs. Merchent. – Jury sortit son sourire le plus désarmant. – Seulement je suis à Londres et elle se trouve dans le Yorkshire. Et, voyez-vous, comme je passais dans le quartier de Victoria et qu'il m'était revenu en mémoire qu'elle avait dit avoir rendu visite à sa sœur...

Jury haussa les épaules. Si les policiers menaient vraiment ce genre d'existence boulevardière, à se promener sans but, songea-t-il, ils n'aboutiraient pas à grand-chose.

Toutefois son « je passais par là » parut satisfaire Fanny, qui ne répugnait pas à parler de toute cette malheureuse affaire.

– Je comprends. Eh bien, comme je le disais, Olive était exaspérée que les Craël gardent cette Dillys. Elle disait que cette fille n'avait provoqué que des ennuis depuis son arrivée là-bas et elle a été rudement contente quand Dillys a décampé. Bien que Sir Titus Craël en ait eu le cœur brisé. Pauvre homme. Il avait perdu sa femme et son fils quelque temps auparavant, vous savez.

Jury hocha la tête.

– Quel genre d'ennuis causait Dillys, d'après votre sœur ?

– Les hommes, n'est-ce pas ? Jeune comme elle était, pourtant. Et elle était trompeuse. « Une petite hypocrite », disait toujours Olive.

– Était-elle jalouse de la situation qu'avait la jeune fille dans la maison ?

Fanny Merchent ne le nia pas.

– Je ne sais pas. Mais Olive est une drôle de personne.

Victor eut un rire sec.

– Drôle est le mot. Toute cette galette et elle s'amène chez nous pour se faire entretenir. Dédaigneuse, qu'elle est à mon égard. Pourquoi, j'aimerais bien le savoir ? Elle n'est jamais que la sacrée gouvernante, non ?

Comme par défi envers Olive Manning, il se versa une nouvelle rasade.

– Ce n'est pas une raison pour être désobligeant avec elle. Avec tout le malheur qu'elle a eu...

– Le malheur ! Je vais t'apprendre ce que c'est que le malheur, ma fille. Regarde seulement ce qu'on m'a fait...

Avant que Victor puisse amorcer sa descente vers l'apitoiement sur lui-même, Jury dit :

– Rien ne s'est produit qui ait paru bouleverser Mrs. Manning lors de son passage ici, n'est-ce pas ? Ou qui ait provoqué un changement dans sa conduite ?

Jury s'attendait à une réponse négative et fut très surpris quand Fanny Merchent répliqua :

– Si, il y a eu quelque chose. C'était après ce coup de téléphone. Tu te souviens, Vic, tu avais répondu une fois. C'était le deuxième appel.

Elle se pencha en avant et de l'ongle donna une pichenette au journal pour attirer son attention. Il ne répondit pas. Il avait les yeux braqués sur la bouteille comme s'il allait en jaillir une vapeur d'où se matérialiserait un génie.

– Qu'est-ce que c'était comme appel téléphonique ?

Elle regarda d'un air sombre son mari, puis la bouteille de whisky et se tourna vers Jury.

– C'est une femme qui téléphonait. Je n'ai pas reconnu la voix et j'étais surprise qu'on demande Olive. Olive ne connaît personne ici, pour autant que je sache. D'abord, j'ai cru que c'était l'hôpital, mais à la façon dont elle a agi j'ai compris que non. Au bout d'un instant, elle a emporté l'appareil dans une autre pièce et a fermé la porte. – Fanny Merchent manifesta par un reniflement sa désapprobation.

– Toute tendue qu'elle était, après ça. Pendant deux semaines, elle a été ainsi. Crispée, en quelque sorte, mais excitée, vous comprenez. Et elle a commencé à sortir. Pas pour aller à l'hôpital, car je l'accompagnais d'habitude quand elle s'y rendait. Elle allait quelque part ailleurs, tous les jours, plus ou moins à la même heure. Elle a éludé mes questions et prétendu qu'elle faisait des courses dans les magasins. Refusant que je vienne avec elle.

– Vous avez mentionné deux coups de téléphone.

– C'est exact. Vic a répondu au second. Il a juste dit que c'était quelqu'un qui appelait Olive et qu'est-ce qu'Olive croyait que c'était ici, un standard rose ou je ne sais quoi, attendant de lui qu'il réponde au téléphone et tout.

Victor Merchent leva la bouteille qu'il avait prise dans son giron et se versa un autre verre. Une fois que Jury avait rempli son office, il avait renoncé à l'inclure dans ce rite.

– Sacré hôtel, elle s'imaginait que c'était ici. Sacré hôtel.
Puis son expression changea. Il parut saisi d'intelligence.
Comme un vieil homme sénile qui a des visions fugitives du
passé, il regarda d'un air hébété dans le vide.

– C'était ça, justement. Un hôtel. C'était quelqu'un qui
téléphonait d'un hôtel parce que lorsque j'ai dit qu'Olive
n'était pas ici, il a demandé de lui dire d'appeler l'*Hôtel
Sawry*.

Sa femme clappa de la langue.

– Tu ne m'avais jamais raconté ça, Vic.

Précipitamment, il dit : « Tu ne me l'as jamais demandé,
hein ? » en buvant son whisky d'un trait.

8

Robe turquoise et col officier, Jane Yang était une ravissante jeune femme aux formes délicates. Ses cheveux noirs étaient coupés comme un casque en frange rectiligne sur le front et dans le cou. Quand Melrose entra dans le *Sun Palace* elle se trouvait derrière le comptoir, manipulant la caisse enregistreuse.

Il n'était pas encore midi, mais le petit restaurant était bondé. Des serveurs à l'expression morose passaient en flot continu avec des plateaux chargés de mets coiffés de couvercles d'argenterie, faisant claquer sans arrêt la porte battante de la cuisine. L'ambiance ne pouvait justifier la popularité du restaurant, ce devait donc être la cuisine. L'air était lourd de mystérieuses fragrances aromatiques.

Melrose prit place derrière la demi-douzaine de clients qui faisaient la queue pour payer leur note. Quand son tour arriva, il tendit vingt livres et la photo.

– Vous êtes Jane Yang ? La Grosse Bertha m'a dit que vous connaissiez peut-être la femme qui figure sur cette photo.

Miss Yang parut déroutée. Mais elle garda les vingt livres.

Derrière Melrose, un client à la carrure robuste soupira.

– Dégagez, camarade. On n'est pas aux floralies de Kew Gardens.

Le cure-dents qu'il avait à la bouche exécuta des évolutions acrobatiques.

– Pourriez-vous attendre là-bas ? dit Miss Yang, d'un ton d'excuse. Très occupée.

Sans souci des soupirs géants poussés d'un bout à l'autre de la file, Melrose exhiba le jumeau du billet de vingt livres.
– Très riche.
Elle eut l'air complètement démontée par tout ce pactole qui affluait vers elle, mais parvint dans le même temps à jauger l'élégance du manteau « chesterfield » de Melrose et à prendre la note de l'homme au cure-dents dansant.

D'un mouvement de l'épaule, elle indiqua à Melrose de la rejoindre derrière le comptoir et appela du geste une petite femme âgée, au visage brun plissé de rides comme une boule à thé chinoise. Le doigt recourbé de Jane Yang amena la vieille femme à approcher d'un pas traînant pour écouter sans broncher le flot de chinois de la jeune femme – probablement des indications sur la façon de tenir la caisse.

La jeune femme conduisit Melrose dans un coin près de la cuisine, cueillit le second billet qu'il tenait dans ses doigts, puis plia les deux en un carré bien net qu'elle glissa entre deux des petites grenouilles noires qui fermaient du haut en bas la robe turquoise. Il se demanda pourquoi les femmes paraissaient penser que c'était le dernier endroit où regarderait un homme.

Elle avait la photo dans la main.
– Je la connais, oui. Elle serveuse ici, oh, trois semaines, je pense que c'était.

Et elle leva trois doigts comme si elle apprenait à Melrose une langue nouvelle.
– Quel était son nom ?
– Gemma. Gemma Temple.
– Et qu'est-ce qui lui est arrivé ensuite ? Après son départ d'ici, je veux dire ?
– Elle rencontre un homme. Je suppose qu'elle va vivre avec lui.
– L'a-t-elle rencontré ici ? Pendant qu'elle travaillait ?

Jane Yang secoua la tête et le casque de cheveux satinés tourbillonna sur ses épaules.
– Quelque part... j'oublie... à Londres. Peut-être à la gare ? Elle avait pris une journée pour rendre visite à ami. Écoutez... – Elle ouvrit les bras. – Nous n'étions pas très intimes, vous comprenez. Elle ne me raconte pas grand-chose sur sa vie privée.

Melrose acquiesça d'un signe.
– Donc vous ne savez pas qui était cet homme ? Elle a dû

vous dire quelque chose, puisque vous savez qu'elle est partie avec lui.

De nouveau, les cheveux noirs dansèrent.

– Non. Je l'ai seulement vu.

– Vous l'avez *vu* ?

– Oui. Il venu au restaurant. Très chic, il était. – Elle regarda Melrose du haut en bas. – Comme vous. – Elle sourit. – Le Prince. – Devant le haussement interrogateur des sourcils de Melrose, elle expliqua : – Je veux dire, c'est ainsi qu'elle l'appelait : le Prince. C'était pour plaisanter. Mais il avait vraiment l'air... – Elle parut chercher ses mots et son regard tomba sur un tableau suspendu au-dessus de la caisse enregistreuse qui n'était absolument pas en harmonie avec les décorations dragonnées du *Sun Palace*. C'était une reproduction de la peinture de Millais faite pour le savon *Pear's*. – Comme lui, je veux dire, quand le Prince était petit, oui, il aurait été comme ça.

La description ne pouvait pas mieux convenir à Julian Craël. Un bel enfant, vêtu de velours vert, avec une cascade de boucles blondes : l'aspect que Julian devait avoir eu à cet âge tendre.

– Il est venu ici la voir ?

Elle hocha la tête.

– Il venu ici *avec* elle. Elle cesse travailler ici, comprenez. Je suppose qu'elle veut parader avec lui devant autres filles. Mais le Prince gêné. Le monsieur habitué à autre vie.

Melrose sourit de la façon dont elle s'exprimait, si succinctement et avec autant de perspicacité.

– Vous a-t-elle dit où elle allait ?

Sous l'effet de la concentration, sa peau de porcelaine se plissa légèrement.

– Il y avait quelque chose. Elle me dit qu'il habite hôtel élégant... – Elle secoua la tête. – J'oublie le nom.

A ce moment, un homme chétif, qui formait le pendant de la petite vieille, sortit brusquement de la cuisine et, voyant Jane en conversation particulière, lâcha un torrent de mots chinois en désignant à grands gestes la caisse enregistreuse. La queue avait diminué et augmenté à plusieurs reprises depuis qu'ils parlaient ensemble, sans jamais s'interrompre complètement. Sur leur droite, la porte de la cuisine s'ouvrait d'un coup sec et se rabattait continuellement. Le bruit à l'intérieur était supérieur au vacarme du bavardage des clients. On devait être en train de tuer des poulets dans la cuisine, pensa Melrose.

– Désolée, dit-elle en se tournant vers ce dernier. Papa très fâché que je quitte caisse. Il faut que j'y aille.

Melrose sortit un porte-cartes, extirpa son stylo en or et inscrivit sur le bristol le numéro de son hôtel ainsi que celui de la Vieille Maison.

– Écoutez, si vous vous rappeliez quoi que ce soit sur cette Gemma Temple, sur sa vie, sa famille...

Jane Yang secoua la tête.

– Elle n'en avait pas. Je crois qu'elle a été élevée dans un orphelinat. C'est tout ce qu'elle m'a dit.

– Et vous ne vous souvenez pas de l'hôtel où il séjournait ?

Ils étaient de retour à la caisse enregistreuse. La jeune femme reprit son poste.

– Si je me rappelle, je téléphone.

Elle haussa ses épaules turquoise et eut un sourire qui fit s'épanouir le masque de porcelaine de son visage comme un lotus sur un lac bleu. Elle était réellement très belle, mais d'aspect si fragile qu'un homme risquait d'avoir peur d'y toucher.

– Désolée, dit-elle encore une fois, avec un haussement d'épaules.

Il se détourna. Quand il eut la main sur la porte, il entendit appeler, par-dessus le brouhaha de la foule : « Monsieur ! » Elle lui faisait signe de revenir, avec un éclatant sourire. Quand il fut de retour au comptoir, elle dit :

– Ça y est ! L'hôtel. *Sawry*. L'*Hôtel Sawry*.

Elle le prononçait en gommant légèrement le r. Melrose eut un grand sourire. Il aurait ressorti la pince à billets, s'il n'y avait eu l'expression sombre des payeurs de note d'un bout à l'autre de la queue qui se concentrait à ce stade en un nuage de pluie collectif. Ils pouvaient fort bien lui tomber dessus tous ensemble, pensa-t-il, et il quitta le restaurant.

9

L'*Hôtel Sawry* était un secret londonien bien gardé, jalousement conservé par des clients assez astucieux pour comprendre ce qui se produirait s'il était percé à jour. Il n'était pas bon marché ; il n'était pas, non plus, horriblement cher. L'argent ne paraissait pas être le but recherché, comme si l'excellence ne pouvait se mesurer en termes de livres et de pence.

Tandis que la porte se rabattait en douceur derrière lui, Melrose fut submergé par une vague de nostalgie. Il y avait plus de trente ans que son père et sa mère l'avaient amené ici étant enfant pendant des vacances de Noël éblouissantes de neige, et le lieu n'avait pas changé d'un iota. Le *Sawry* restait obstinément attaché à son passé. Melrose approuvait cela. Il maintenait sa propre demeure telle qu'elle avait été du vivant de ses parents. Il n'avait ajouté que quelques meubles ; il n'en avait enlevé aucun. Pour lui, le passé était parfait tel qu'il était, préservé sous la cloche de verre d'Ardry End.

C'était une autre raison pour laquelle il n'avait jamais pris femme : elle aurait eu beau vouloir les conserver intacts, lui et la maison, elle aurait fini par ne pas pouvoir faire autrement que déplacer le mobilier.

Un tapis persan en forme de chemin bleu, rose et or conduisait droit à un escalier signé des frères Adam qui paraissait monter comme s'il était suspendu, planant dans les airs. Discrètement placé à l'écart du hall d'entrée le bureau de réception était tenu par un gentleman sanglé dans l'uniforme habituel du *Sawry* – costume noir et gants blancs.

– Puis-je vous être utile, Monsieur ?

– Ah, oui, dit Melrose. Je viens voir Mr. Craël. Pouvez-vous lui téléphoner pour lui annoncer que Mr. Carruthers-Todd est ici ? Merci.

Le préposé, dont ordinairement l'expression n'aurait pas changé sous le choc d'une giclée d'eau froide en pleine figure, témoigna de la surprise.

– Oh, je suis vraiment désolé, Monsieur. Mais Mr. Craël ne séjourne pas chez nous.

La surprise feinte de Melrose fut plus marquée encore que celle de l'employé.

– Allons, vous devez vous tromper. Voyons, j'ai une lettre de Mr. Craël me disant qu'il se rendrait au *Sawry* le onze.

Melrose fit semblant de frapper avec ostentation sur ses poches comme s'il cherchait la lettre.

Le réceptionniste eut un léger sourire.

– Je suis désolé, monsieur Carruthers-Todd. Ne se pourrait-il que vous vous soyez trompé de date ?

Melrose Carruthers-Todd se redressa de toute sa taille et présenta à l'employé une expression plutôt glaciale dont la traduction évidente était que les Carruthers-Todd se trompaient rarement, sinon même jamais, sur aucun sujet.

– C'était le onze ; je m'en souviens nettement.

Son ton suggérait que le préposé serait sage de présenter Mr. Craël sans délai et en bon état sinon il y aurait du grabuge.

Il savait que les établissements du genre du *Sawry* ne donnaient pas facilement des renseignements sur leurs clients. Mais ayant placé l'employé dans la situation délicate d'avoir maintenant à prouver que Mr. Craël n'était pas en fait ligoté dans le placard aux balais, Melrose regarda le réceptionniste sortir le registre.

– Comme vous voyez, Monsieur, Mr. Craël a séjourné chez nous à cette date *en décembre*. Pas en janvier, Monsieur.

L'employé parvint à ne pas paraître trop content de lui-même tandis qu'il tournait le registre dans l'autre sens.

– Flûte ! dit Melrose. – Il poussa un profond soupir. – Alors je suppose que Miss March n'est pas ici non plus ?

L'employé haussa un sourcil surpris.

– Miss March ? Je ne pense pas me rappeler quelqu'un portant ce nom.

– Temple, rectifia Melrose en claquant des doigts. Miss Temple est ce que je voulais dire. L'amie de Mr. Craël.

– Ah, oui. Non, Monsieur, elle n'est pas chez nous non plus en ce moment, Monsieur.

– Hummmm. Je pense qu'elle est partie en même temps que lui.

Melrose s'efforça de ne pas donner à cette phrase la tournure d'une question. Le réceptionniste hocha la tête, commençant à se lasser quelque peu de ce distrait de Mr. Carruthers-Todd.

– Eh bien, sacré nom d'un chien. Cela veut dire, je suppose, que ce pauvre vieux Benderby n'a aucune chance de les voir non plus. Il va être *très* contrarié par tout ce malentendu. – Melrose sortit de sa poche un porte-mine en or et son petit carnet. – Tenez, donnez-lui ceci, voulez-vous, quand il viendra. Vous serez gentil.

Le réceptionniste était visiblement déconcerté.

– Excusez-moi, Monsieur, donner ceci à *qui ?*

– Benderby. Il va probablement passer demander Craël. C'est que je lui avais dit de nous rejoindre l'un et l'autre ici et il va être fichtrement déçu par cette histoire. Eustace Benderby. Le nom est là-dessus.

Melrose darda un regard furieux sur l'employé comme si l'instruction de ce dernier devait lui avoir donné beaucoup de mal ; il n'était même pas capable de lire l'indication sur le billet.

Le réceptionniste glissa le billet dans une des niches destinées au courrier.

– Je n'y manquerai pas, Monsieur.

Melrose marmonna d'un air tourmenté et sortit à grands pas.

Et une fois dans la rue, il se reprit à siffler « Limehouse Blues ».

10

La déroute du réceptionniste augmenta visiblement quand l'inspecteur principal Richard Jury se présenta deux heures plus tard.

– Il n'y a pas d'ennui, n'est-ce pas, monsieur l'inspecteur ?

Ce genre d'ennui était étranger au *Sawry*.

– Non, je ne le pense pas. Je fais des recherches au sujet d'une de vos clientes.

Jury sortit la photo de Dillys March, prise quand elle était jeune.

– Avez-vous jamais vu cette femme ?

L'employé prit la photo dans sa main gantée et la considéra quelques instants avant de répondre :

– Elle a quelque chose de familier. Mais je ne suis pas sûr. C'est une photo assez ancienne, n'est-ce pas ?

– Oui, en effet. J'en ai une plus récente. – Jury exhiba la photo que Melrose Plant avait donnée à Wiggins. – Et celle-ci ?

– Oh, oui. C'était une grande amie de... d'un de nos clients.

Le *Sawry* assumait la responsabilité de la paix d'esprit de ses clients ; on ne divulguait – sauf cas de force majeure – aucun renseignement, et surtout pas de cancans. Ce lieu était à l'image d'un sanctuaire ou de la salle des coffres d'une banque, comme si l'acajou et les miroirs étaient solidement fermés aux faits déplaisants du monde extérieur.

– Une amie de Julian Craël ?

Il parut soulagé. Si la police connaissait déjà cette rela-

242

tion, alors peut-être n'était-ce pas une violation de ses devoirs que de la confirmer.

– Oui, c'est exact.

Il n'allait toutefois pas épiloguer à moins d'y être contraint.

– Elle venait souvent ici ?

Il réfléchit une minute.

– Un certain nombre de fois. De temps à autre pendant environ un an. Elle venait voir Mr. Craël.

– Son nom ?

Le réceptionniste eut l'air manifestement déconcerté.

– Temple. Miss Temple. – Il sortit de nouveau le registre de la clientèle. – Pas plus tard que le mois dernier... décembre. Ici. – Il fit tourner le registre pour que Jury l'examine. – Le 10 décembre, oui, c'est cela. Une Miss Temple. Je pense qu'elle est partie le soir du même jour où Mr. Craël s'en est allé.

– Avait-elle des visiteurs ?

Jury l'aida en décrivant Olive Manning. L'employé secoua négativement la tête.

– Des appels téléphoniques ?

– Aucun à ma connaissance, mais je peux vérifier.

– Je vous en prie. Et tenez-moi au courant.

Jury lui tendit sa carte et se détournait pour s'en aller quand le réceptionniste l'arrêta.

– Il y a une chose, Monsieur. Un autre gentleman était ici voici peu de temps... un Mr. Carruthers-Todd... cet après-midi justement, qui s'est enquis de Mr. Craël et de Miss Temple. Et il a laissé un message...

L'employé le cueillit dans sa niche.

– Et à quoi ressemblait Mr. Carruthers-Todd ?

– Très fortuné, je dirais. Et bien élevé. – Ayant fourni les points importants, il poursuivit : – Pas tout à fait aussi grand que vous, cheveux blonds. Des yeux très verts. Le message a été déposé pour... un certain Mr. Benderby. Eustace Benderby.

– Je suis Benderby, dit Jury en tendant la main pour recevoir le billet.

11

Le *Royal Victoria Hotel* usurpait son nom. Il était coincé entre deux autres immeubles, dont l'un, appelé l'*Étoile Arabe*, se signalait par une enseigne écaillée arborant un cimeterre et une étoile. De son porche sortirent deux jeunes gens, à moustache noire, qui parlaient avec leurs mains.

Dans une petite pièce munie d'une porte style cottage était assise une jeune femme qui s'intéressait plus à s'appliquer du rouge à lèvres qu'à accueillir des clients éventuels. Elle finit par s'avancer vers Jury, ses yeux maquillés de violet errant sur lui. Elle souffla une bulle de chewing-gum et la réintégra. Il montra sa carte.

— Je cherche une femme qui a peut-être habité ici. Son nom est Roberta Makepiece.

— Peux pas dire que je me rappelle quelqu'un comme ça. Elles viennent, elles partent.

Elle prit son temps pour disposer ses seins sous le twin-set bleu. Une autre bulle apparut près du menton de Jury. Puis elle déclara :

— Dotty saurait peut-être.

— Qui est Dotty ?

— La propriétaire-directrice.

— Et *où* est Dotty ?

— A Manchester. Partie avec son copain.

Ses cils battirent. Dégoulinant de mascara, ils avaient emperlé la peau sous ses yeux.

— Et quand Dotty sera-t-elle de retour ?

— Est-ce que j'sais, moi ?

— Donc je ne peux pas questionner Dotty, alors ?

Le sarcasme tomba à plat.

– Eh bien, vous pourriez demander à Mary, j'suppose. Si cette personne a travaillé ici, Mary doit le savoir, j'crois.

– Où est cette Mary ?

Elle avait sorti à présent un petit miroir de son sac à main et s'inspectait la bouche, lassée de cet individu qui s'intéressait uniquement à Mary.

– Mary Riordan. Là-bas... – Elle agita vaguement la main.

– Elle doit préparer les tables dans la salle à manger.

Elles étaient deux dans la salle à manger, la dénommée Mary et une autre jeune fille bucolique, bovine, les cheveux tressés en deux nattes brunes raides, le teint couleur de biscuit. Elle se déplaçait à une allure léthargique en disposant serviettes et couverts.

Mary, par chance, était d'aspect moins terne. Elle avait une douce voix irlandaise un peu essoufflée qui se mariait bien avec ses yeux très bleus.

– Roberta Makepiece ? Eh bien, voyons... oui. Je me rappelle maintenant. Bien qu'elle n'ait pas travaillé ici longtemps. – Mary serra contre sa poitrine son plateau de métal comme une armure. – Partie avec un copain.

Le *Royal Victoria* paraissait prodigue en amoureux.

– Vous ne savez pas où ?

Le cœur de Jury défaillit puis refit surface quand Mary lui répondit avec un hochement affirmatif :

– Peut-être que si. Vous comprenez, j'ai reçu une lettre d'elle... ma foi, c'était de l'argent qu'elle avait emprunté et qu'elle rendait. Il y avait une adresse. Pourriez-vous attendre un peu et je monterai vite la chercher ?

– J'attendrai toute la journée, ma petite dame, s'il le faut.

Il sourit. Il aurait bien embrassé Mary ; en vérité, elle devenait plus jolie, avec des joues plus roses, de minute en minute.

Le sourire de Jury la précipita à reculons contre le chambranle de la porte. Rougissante, elle se retourna et sortit précipitamment, portant toujours le plateau. En son absence, il lut de nouveau le billet de Plant. Il était assez bref :

> *Appelez-moi au* Connaught. *Si vous me parlez encore.*
>
> *Plant*

La jeune femme aux tresses, dont le déplacement autour des tables était moins que vif, renifla comme si elle avait des végétations. Cela rappela à Jury le sergent Wiggins.

Mary revint, une lettre à la main.

– Je l'ai trouvée. Mais son nom n'est plus Makepiece. C'est Cory. Voici l'adresse.

Elle tendit la feuille à Jury. C'était un appartement dans Wanstead.

– Elle a dû se marier, commenta Mary.

Jury sourit.

– Ou quelque chose comme ça. Merci, Mary. Vous ne savez pas à quel point vous m'avez rendu service. Est-ce qu'il y a un téléphone public ? J'ai besoin d'appeler quelqu'un.

Les yeux bleus de Mary levèrent vers lui leur scintillement. Elle n'était, à l'évidence, que trop contente d'aider Scotland Yard quand elle conduisit Jury au téléphone.

12

Le regard dont elle le toisa, du haut en bas, aurait décapé une chaise.
– Roberta Makepiece ?
Au-dessus de la chaîne de l'entrebâilleur, sa mâchoire cessa de mastiquer la gomme qu'elle mâchonnait avec lenteur.
– Mon nom est Cory. Mrs. Cory. Vous vous êtes trompé d'adresse.
Comme elle s'apprêtait à refermer la porte, Jury appuya sa main contre le battant.
– Police judiciaire, madame Cory. Inspecteur principal Richard Jury.
Il lui fourra sous le nez la carte d'identité plastifiée.
– Qu'est-ce que... ? – Ses pupilles se dilatèrent. – Joey ? Est-ce Joey ?
Mais sa voix était plus soulagée qu'anxieuse. Cela fit réfléchir Jury à l'amour et à la loyauté.
– Si seulement je pouvais entrer... ? Cela ne prendra pas longtemps.
La porte se referma légèrement tandis qu'elle ôtait la chaîne puis ouvrait largement le battant, lui indiquant d'avancer d'un signe de tête bref.
– J'allais sortir faire les courses.
– Vous n'en serez guère retardée. Pourrions-nous nous asseoir ?
Elle haussa les épaules.
– Comme vous voudrez.
Jury prit place au bord d'un fauteuil brillant en imitation

cuir. Elle s'installa sur le divan blanc en fausse fourrure. Tout dans l'appartement – les meubles, les rideaux, les vêtements qu'elle portait –, tout avait une apparence neuve, propre et bon marché, comme si la vie qu'on menait ici avait jailli soudain du sol entièrement organisée. L'appartement avait l'air d'un modèle d'exposition dans une vitrine de grand magasin, mannequin compris. Roberta Makepiece avait une joliesse sèche, raide – pas engageante ni souple. Les pas qu'elle fit pour retourner vers le divan blanc étaient petits et mesurés, restreints par une jupe étroite qui s'arrêtait au mollet. Elle portait un pull rayé moulé autour de seins pointus et menus. Son visage était amaigri par le poids mort de coques de boucles maintenues en hauteur autour de la tête par de petits peignes d'écaille et cimentées par de la laque. Jury se demanda ce que Joey Cory trouvait de séduisant dans toute cette construction. L'avoir dans les parages devait être comme de souffrir d'un perpétuel mal de gorge. Il devina aussi qu'elle n'était pas réellement Mrs. Cory ; elle devait, comme le mobilier, être facile à jeter après usage.

Avec un pouce et un index au vernis brillant, elle sortit de sa bouche le chewing-gum qu'elle laissa choir dans un énorme cendrier de cristal où il reposa tristement, seule chose dans la pièce qui avait l'air utilisée.

Son sac et son manteau gisaient à côté d'elle sur le divan blanc. Qu'elle ait été sur le point de sortir était apparemment la vérité. Il doutait qu'elle la dise souvent.

Pourquoi avait-il, dans son imagination, vu les choses si différemment ? Une jolie femme empâtée en peignoir, un lit pas fait, des instantanés de Bertie insérés çà et là autour de la glace d'une coiffeuse. Mais il n'y avait pas trace de lui ici, ni dans une photo, ni sur son visage à elle.

– Eh bien ? De quoi s'agit-il, alors ?

Les doigts aux ongles rouge vif montèrent jusqu'à ses cheveux, pour s'assurer que leur perfection laquée n'avait pas été dérangée par cette intrusion fâcheuse dans sa vie.

– Je suis ici au sujet de votre fils, madame Cory.

Elle détourna vivement les yeux, saisit le chewing-gum dans le cendrier.

– Je... – Elle le fourra dans sa bouche. – Je n'ai pas de fils. Je ne sais pas de quoi vous parlez.

Jury se sentit devenir glacé, ses doigts se raidirent autour du bras du fauteuil.

– Je vous parle de Bertie. Bertie Makepiece.

Il le dit, bêtement il en eut le sentiment, comme si ce nom allait faire vibrer la corde du souvenir. *Oh, lui,* répliquerait-elle en faisant claquer ses doigts.

Elle s'apprêtait à répondre qu'elle ne le connaissait pas, mais l'expression de Jury devait être intimidante, car elle choisit de répondre sur un autre terrain :

– Écoutez donc, qu'est-ce que Scotland Yard a à voir avec ça ? Pourquoi la police vient-elle ici ? Avez-vous un rapport quelconque avec les services sociaux ? – Son ton devint plus pressant. – Je suppose que vous voulez m'y faire retourner ?

– Je ne suis pas ici officiellement. Je suis seulement curieux de comprendre ce qui se passe. J'ai rencontré Bertie pendant que je travaillais sur une affaire et j'ai jugé étrange l'histoire qu'il a racontée sur votre absence. Bertie prétend que sa mère – vous – a dû partir soigner une grand-mère malade. En Irlande du Nord. Pourtant, vous êtes à Londres apparemment, n'est-ce pas ?

– En *Irlande du Nord* ? Je n'ai jamais parlé d'Irlande ! J'ai bien une vieille grand-mère qui habite là-bas, mais je n'ai jamais dit que j'y allais. – Elle semblait maintenant penser que Bertie était coupable. – *Vous vous rendez compte !*

– Bertie a raconté aux gens que la vieille grand-mère vit en Irlande du Nord. Du côté du Bogside.

Malgré lui, Jury sourit, mais elle resta de marbre. Avait-il pensé susciter en elle de l'humour, un rire partagé devant l'ingéniosité de son fils ? Trouver malgré tout quelque chose d'une mère en elle ?

– Il a toujours inventé des histoires. Il est très fort pour imaginer des choses...

Sa voix s'éteignit tandis qu'elle tirait sur la fourrure du divan.

– Bertie ? Il me donne exactement l'impression contraire. Sérieux, bien organisé, sachant tenir une maison.

Si quelqu'un menait une vie imaginaire, c'était la mère, pas le fils. Jetant de nouveau un coup d'œil autour de la pièce, il songea que ce décor était lui aussi une fiction bien fragile.

– Oui, il l'est. Meilleur que moi pour ce qui est de la maison. Bertie sait tout faire et le faisait souvent quand je travaillais. La cuisine, la lessive, le ménage. Il en était même arrivé à envoyer ce vieux chien dans les boutiques. Il est toujours là-bas, n'est-ce pas ? Arnold ?

Elle dit cela comme si elle s'enquérait de quelque connaissance du temps de sa jeunesse. Jury acquiesça d'un signe de tête. Elle prit un ton agressif et elle se pencha vers lui, les mains étroitement serrées autour des genoux :

– Écoutez-moi, maintenant. Bertie reçoit de l'argent, j'y veille. Je lui ai dit d'encaisser les chèques de la pension.

– Il doit les signer pour les avoir. Cela l'oblige à faire des faux.

– Bah, de toute façon. Voyons, il faut que vous compreniez. Je lui ai écrit plusieurs fois. Je lui ai bien expliqué la situation, c'est-à-dire que je ne pouvais pas supporter de vivre là-bas. Je ne suis pas partie comme ça en le laissant en plan.

Vous avez failli me donner le change, songea Jury.

– Vous avez donc demandé à Miss Cavendish et à une ou deux autres de jeter un coup d'œil sur lui. Vous avez déclaré à Miss Cavendish que vous alliez à Londres, est-ce exact ?

Avec empressement, elle hocha la tête comme si, maintenant qu'ils étaient sur la même longueur d'onde, il ne jugeait pas tout cela si mal.

– Voyons, je reconnais que je ne vaux pas grand-chose comme mère. – Elle eut un sourire sévère, comme si l'aveu annulait le passé. – Mais, croyez-moi, je n'ai jamais été faite pour avoir des gosses. Je me suis mariée trop jeune. Juste dix-huit ans...

Et cela commença, comme la célébration d'une vieille messe qui a perdu toute signification, la justification de sa conduite, un exposé fastidieux et sans surprise pour Jury qui avait entendu déjà si souvent cette histoire ou des histoires semblables.

Les difficultés de son existence dans ce petit village de pêcheurs. Un mariage raté avec un salaud, un bon à rien. Le diable qu'on tire constamment par la queue. Le manque d'avantages, le manque d'avenir, et elle était encore jeune, n'est-ce pas ? Et Rackmoor. Le pur ennui qui vous ronge jusqu'à la moelle là-haut dans la grisaille du Nord, loin des lumières de la ville, pas de distractions, rien. Sa rencontre avec Joey Cory. Beau, il la faisait rire, il avait de l'argent. Mais il ne voulait pas d'elle s'il y avait un gosse à la clef. Pas de gosses, disait-il.

– Vous voyez tout ça ? Neuf, que c'est. Cory achète toujours du neuf. Quelque chose devient usagé, sale, nous le jetons, simplement, et achetons du nouveau.

Son mince sourire en arc était triomphant, comme si elle avait découvert un moyen de vaincre la maison.

Une vie jetable. Jury voyait les jours s'effeuiller de cette pièce comme les pages d'un calendrier, toujours vides, sans que rien n'y entre. Il se leva de son fauteuil.

– Et que fera-t-il quand vous serez devenue sale et décrépite ?

La rage la tira du divan, son visage mince comme une flamme blanche et froide. La gifle le fit reculer, mais ne lui causa guère de mal. La main de Roberta pesait d'un si faible poids que cela ressemblait plutôt à l'effleurement nerveux d'une aile d'oiseau.

Elle n'avait abouti, d'ailleurs, qu'à s'effrayer elle-même, et saisit la main fautive avec l'autre. Des mains fines, trop fines et veinées de bleu. Cette maigreur, ces lignes naguère arrondies et plaisantes arasées maintenant en angles vifs l'intriguaient. Il y avait des creux sous les pommettes.

– Vous n'avez pas le droit de venir ici pour dire des choses pareilles, s'emporta-t-elle de nouveau. Et maintenant je suppose que vous allez vous rendre tout droit aux services sociaux pour les avertir ? Je ne retourne pas à Rackmoor, je peux vous le dire. Si je suis obligée de le garder, il devra venir ici et...

Elle passa la main sur son front comme s'il était douloureux. Visiblement, le simple fait de penser à Joey Cory coupait court à cette idée.

– Je ne vais pas les avertir, répliqua Jury. Je ne veux pas qu'ils vous trouvent.

Elle cilla et le dévisagea dans un silence qui s'éternisait. Mais elle ne parut pas soulagée. Ses sourcils se froncèrent. C'était comme si la vie s'était simplement transformée en un nouveau puzzle, plus difficile, son dessin découpé en pièces d'herbe et de ciel encore plus petites, ses couleurs estompées plus compliquées à assembler.

Jury songea à la vie que Bertie aurait auprès d'elle, écrasé sous son oppressante frustration d'avoir à le porter, tel un petit bagage bosselé, dans sa main douloureuse. N'importe qui, n'importe quoi, ou presque, serait pour lui une meilleure compagnie : la solitude, les privations, le besoin, la gêne – tout vaudrait mieux. Plus sûr, plus palpable même, quelque chose vers quoi on pouvait tendre la main et qu'on pouvait toucher. Mais Roberta Makepiece ne semblait plus susceptible d'être touchée. A la voir ainsi, toute droite dans ses vêtements noirs sur cet arrière-plan blanc, on eût dit le trait rageur dont un artiste insatisfait aurait barré sa composition.

– Voici ce que vous allez faire, ordonna Jury. Vous allez écrire trois lettres. La première à Bertie – à lui vous direz la vérité. Juste ce que vous m'avez dit. Veillez à ne pas mentir, ou enjoliver les choses, ni lui donner un espoir. Sauf un seul : que jamais, en aucune circonstance, il n'aura à vivre dans un orphelinat. Que vous soutiendrez, pour le moment, le mensonge qu'il a été forcé d'inventer. Cela, c'est le but de la deuxième lettre : vous donnerez à Miss Cavendish la même version que celle que Bertie a servie aux gens. Vous êtes en Irlande du Nord, à Belfast, occupée à soigner votre pauvre grand-maman. Arrangez-vous pour que ce soit bien triste, une mort qui tarde à venir. En fait, qui tarde tellement que vous ne savez pas trop si vous envisagez votre retour dans un avenir proche. Cela implique que vous aurez besoin de quelqu'un à Rackmoor pour veiller sur Bertie. Et c'est la troisième lettre, pour Kitty Meechem. A mon avis, Kitty Meechem est la personne parfaite...

– *Kitty ?* Vous parlez de celle qui tient le *Renard Trompé ?* Écoutez, je ne veux pas que mon garçon vive dans un pub...

Jury ne fut même pas irrité par la bizarrerie de ce « mon garçon », par cette moralité étrangement faussée, parce qu'il se doutait à demi que ce qui motivait maintenant Roberta Makepiece était la sensation très réelle d'une perte imminente.

– C'est un métier parfaitement respectable et Kitty est quelqu'un de vraiment bien. Elle a beaucoup d'affection pour Bertie. Et aussi pour Arnold. Naturellement, il y a toujours Frog Eyes et Codfish, si vous préférez...

Elle réprima vivement un sourire.

– Non, pas elles, surtout pas. Mais, écoutez...

Jury passa outre à toute objection.

– Puis prenez ces lettres et mettez-les dans une enveloppe que vous enverrez à cette vieille grand-mère pour qu'elle les expédie d'Irlande. Cela nous donnera au moins le temps de voir venir en attendant que l'affaire soit bien réglée...

Il ne voulut pas dire « légalement ». Cela aurait eu pour elle un tel accent d'irrévocabilité. C'était bizarre. Froide

252

comme elle l'était, rendue plus froide encore par cette pièce d'un blanc de glace – froide, calculatrice, égocentrique – il devinait pourtant en elle la peur de perdre pour de bon ce qu'elle avait déjà jeté aux chiens.

– Et si je ne le fais pas ?

Il n'y avait qu'un semblant de défi dans sa voix.

– Alors je reviendrai. Au revoir, madame Cory.

Mais elle le retint par la manche quand il ouvrit la porte.

– Attendez un peu...

Elle ne paraissait pas avoir envie qu'il s'en aille, ni savoir pourquoi elle voulait qu'il reste. Pendant un instant encore elle le garda là en disant :

– Robert. En réalité, son nom est Robert.

– Quoi ?

Jury était déconcerté.

Elle souriait vaguement, comme si son esprit feuilletait un vieil album.

– Bertie est son diminutif, mais son prénom est Robert. Je lui ai presque donné le même nom que moi, ma foi.

Ce fut pour Jury comme s'il était transpercé d'une minuscule flèche : à un moment donné, elle avait donc éprouvé le besoin de lier l'enfant à elle. Roberta et Robert.

Depuis un long moment déjà, sa colère contre elle s'était éteinte.

– Je m'en souviendrai. – Il sourit et parvint enfin à s'attirer ainsi en retour un sourire de Roberta Makepiece. – Au revoir.

La porte se ferma derrière lui.

Il redescendit la rue vers la station de métro. Le pâté de maisons était désert à l'exception d'un chat orange à l'air galeux qui se léchait sous un porche. La fourrure avait l'air de résister au passage de la langue, mais le chat persistait. Un coup de vent subit plaqua une page de journal contre la jambe de Jury. Elle s'envola de nouveau, détournée par le vent, se collant tantôt contre un arbre, tantôt accrochant une grille, comme quelque vieux retraité distrait qui cherche sa porte sans la trouver.

Il continua son chemin le long de la rue, le journal planant de plus en plus loin, et se demanda pourquoi il était venu. Il eut le sentiment de ne pas avoir accompli grand-chose. Pourtant quelqu'un en lui semblait approuver son acte. Il se rappelait une institutrice qu'il avait eue quand il était tout petit, une institutrice qu'il avait aimée avec une passion d'enfant, elle lui avait mis la main sur la tête et l'avait félicité d'avoir tout particulièrement bien nettoyé un tableau noir plein de craie.

13

Quand Jury entra au *George* à six heures, il vit Jimi Haggis assis au bar, ses longues jambes accrochées au tabouret, embrochant un morceau de pâté de veau et jambon.

– Salut, Jimi, dit Jury en prenant le tabouret à côté de lui.

– Richard ! Salut, mon vieux.

Jimi lui tapa sur l'épaule et reporta son attention sur un oignon mariné qu'il pourchassa de sa fourchette. Jimi appartenait à la Brigade des Stupéfiants et Jury le soupçonnait de priser ce genre d'affectation parce qu'il pouvait ainsi porter les cheveux longs et la chemise déboutonnée. Il essuya un bout de croûte fiché dans sa moustache tombante.

Ils demeurèrent assis dans un silence amical pendant quelques instants. Le pub se remplissait des clients habituels sortant de leur travail et de gens de passage. Une jeune dame à l'air particulièrement charmant se blottit sur le tabouret à la droite de Jimi.

– Excusez-moi, ma belle, dit Jimi, tirant avantage de la façon dont elle s'installait pour attraper devant elle le pot de moutarde.

Il s'arrangea pour lui effleurer le sein et Jury vit les sourcils de la jeune femme se froncer sous l'effet d'une légère irritation quand elle regarda Jimi. Puis, voyant que Jury l'observait, elle détourna les yeux, les ramena ensuite vers lui. Jury lui sourit comme s'ils partageaient un secret. A travers la fumée de sa cigarette, elle rendit ce qui semblait plus qu'un sourire.

Jimi parsemait son pâté de petits tas de moutarde et déclarait :

– Ce que je ne comprends pas, c'est que me voilà avec une bourgeoise et trois gamins, dont deux en couche-culotte. Me voilà... – Il étendit les bras, se débrouillant de nouveau pour effleurer le sein à côté de lui et murmurer « *Pardon, mignonne* » – ... jeune, sexy, beau, libre d'esprit, du moins est-ce l'impression que j'ai. Et vous voilà vous, fort, solide, aussi sûr qu'une chambre forte ; vos yeux me rappellent les souterrains où est conservé l'argent de Londres, vous savez ça ? En tout cas vous voilà, sans responsabilités, et les femmes fondent devant vous. En voici une qui vient maintenant.

Jimi pointa sa fourchette vers la serveuse du bar, Polly.

– Bonjour, l'ami, dit-elle à Jury, s'arrangeant pour feindre de ne pas voir Jimi. Qu'est-ce que ce sera ?

– La meilleure bitter et un de ces œufs durs, Polly.

Entre Jury et Jimi était posé un présentoir avec une haute calotte de plastique. Polly souleva la calotte par son bouton et fit rouler un œuf dans une petite assiette. Elle se pencha par-dessus le bar, augmentant la vision du sillon entre ses seins.

– Où étiez-vous donc, mon cher ? Celui-ci est ici tous les jours, ou presque. Il ne travaille donc pas ?

Jimi regardait d'un air furibond son profond décolleté volanté.

– Il est précisément en train de travailler.

Polly vit la direction des yeux de Jimi, cligna de l'œil à l'intention de Jury et s'éloigna le long du bar.

– Voilà ce que je veux dire, commenta Jimi. Je n'y comprends rien.

– Moi non plus.

– Vous devez reconnaître que j'ai un certain charme. – Il marqua un temps comme si le sentiment de son identité tenait au hochement de tête rassurant de Jury. – Hier soir, laissez-moi vous dire, j'en avais une avec une paire de...

Il ouvrit les mains paumes en l'air et les souleva comme pour soupeser des fruits, puis il saisit la coupole surmontant la pyramide d'œufs durs et appuya son front contre le plastique.

Jury secoua la tête. Jimi était un de leurs meilleurs limiers, probablement le meilleur de la Brigade des Stups bien qu'il fût plus jeune que la plupart d'entre eux. Au boulot, il montrait une assurance suprême ; en dehors des heures de service, c'était une autre affaire. Il se jetait sur la moindre des béquilles qu'il pouvait trouver, Jury étant celle qui supportait le plus gros poids.

– Cette rouquine avec qui vous sortiez, reprit Jimi. Qu'est-ce qui lui est arrivé ?

Maggie, c'était une photo dans le tiroir de son bureau. C'est là qu'il l'avait enterrée. Mais il exhumait le corps de temps à autre.

– Elle a épousé un Australien.

Jimi le dévisagea d'un air foncièrement incrédule.

– Elle s'est mariée avec quelqu'un *d'autre* ? Et avec un Aussie par-dessus le marché ? Ça alors ! N'y a-t-il pas eu quelqu'un...

– Pourquoi ne pas laisser tomber, Jimi ?

Il regarda la jeune femme à côté de Jimi. Elle était vêtue d'une tenue bourgogne et son bras soyeux reposait sur l'acajou sombre.

– Bon, mon vieux, bon. – Jimi leva les mains en l'air, puis se consacra de nouveau à son repas. – J'ai entendu dire que tu vas avoir cette promotion qui a tellement tardé.

Jury n'avait pas envie de continuer à parler femmes ou promotion ; il jeta sur le bar quelques pièces de monnaie et se leva.

– J'ai rendez-vous avec quelqu'un, Jimi. A plus tard.

Tout le temps qu'il traversa la salle, il sentit peser sur lui le regard de velours de la jeune femme en tailleur bourgogne.

La porte s'ouvrit dans un chuintement et Melrose Plant entra, fouilla la foule du regard, vit Jury et se fraya un chemin parmi ce qui était maintenant une véritable bousculade.

– Benderby, vieux camarade ! dit Melrose.

Jury écarta du pied une chaise.

– Asseyez-vous, monsieur Plant. Benderby et moi vous remercions pour vos billets. Et la photo. Allons, dites-moi, comment vous vous y prenez ?

– Dévoiler mes méthodes à Scotland Yard ? Pourquoi diable le ferais-je ? Je suis d'avis d'aller chercher à boire. En voulez-vous un autre ?

Plant pointait vers le verre de Jury sa canne à pommeau d'argent.

– Ce n'est pas de refus. Allez-y.

Melrose prit le verre, posa sa canne sur la table et se fraya de nouveau un chemin dans la foule. Jury attira une chaise plus près de lui sous la table et posa ses pieds dessus. Il était fourbu. Machinalement, il fit rouler la canne, la souleva et, pris de curiosité, tripota le pommeau. Il tira dessus. Une canne épée. Seigneur.

De retour avec les boissons, Melrose s'assit et se lança dans un récit de sa nuit et de sa journée, commençant avec la photo, qu'il passa à Jury.

– Nous savons donc que Craël la connaissait. Mais laquelle connaissait-il ? Je veux dire, laquelle des deux était-ce ?

– Gemma Temple, répliqua Jury en mettant la photo dans sa poche. Elle s'est rendue à Rackmoor dans la voiture de la fille avec qui elle partageait un appartement parce que la sienne portait le signe L, des débutants. Elle commençait juste à savoir conduire.

– Et Dillys March conduisait toujours cette voiture rouge. Pour l'amour du ciel.

Jury hocha la tête et tous deux restèrent silencieux, les yeux fixés sur leur bière. Jury se renversa en arrière. La clarté abricot d'une rare journée de soleil froid avait disparu de l'entrelacs de tulipes des vitraux du pub et Londres s'assombrissait dans le crépuscule. Mais cela ne produisait pas un effet mélancolique sur Jury qui sentait, même dans le pub enfumé, qu'il y avait de la neige au-dehors. Londres en hiver était pour Jury la meilleure des saisons. Les rues détrempées comme de vieux gants ; l'odeur de caoutchouc et d'humidité des bottes ; les chevaux montés fumant dans les jardins de Buckingham. Il aimait Londres, et ce sentiment le prenait parfois par surprise.

– A la façon dont j'interprète les choses, Julian Craël a vu quelque part Gemma Temple et a été bouleversé par sa ressemblance avec Dillys March. Je suis persuadé que Dillys comptait beaucoup plus pour Julian qu'il ne l'a jamais avoué. Alors lui et Gemma sont devenus amants. Gemma a compris qu'il y avait là un moyen de s'emparer d'une fortune. Il a dû lui raconter beaucoup de choses sur lui-même, sa famille, son foyer... et Olive Manning. Je pense qu'il s'apprêtait à plaquer Gemma, peut-être en comprenant à quel point était mince cette illusion qu'il vivait. Alors Gemma s'est mise en rapport avec Olive et elles ont monté cette petite escroquerie.

– Attendez une minute : Olive Manning a nié dès le début que cette femme fût Dillys March. Cela n'a pas de sens, si elle voulait que le colonel croie que Dillys était revenue.

– Exact. Je ne m'explique pas cela non plus. Tout ce que je sais, c'est qu'elle et Gemma Temple étaient de mèche. Et quand des voleurs se brouillent, c'est une sacrée bonne raison pour tuer...

– Il y en a une encore meilleure, n'est-ce pas ? Celle de Julian Craël.

– Je sais qu'il est votre suspect favori. Mais pourquoi l'assassiner ? Pourquoi pas, plutôt, raconter toute l'histoire à son père ? Julian savait que cette femme n'était pas Dillys March. Et n'oubliez pas son alibi...

– Vous ne croyez pas vraiment qu'il l'a fait, n'est-ce pas ? Vous ne cessez de le défendre, c'est certain.

– Je ne sais pas *qui* l'a fait, je peux vous dire cela. Et je ne le « défends » pas.

Jury se demanda si c'était vrai. Pourquoi éprouvait-il une telle empathie pour un homme si distant, froid et – allons, soyons raisonnable – potentiellement animé par le mobile le plus puissant ? Julian Craël pesait sur son esprit et il écartait probablement avec de fausses raisons les soupçons parfaitement justifiables de Plant.

Pourtant il songea à Julian, le revoyant debout dans la lumière hivernale du salon, le bras allongé sur la tablette de la cheminée, sous le portrait de cette femme exquise, drapée dans un châle de soie, qui avait été sa mère. Et assis là, dans le vacarme de ce pub empli de fumée, il ressentit le même frisson glacial qu'assis là-bas à écouter Julian dans le silence de ce salon. « *Je pensais, vous savez, que peut-être elle était morte.* » Il y avait juste cette pointe d'interrogation dans les mots comme lorsqu'on ne comprend pas soi-même ce qu'on dit, comme si Julian s'était attendu à ce qu'une chose qui le dépassait, quelque chose de vaste – les landes peut-être, ou la mer – lui donne une réponse.

Qui donc était peut-être morte ? se demanda Jury.

– Vous ne tenez pas à ce qu'il soit coupable.

Le jugement de Plant coupa court à ses réflexions et lui fit comprendre que, pendant qu'il réfléchissait, il n'avait cessé de contempler la jeune femme vêtue de bourgogne encore assise au bar.

Furieux contre lui-même, il avala ce qui restait de sa pinte de bière et répliqua :

– Il est presque sept heures. Il serait sage que nous partions. Cela fait six heures de route pour rentrer à Rackmoor. J'ai bien envie de dire un mot à Olive Manning. – Le coup d'œil de Plant fut comme une flèche. – Oui, j'ai entendu ce que vous avez dit. Que je tienne ou que je ne tienne pas à ce que quelqu'un soit coupable n'est pas la question. Rappelez-vous, toutefois, que Craël a un alibi.

Plant, toujours assis, pointait maintenant sa canne en visant comme si c'était un canon de fusil.

– Est-ce suffisant ? On a déjà transformé des alibis en écumoire.

14

– Et si nous nous arrêtions pour tirer Agatha du lit ? Elle ne fera son rapport qu'à vous, tenez-vous-le pour dit. Je me demande où elle en est de sa recherche du bulletin de consigne.

De dessous son chapeau, Jury répliqua :

– Je pense que je vais renoncer à ce petit plaisir, si vous n'y voyez pas d'inconvénient.

Ils prenaient le volant à tour de rôle et avaient marché rondement. Melrose conduisait depuis leur précédent arrêt dans un restaurant de routiers pour avaler une tasse de café et une tranche d'affreux pâté.

– Vous savez, dit Melrose, l'assassin a peut-être simplement pris Gemma Temple pour Lily Siddons. Mais quel serait le mobile ?

– Le colonel a une affection profonde pour Lily Siddons, répliqua Jury, la voix assourdie par son chapeau rabattu. Autant que pour Dillys March. Je crois.

– Allons, bon Dieu, il aime la moitié du comté ! J'espère que nous n'allons pas découvrir des cadavres d'un bout à l'autre du Yorkshire.

Jury ne répondit pas.

Melrose en conclut qu'il s'était assoupi et poussa la Jaguar à cent cinquante.

15

Plant s'était excusé discrètement et avait gagné sa chambre, et Wood – incapable de cacher sa surprise devant la requête de Jury – était allé convoquer Olive Manning.

Tout le reste de la maison dormait, apparemment, ce qui convenait fort bien à Jury ; il souhaitait aussi peu que possible faire sensation.

Jury se tenait debout dans la retraite du colonel, la salle de la Chasse, quand Olive se présenta. En peignoir, sans ses clefs, et les cheveux déroulés, privés de leur chignon complexe, Olive Manning avait l'air un peu plus humaine. Et elle n'avait pas l'intention non plus, Jury le découvrit avec soulagement, de perdre du temps.

– Fanny a toujours trop parlé, attaqua-t-elle.

Comme Jury, elle préféra rester debout pour le dire.

– Comment Gemma Temple a-t-elle réussi à vous trouver, madame Manning ?

– Par Julian, bien sûr. Il a manqué de discrétion à un point extrême. Pourtant, l'un dans l'autre, cette histoire a tourné à mon avantage... *aurait* tourné, devrais-je dire, si quelqu'un n'avait pas tué cette femme.

– Quelqu'un ? Pas vous, madame Manning ?

– Absolument pas. Bien que je sois certaine que j'aurai du mal à vous en convaincre.

– Vos relations avec Gemma Temple incitent évidemment à le penser. Mais revenons en arrière ; je veux dire, plus précisément, comment Gemma Temple savait-elle que vous séjourniez chez votre sœur ?

262

– Elle a téléphoné ici d'abord. Wood, ou quelqu'un, lui a expliqué que je me trouvais à Londres. Elle a téléphoné là-bas, m'a raconté qu'elle avait une information de la plus grande importance à me communiquer à propos de Dillys March. J'étais stupéfaite. Qui était donc cette inconnue qui savait quelque chose sur une jeune fille disparue depuis quinze ans ? Elle était descendue à l'*Hôtel Sawry*. Julian venait de partir ce matin-là – je l'ai découvert par la suite. Quand je l'ai vue... – Olive Manning ferma les yeux. – La ressemblance était absolument exceptionnelle. Ma foi, naturellement, j'ai cru qu'il s'agissait bien de Dillys. Cette femme était assez intelligente toutefois pour comprendre que les renseignements qu'elle possédait sur Dillys, sur son passé à la Vieille Maison, ne résisteraient pas à un examen sérieux. Je crois que sinon elle serait venue ici tenter le coup toute seule. Elle avait besoin d'en savoir plus, de mieux construire son personnage si elle voulait se faire passer pour Dillys.

Olive Manning l'expliquait avec une sérénité parfaite, et sans aucun remords.

– Vous avez donc marché dans la combine et effectué ce petit « briefing ».

– Oui.

– Comment pouviez-vous espérer réussir un tel coup sans que Julian réagisse ? Il n'aurait jamais admis que cette femme habite ici en se faisant passer pour sa cousine...

– *Habite* ici ? Seigneur. Moi non plus, je ne le voulais pas. Elle devait encaisser les cinquante mille livres et nous devions les partager. C'est tout. Pourquoi Julian l'admettrait-il ? « Admettre » n'est peut-être pas précisément le terme, vous savez. Aurait-il convaincu le colonel qu'elle *n'était pas* Dillys March ? Gemma aurait été capable de corroborer n'importe quelle histoire que Julian aurait racontée à son père. Et jouer cette petite comédie l'aurait aussi beaucoup amusée.

– Pourquoi ne pas tout simplement faire chanter Julian, alors ?

– Pour une part, je ne crois pas que Julian aurait casqué. Il est exactement du genre à dire « publiez et allez au diable », vous savez. D'autre part, il n'aurait pas pu réunir assez vite une somme aussi forte. – Elle eut un léger sourire.
– Justice immanente, vous comprenez. Dillys March avait été laissée libre par les Craël de ruiner mon fils. J'ai pensé

que je méritais de la voir, elle, faire passer à Julian un mauvais quart d'heure.

Une femme tendre, songea Jury.

– Comment a-t-elle rencontré Julian la première fois ?

– Par hasard. Dans une gare... à Victoria, je pense.

– Au début, vous avez nié la possibilité qu'elle soit Dillys. Était-ce pour donner ensuite plus de poids à votre opinion, quand vous avez fini par déclarer qu'après tout ce pourrait être elle ?

– Exactement, inspecteur. J'ai estimé qu'au départ je ne devrais pas être trop aisément convaincue.

– Il n'y avait pas de preuves.

– J'ai eu accès à divers documents, dont une copie de l'acte de naissance de Dillys March, et quelques autres. Au cas où cela aurait été nécessaire. Mais vous connaissez mal le colonel Craël si vous pensez que c'en serait venu là. Il lui aurait donné son « héritage » sans barguigner, croyez-moi. Néanmoins, j'aurais pu mettre Gemma en mesure de fournir ce qu'il fallait au moment approprié.

– Le moment n'est jamais venu.

Il y eut un long silence. Elle soupira.

– Eh bien, inspecteur. Avant que vous ne lâchiez les chiens sur moi, j'aimerais passer un marché avec vous.

Qu'elle ne fût pas en position de négocier, cela ne l'avait pas effleurée. On aurait cru qu'ils débattaient du prix de la causeuse en velours vert sur laquelle elle appuyait maintenant la main. Dans la clarté diffuse du globe dépoli – la seule lampe que Wood avait allumée – la topaze brûlée de sa bague scintillait à son doigt.

– Quel genre de marché, madame Manning ?

– Vous comprenez, je reconnais assez volontiers avoir... commis des manœuvres frauduleuses, je pense que vous appelez cela comme ça. Et, sur ce point, je ne vous mettrai pas de bâtons dans les roues. Toutefois, j'estime avoir le droit d'essayer de me disculper d'une accusation de meurtre. Je ne peux pas le faire si vous m'arrêtez.

Jury eut un léger sourire.

– C'est à nous qu'il incombe de le faire – de vous disculper, j'entends – si c'est faisable.

Elle secoua la tête.

– Sans certitude de succès. Tout ce que je désire, inspecteur, c'est un répit de quatre ou cinq heures. Une chasse a

lieu demain... je devrais dire ce matin. Si vous pouviez seulement me laisser une certaine liberté de mouvement
jusque-là...

— En quatre ou cinq heures, vous pourriez être loin d'ici...

Elle eut un rire sec.

— Oh, allons donc, inspecteur. Je n'ai nulle part où aller.
En dehors de la Vieille Maison, je n'ai pas de vie personnelle, à l'exception de mon fils, et comment le rever-
rais-je jamais si je déguerpissais?

Il aima ce mot dans sa bouche. Il sourit.

— Qu'est-ce que vous avez l'intention de faire? Dans ce
marché, quel sera mon bénéfice à moi si je vous accorde ce
délai?

— Je pense être en mesure de débusquer un renard pour
vous, inspecteur. Demain, comme le colonel aime à le dire,
fit-elle avec un sourire, nous sortons la vieille guenille
rouge.

VI

La vieille guenille rouge

1

A huit heures trente du matin, Melrose Plant, l'estomac vide de tout petit déjeuner, à l'exception d'une bonne lampée d'un coup de l'étrier du style assommoir pour soutenir le corps et l'esprit, se relevait du sol. Il avait déjà fait une chute une demi-heure plus tôt quand sa monture avait manqué de peu franchir un mur. Cette fois, le cheval avait flanché en sautant un ruisseau et il s'époussetait avant de remonter en selle. Finalement, que son esprit fût engourdi était une bonne chose, car ses mains et ses pieds l'étaient également. Melrose n'arrivait pas à imaginer quel sentiment d'obligation courtoise envers son hôte l'avait guéri de son genou malade et tiré d'un lit chaud pour s'enfoncer dans le froid et le noir à six heures du matin. « La journée était exceptionnelle pour suivre une voie de renard et le baromètre remontait », n'avait cessé de déclarer le colonel avec une insupportable régularité.

Melrose se remit en selle. Le fumet du goupil et le baromètre pouvaient bien monter jusqu'au ciel, pour tout l'effet que celuí lui faisait. Il ne s'intéressait ni aux chiens ni au renard, mais il était très curieux des gens. Les voilà qui galopaient à travers les landes, en veste rouge, en habit à queue-de-pie, en veste de tweed, galopant comme s'il n'y avait même pas eu de figure égratignée ou de veste déchirée (on ne les comptait plus), pour ne rien dire d'un assassinat.

Il examina la partie de la chasse qu'il pouvait voir – vestes rouges ou en drap de Melton, chapeaux melon, capes de chasse en velours pour les femmes, cols-cravates, souliers à tige, jeans et chandails. Un équipage disparate, tous s'amusant apparemment à cœur-joie sur cette lande barbare, dans l'humidité, la brume et la neige. Dans le lointain, une bande de vigoureux suiveurs à pied couronnait la colline, comme des spectateurs à un match de cricket. Dieu seul savait où se trouvait le veneur ; Melrose ne l'avait pas vu depuis qu'ils avaient gagné au petit trot le hallier où Tom Evelyn avait fait son débucher une demi-heure plus tôt.

Fouillant la brume du regard, il eut l'impression de distinguer le colonel et, comme Evelyn n'était pas visible, Melrose pensa que la moitié de la meute avait dû prendre le change sur la piste d'un autre renard, car le colonel Craël avait levé son chapeau et donnait le signal de la vue.

Le cheval gris qu'il montait devait être passionné par tout ça, même si Melrose ne l'était pas, et, quand les chiens commencèrent à donner de la voix, il repartit dans un galop plein d'allant. Dieu merci, le terrain était dégagé, peu de barrières et pas de barbelés. Melrose tint la tête baissée quand son cheval franchit ce qui semblait un double fossé. A présent, les chiens de queue avaient disparu dans la brume et devaient suivre à l'oreille plutôt qu'à la vue.

Le gris se lança allégrement au-dessus d'un autre fossé et Melrose s'attendit à tout moment à ce que le sol froid vienne se plaquer contre sa figure. Dominant le bruit d'autres sabots qui faisaient craquer le sol gelé, Melrose entendait des chiens menant un boucan d'enfer. Une éclaircie dans la brume lui révéla un groupe de chevaux et de cavaliers, tous arrêtés près d'un long mur de pierre. Il présuma que le colonel avait trouvé son renard et en fut content. Maintenant, peut-être, allaient-ils rentrer, manger et agir en civilisés. Il freina le galop de son cheval, continua au trot et mit pied à terre à l'endroit où dix ou douze autres cavaliers faisaient de même.

Le mur devant eux semblait jaillir de la brume sans raison pour autant que Melrose pouvait en juger. Les chiens se déchaînaient, et cela ne signifiait pas une découverte, même à son oreille non exercée. Le colonel Craël semblait les repousser et le piqueur était beaucoup plus blême que le froid ne le justifiait.

Mon Dieu ! songea Melrose quand il finit par la voir.

Olive Manning était couchée en travers du mur, la tête en bas, comme une énorme poupée de chiffons, les jambes pendant d'un côté, les bras de l'autre. Il y avait du sang partout... coulant sur la pierre, tachant la neige, barbouillant la culotte de cheval, la veste de drap de Melton, les bottes. On eût dit qu'elle avait essayé, avant de mourir, de se hisser au-dessus et à l'écart des pierres meurtrières. Une telle clôture aurait incité n'importe quel cheval et cavalier à la refuser et à chercher un autre moyen de passer. C'était moins sa hauteur qui excluait d'avance tout saut que la façon dont elle était hérissée de morceaux de calcaire en lame de couteau, posés transversalement. Cela revenait à tomber sur des fers de lance.

– Appelez Jury, dit Melrose à la cantonade.

2

— C'est moi qui l'ai découverte, inspecteur Jury ; ou plutôt c'est Jimmy et moi qui l'avons trouvée.

Le colonel était appuyé au mur comme si ses jambes refusaient de le soutenir.

Entre le moment où le valet de chiens était parti à cheval jusqu'à Cold Asby pour téléphoner au *Renard Trompé* et celui où Jury était arrivé, Melrose Plant et Tom Evelyn avaient fait du bon travail, le premier en écartant les participants à la chasse, le second en rassemblant la meute.

Il n'y avait plus sur la lande à présent que Jury, Wiggins, le colonel Craël et le cadavre d'Olive Manning.

Alors qu'il examinait le corps, en attendant Harkins et le médecin légiste, Jury se maudissait intérieurement. S'il n'avait pas accordé à Olive Manning ses quelques heures de liberté, ceci ne se serait pas produit.

— Quand l'avez-vous vue pour la dernière fois, ce matin ?

— Je ne me rappelle pas l'avoir vraiment vue, inspecteur. La chasse devait bien compter une cinquantaine de participants ; c'est un groupe important pour cette époque de l'année. Je ne cherchais pas particulièrement Olive.

— D'où vient qu'elle soit partie seule de son côté ? Elle *précédait* la meute ?

— Franchement, je ne sais pas. Peut-être suivait-elle le premier renard, le renard de Tom.

— Racontez-moi ce qui est arrivé, alors.

— Nous allions à un galop très rapide. Les chiens couraient déjà depuis une demi-heure environ sans désemparer. Ma foi, c'était une journée parfaite pour suivre une voie, alors ils ont continué la piste et ont filé droit sur le Creux du Danois. Après cela, la meute s'est divisée à huit cents mètres environ près de Kier Howe. C'est l'autre côté de Cold Asby. En tout cas, j'ai vu cet autre renard s'échapper du Creux de Badsby. Le piqueur – c'est Jimmy – a sonné la vue et nous sommes partis. Quand nous avons approché de ce damné obstacle, je me suis demandé pourquoi ils hésitaient si soudainement. J'ai cru que la piste avait été traversée et que le terrain les mettait en défaut, vous savez, piétiné par des moutons. Les moutons sont pires que les vaches, quelquefois ; ils peuvent supprimer un fumet comme une éponge.

Jury l'interrompit :

– Oui. Continuez.

– Puis les chiens ont longé l'obstacle. Je pensais qu'ils cherchaient la brèche... il y en a une un peu plus loin, et alors... eh bien... Jimmy m'avait rejoint juste au moment où ils ont commencé à donner de la voix. Nous sommes arrivés... devant Olive au même moment. Et quelques minutes plus tard, Evelyn a descendu la colline là-bas avec les chiens qui aboyaient. – Le colonel haussa les épaules, laissa son regard se perdre dans la lumière grise. – C'est tout. Evelyn a rameuté les chiens et les a emmenés.

Jury se détourna de la dépouille d'Olive Manning.

– Sergent Wiggins, prenez la Jeep et le colonel Craël avec vous, retournez à la Vieille Maison et assurez-vous que personne ne quitte les lieux.

– Ce sera une épreuve pour eux, inspecteur, dit Craël. Quelques-uns seront obligés de refaire à cheval tout le trajet jusqu'à Pitlochary, et je suis sûr...

– Je me fiche pas mal de la trotte qu'ils auront à faire.

3

Le docteur Dudley s'essuya les mains et secoua la tête.

– Astucieux. Mais il est impossible que cela se soit produit.

– C'est ce que je pensais, répliqua Jury en regardant les hommes de Harkins se lancer sur la piste d'une manière qui ressemblait beaucoup à celle des chiens, s'égaillant tout le long du mur de pierre, passant tout au peigne fin – le sol, les fissures, la neige – à la recherche d'indices.

Harkins fumait, debout dans son manteau doublé de mouton.

– Astucieux est le mot. – Harkins fit courir sa main gantée sur les pierres. – Je n'aimerais pas tomber là-dessus, pas du tout.

Le médecin remballait sa trousse.

– Tomber dessus. Mais cela ne vous tuera pas, encore que cela causerait quelque dégât. – Il claqua la fermeture de sa trousse et se releva. – Ces pierres vous lacéreraient mais elles ne peuvent pas vous transpercer comme une rangée de poignards. Les blessures n'ont pas été simplement provoquées par les pierres.

– Je n'ose pas poser la question, dit Jury, s'adressant à Dudley.

– La même chose, à mon avis, qui a été utilisée pour tuer la dame Temple.

– Et comme nous ne savons toujours pas ce que c'était...

Harkins se dirigea vers l'endroit où le cheval d'Olive Manning avait été découvert, simplement immobile, comme s'il attendait qu'elle se remette en selle. Quand Jury avait donné le feu vert, le cadavre avait été enlevé et transporté dans son sac de plastique jusqu'à un fourgon en attente, dont le gyrophare rouge clignotait dans l'atmosphère fantomatique. Les hommes de Pitlochary étaient parvenus jusqu'au lieu du meurtre par un vieux chemin de terre qui grimpait depuis la route de Pitlochary à Whitby et serpentait à travers Howl Moor. Ils avaient dû enfin traverser un rude terrain pour atteindre ce bout de lande désolée.

– Donc quelqu'un l'a poignardée, l'a jetée par-dessus ce mur pour faire croire que le cheval l'avait désarçonnée, puis s'en est allé. Astucieux, vraiment. Sauf que ce quelqu'un s'est montré moins astucieux en ce qui concerne le cheval. Il se trouvait du mauvais côté de l'obstacle.

Harkins coupa le bout d'un cigare roulé à la main.

Jury le regarda. Il aurait aimé que Harkins soit un peu moins pète-sec. C'était un très bon flic.

Le médecin déclara :

– Cela a dû se produire il y a environ quatre ou cinq heures. J'aurai plus de précisions quand je l'aurai ramenée à la morgue.

– Juste avant la chasse, alors. Elle a commencé vers sept heures ou sept heures et demie, si j'ai bien compris.

– Une heure infernale, commenta Harkins en jetant un coup d'œil circulaire à la lande sinistre et froide. Et un satané coin pour y rencontrer quelqu'un.

– Oui, mais je pense que nous savons pourquoi il a été choisi, répliqua Jury.

Jury faillit devoir traverser à la nage un fleuve brun de chiens courants, dont la queue s'agitait comme un drapeau ; deux des valets de chiens les embarquaient à l'arrière d'un fourgon. Tom vint vers lui monté sur un bai au poil lustré. Jury se demanda comment il se faisait que certains hommes cadraient si bien avec leur vocation. Vêtu d'une veste rouge, les jambes gainées de cuir, là sur ce cheval, Evelyn semblait avoir été peint sur place.

– J'aimerais que vous restiez dans les parages pendant un moment, Tom.

Evelyn porta les doigts à sa bombe, mais ne dit rien.

Charrettes, camping-cars, fourgons, camionnettes, Land-Rover étaient éparpillés d'un bout à l'autre du parc de la Vieille Maison. Jury traversa la cour, passant devant les chevaux fumants, les hommes et les femmes rassemblés là dont l'humeur, bonne ou mauvaise, dépendait probablement de ce qu'ils avaient absorbé – le coup de l'étrier. Jury montait le perron quand il entendit une voix derrière lui.

– Inspecteur Jury. Je vous ai apporté quelque chose.

Lily Siddons était en selle sur Red Run, sa jument alezane, et elle était absolument superbe. Il n'y avait pas de comparaison possible avec la jeune femme en tablier qu'il avait vue dans la cuisine du *Café du Chemin du Pont*. Elle ne portait ni le drap de Melton noir ni le simple tweed des autres cavaliers, mais une veste de velours vert chasseur. Difficile, vraiment, de penser que c'était la même femme. Même dans cette morne clarté matinale ses yeux couleur d'ambre étincelaient. Elle avait enlevé sa cape de chasse, qui était accrochée à la bride, et ses cheveux dorés étaient soulevés par une brise légère. Lily n'était plus la gamine de la cuisinière. Elle se trouvait là dans son milieu. Elle avait l'air élégante, maîtresse d'elle-même, sûre d'elle.

Une Craël en vérité, jusqu'au bout des ongles.

Il tendit la main vers la tasse d'argent qu'elle se penchait pour lui donner.

– Qu'est-ce que c'est ?

Jury s'efforça de sourire, mais découvrit qu'il n'y parvenait qu'avec peine.

– Le coup de l'étrier pour chasser le froid. – Ses yeux s'assombrirent comme il les avait déjà vus le faire quand elle était bouleversée. – Terrible. Je ne vous cacherai pas que je n'aimais pas Olive Manning, et il n'y a pas de raison...

Elle haussa légèrement les épaules, s'éloigna sur Red Run de l'autre côté de la cour, les sabots résonnant sur le pavé. Jury ne but pas, il resta simplement la tasse à la main, comme pétrifié. Il la regarda mettre pied à terre là-bas dans les écuries et se demanda comment diable il avait pu être aveugle à ce point-là.

Tandis qu'il l'observait, la brume parut se lever, se disperser, reculer dans les arbres. Le soleil n'était pas visible, mais il y avait des tons clairs. Le ciel était laiteux ; le matin luisait comme du vieil étain. Et les fragments de l'existence de Lily Siddons se mirent brusquement en place, dans son esprit, pour former un dessin complet comme les fragments brisés d'un kaléidoscope.

Les jumeaux blonds comme l'or : Julian et son frère Rolfe.

Mary Siddons renvoyée sans autre forme de procès par Lady Margaret. Rolfe, l'homme à femmes (et rarement la femme qui convenait), entraîné *subito presto* en Italie. Et le suicide de Mary Siddons.

Les jumeaux blonds comme l'or. Cette chevelure sans pareille, qu'il avait remarquée ce premier soir quand l'éclairage, derrière elle, l'avait illuminée. Les cheveux de Lady Margaret, transmis à Lily Siddons. La petite-fille du colonel Craël.

4

Ian Harkins relâcha ses sangles, pour ainsi dire, débou-
tonnant ce riche manteau de daim doublé de mouton qui
laissa apparaître le costume bleu ardoise qui était dessous.
Il se renversa confortablement en arrière, croisant au-
dessus du genou une cheville gainée de soie, prenant ses
aises avec lenteur, les faisant tous attendre.

Ils étaient réunis dans le bureau du colonel – Jury, Harkins, le colonel et Wiggins. Jury venait de mettre Harkins
au courant de ce qu'il avait découvert à Londres et Harkins n'était pas trop content que ses propres hommes – et
lui-même – ne l'aient pas trouvé. Puisqu'il avait gagné la
manche londonienne (du moins était-ce visiblement la
façon dont Harkins considérait la chose), Jury avait décidé
de laisser Harkins commencer l'interrogatoire.

Harkins refusa l'offre d'un bon cigare que lui faisait le
colonel en faveur d'un des siens qui étaient meilleurs. Le
dépouillant de sa cellophane, il l'alluma avec un briquet
d'argent et procéda à sa transformation en braise ardente.
Jury le laissa prendre son temps, le laissa – comme aurait
dit Les Aird – « mettre son numéro au point ». Un numéro
certainement difficile, car Jury se doutait que Harkins
aurait préféré ne pas marcher sur les pieds de la haute
société – en l'occurrence les pieds du colonel. Sa marge
de manœuvre était donc mince, car Harkins ne voulait pas
apparaître non plus comme un flagorneur devant Jury en
témoignant trop de déférence à l'égard de Sir Titus Craël ?
Allait-il choisir l'extrême opposé et se montrer insultant ?
Jury imaginait que ce n'était pas pour Harkins une transi-

tion inhabituelle. Il aurait bien aimé que le caractère de Harkins soit moins abrupt car il sentait qu'au-dessous l'homme était un bon policier, doté de flair et de clairvoyance.

En regardant maintenant Harkins, assis là-bas en train de dévisager le colonel, Jury eut le sentiment qu'il avait devant lui le véritable inspecteur Harkins, Harkins tel qu'en lui-même

– Vous ne vous demandez pas, Sir Titus, dit Harkins, pourquoi une aussi bonne cavalière a tenté de franchir ce mur ?

La question sembla désorienter le colonel.

– Comment ?

– Pourquoi Olive aurait-elle voulu sauter ce mur ?

Jury ébaucha un sourire. Harkins était apparemment assez familier avec la Mort sinon avec Jury pour user des prénoms.

– Je ne sais pas.

– L'auriez-vous fait ? questionna Harkins avec un léger haussement de sourcil.

– Non.

– Quelqu'un d'autre ?

Le colonel Craël se rembrunit.

– A ma connaissance personne de la chasse ne l'a jamais fait, non.

– Pas plus... – Harkins secoua du petit doigt la cendre de son cigare. – ... qu'elle ne l'a fait.

Le colonel le regarda d'un air interdit.

– Oh, vous devez vous en être douté, Sir Titus. Elle n'est pas tombée sur ces pierres. Elle y a été déposée.

– Déposée ?

Harkins lui coupa la parole.

– Où était votre fils ce matin ?

Venant de cette façon inattendue, la question frappa le colonel comme un poing en pleine figure.

– Eh bien, je suppose que Julian était couché. Ou sorti se promener. Parfois, il sort de bonne heure...

– ... pour une petite marche sur Howl Moor, peut-être ?

Harkins fit crisser le bout de cellophane qui avait enveloppé son cigare. Un bruit désagréable, en accord parfait avec le ton qu'il avait pris. Le visage du colonel s'empourpra et il s'apprêta à protester, mais Harkins le devança.

– En la circonstance, Sir Titus, ne vous êtes-vous pas plutôt douté que votre gouvernante avait été assassinée ?

– Que voulez-vous dire ?

Harkins émit un ricanement d'impatience devant tant d'aveuglement.

– Le meurtre de la femme Temple, naturellement. Vous dites que vous êtes parti sur la piste d'un nouveau renard, c'est bien cela ?

Le colonel hocha la tête.

– Vous êtes beaucoup plus au courant que moi de l'étiquette de la chasse, évidemment, mais cela me frappe comme un manquement à cette étiquette.

De nouveau, le colonel ne put que marquer sa perplexité.

– Je veux dire, Sir Titus, que votre piqueur suivait la piste du premier renard. Il est assez inhabituel que le grand veneur la quitte pour celle d'un autre. Ce n'est pas... – Harkins esquissa le sourire éclair d'un homme exhibant un laissez-passer. – ... courtois. Nul mieux que vous ne le sait... – Il pluma un brin de bourre sur sa chaussette de soie. – Et le second renard vous a conduit pile au bon endroit.

Le colonel devint très rouge, esquissa un mouvement pour se lever de son fauteuil, se rassit, et dit :

– Insinuez-vous, inspecteur Harkins, que je *savais* qu'Olive Manning était là, morte sur ce mur ?

– L'idée m'en était venue.

Dans le silence qui suivit, Wiggins commença à ouvrir une nouvelle boîte de pastilles pour la gorge, regarda Harkins, la remit en place et continua à sucer celle qui était déjà dans sa bouche. Jury rompit ce silence et essuya du même coup un regard noir de la part de Harkins.

– Colonel Craël, nous savons que Gemma Temple n'était pas votre pupille, Dillys. Toute son histoire n'était que mensonges. Elle était venue ici avec la seule intention de récolter cet héritage.

Harkins décocha en direction de Jury un coup d'œil meurtrier : pourquoi donner de tels renseignements ? En un sens, Jury ne le blâmait pas, mais il estimait que le colonel devait être au courant.

Le colonel Craël cligna lentement des paupières. Puis il dit :

– Très bien. Toutefois, je ne vois pas comment elle aurait pu en savoir autant sur Dillys, ou même sur nous.

– Elle avait été renseignée. – Jury était presque navré de le dire. – Par Olive Manning.

Le colonel, immobile sur son siège, parut se ratatiner.

– Par Olive ? *Olive ?*

– Malheureusement oui. Elle avait toujours éprouvé du ressentiment à l'idée que son fils ait été poussé à la folie par Dillys March, du moins c'est ce qu'elle pensait. Elle a fait cela par esprit de revanche. Et de lucre. Olive Manning était donc dangereuse pour quelqu'un...

– Elle savait qui a tué Gemma Temple.

Harkins le proclama avec toute l'autorité d'un *deus ex machina* tombé subitement sur scène pour débrouiller l'imbroglio minable où s'empêtrent les comédiens.

– Peut-être, dit Jury. A moins que quelque chose d'autre...

Il songeait aux tentatives de meurtre contre Lily Siddons. Mais il ne tenait pas à parler ouvertement de Lily et des liens qui, soupçonnait-il maintenant, la rattachaient à la famille Craël. Il évita donc le sujet.

– Et ce voyage en Italie que votre femme et votre fils avaient projeté. Est-ce qu'il s'est organisé subitement ?

– Il y a si longtemps...

– Est-ce que Lady Margaret souhaitait éloigner Rolfe... de quelqu'un ? D'une femme ?

– Je ne vois pas où vous voulez en venir.

Harkins non plus. Il semblait très contrarié de la tournure prise par l'interrogatoire.

– Je pense à Mary Siddons.

La surprise du colonel n'était pas feinte. Jury comprit que s'il y avait eu quelque chose entre Rolfe et Mary Siddons, le colonel ne s'en était pas rendu compte. Mais il était prêt à parier que Margaret, elle, l'avait su.

– Elle était jolie. Une femme charmante, Mary Siddons.

Le colonel était silencieux.

– Est-il possible, à votre avis, qu'il y ait eu une liaison ?

A voir se succéder les expressions sur le visage du vieil homme, Jury comprenait que c'était plus que possible. C'était même probable.

– Bonté divine. – Le colonel prit une inspiration. – Margaret avait essayé de congédier cette jeune femme. Juste avant qu'elle et Rolfe partent pour ce voyage. Je m'étais toujours demandé pourquoi. Je n'ai jamais cru que Mary avait dérobé quoi que ce soit. En tout cas, je n'ai pas voulu qu'elle s'en aille, j'ai refusé net, et j'ai gagné la partie sur ce point-là, mais...

Perdu sur d'autres, songea Jury.

– Vous n'aviez aucune idée de cette liaison ?

– Je pense, inspecteur, qu'il serait peut-être sage de revenir à l'affaire qui nous occupe.

Harkins était frustré.

– C'est la même affaire, indirectement, répliqua Jury. Olive Manning pouvait-elle avoir su ce qu'il en était pour Rolfe et Mary, colonel Craël ?

– Olive ? Ma foi, c'est bien possible. Elle était effectivement très intime avec Margaret.

– Quel âge avait Lily à l'époque ?

Il posa la question du ton le plus détaché qu'il put.

– Oh, je ne sais pas. Dix ou onze ans, peut-être.

Pendant toutes ces années, Mary Siddons avait gardé le silence. A coup d'argent ou de terreur, avec un mari qu'on lui avait déniché. Quant à Rolfe, il était trop faible ou trop peu attaché à elle pour résister à sa mère. Était-ce la présence de Ian Harkins ou simplement l'intuition qui l'empêchèrent de dire tout cela à haute voix ? Jury ne dit rien.

– Qu'est-ce qui va se passer maintenant ? demanda le colonel.

– Il y aura une autre enquête. Votre fils ne chasse pas, n'est-ce pas ?

La façon dont Harkins posa sèchement la question surprit même Jury. Et maintenant que l'interrogatoire revenait à Julian, le visage du colonel blêmit.

– Non.

– Alors où était-il ce matin ?

– Je ne pourrais pas dire. Vous me l'avez déjà demandé, inspecteur.

Sa voix était lasse.

– Et il ne suit pas à pied ?

– Non, jamais. Julian n'aime pas chasser, répondit le colonel d'une voix abattue.

– Mais il aime les longues promenades. Je pense qu'il connaît Howl Moor comme sa poche.

– Je n'aime pas les sous-entendus qu'impliquent vos questions, inspecteur Harkins, riposta le colonel Craël.

Jury en avait assez de ce harcèlement.

– N'importe qui pouvait s'être arrangé une rencontre là-bas avec Olive Manning, qu'il s'agisse d'un promeneur ou d'un participant à la chasse. Les promenades à pied dans la lande ne prouvent guère qui l'a tuée.

Deux regards très différents le récompensèrent de ce petit discours.

Après un instant de réflexion, le colonel Craël dit :

– Mais n'aurait-il pas été extrêmement difficile pour l'assassin de tomber précisément sur Olive près de ce mur là-bas, dans Howl Moor ?

– Apparemment pas, dit sèchement Harkins. Vous y êtes bien arrivé.

– Je crois que le vieux était bouleversé, dit Harkins quand ils se retrouvèrent dans la longue galerie.

Une femme sortit de la salle à manger, l'air affolé. C'était là que les hommes de Harkins questionnaient les participants à la chasse.

– Oui, je le crois aussi, répliqua Jury. Je l'étais moi-même.

Harkins eut un sourire féroce.

– Est-ce un compliment ? Ou mes méthodes vous déplaisent-elles ? – Il alluma un nouveau cigare, puis reprit : – Julian Craël. Voilà celui que j'aimerais alpaguer. Et je doute fort qu'il ait un alibi cette fois-ci.

– Je pense que je vais l'interroger moi-même.

– Je préférerais être présent.

– Pourquoi ne lui parlez-vous pas plus tard ? Donnez-moi seulement quelques minutes...

– Écoutez, Jury, c'est ma juridiction après tout...

– *Votre* juridiction ! – Jury oublia son serment de ne jamais remettre à leur place les policiers de province. – Vous avez téléphoné à Londres pour demander de l'aide. D'accord, ce que vous avez obtenu, c'est moi. Sacrément pénible. Mais tant que je suis ici, c'est *ma* juridiction. C'est *moi* qui décide comment cette enquête doit être conduite.

– Calmez-vous, calmez-vous, inspecteur Jury, dit Harkins.

Avec un sourire supérieur tout à fait irritant, il porta un doigt ganté de pécari à sa moustache satinée comme pour effacer de son visage toute expression trop personnelle.

– A tout à l'heure.

Harkins tourna les talons et s'éloigna dans la galerie.

5

Julian était assis sur le divan de la salle Bracewood, en face de Jury. Penché en avant, les mains étroitement jointes, il regardait le sol, de sorte que Jury voyait seulement le sommet de ses cheveux clairs. Il semblait vulnérable comme un jeune garçon.

– Cigarette ?

Julian secoua la tête et se leva.

– Non, mais je boirais bien quelque chose. Et vous ?

– Pourquoi pas ? Juste une goutte.

Parce qu'il imaginait la solitude dans laquelle Julian avait dû vivre toutes ces années et la souffrance qu'il allait endurer, Jury ne pouvait se résoudre à le laisser boire seul.

Julian versa du whisky dans deux verres et ajouta de l'eau gazeuse dans le sien.

– Je suis désolé pour Olive, je l'ai connue presque toute ma vie. – Il alla se poster près du manteau de la cheminée. – Vous pouvez ne pas le croire, d'ailleurs.

– Pourquoi ne le croirais-je pas ?

– Parce que j'ai l'impression qu'en dépit de mon alibi, vous estimez encore que j'ai pu tuer cette Temple.

Son bras était allongé sur la tablette de la cheminée et le tissu sombre de son blazer donnait l'impression qu'il imitait la pose de sa mère dans le portrait qui le surplombait. Il paraissait vraiment très jeune. Guère plus jeune que Jury, pourtant, mais Julian avait l'air épargné par le temps. Jury ne releva pas sa dernière phrase.

– Où étiez-vous ce matin ?

– Sorti me promener à cheval. Je suis rentré vers neuf

heures. Et non, je ne suis pas allé du côté de Howl Moor. L'endroit où se trouve le mur est trop éloigné pour ma promenade d'avant le petit déjeuner.

– Seul ?

Julian eut un regard de colère.

– Non, j'avais mon cheval avec moi.

– Aviez-vous vu Olive Manning ce matin ?

– Non.

– Je voulais vous questionner au sujet de Dillys March.

– Pour la centième fois, cette femme n'était pas Dillys March.

– Je sais. – Jury but une gorgée de whisky ; elle lui brûla la langue. – Elle avait été amenée ici par Olive Manning pour se faire passer pour Dillys March.

Il sembla aussi confondu par cette nouvelle que l'avait été le colonel. Il dut battre en retraite, quittant sa position près de la cheminée pour venir s'asseoir.

– *Olive ?* Mon Dieu, mais pourquoi...

– Pour l'argent et la vengeance, probablement. Elle estimait les Craël responsables de ce qui est arrivé à Leo.

– Je trouve difficile à croire qu'elle ait trompé mon père de cette façon. Comment l'avez-vous découvert ?

– Je suis allé à l'*Hôtel Sawry*. – Julian devint blême. – Peut-être est-ce miss Temple qui a laissé les allumettes, en fin de compte. Tout à fait volontairement.

Il y eut un long silence, rompu seulement par une bûche qui s'effondra, lançant des étincelles dans l'âtre.

– Ainsi vous êtes au courant, reprit Julian.

De sa poche, Jury tira la photo dénichée par Melrose et allongea le bras pour la poser sur la petite table à côté du siège de Julian. Ce dernier la contempla un long moment, puis murmura :

– Stupide de ma part. – Avec lassitude il laissa aller sa tête en arrière contre le dossier du siège et dit : – Stupide de conserver des photos. Je ne vous demande même pas comment vous l'avez trouvée. C'est une question sans intérêt, de toute façon. Je suppose que cela boucle l'affaire pour vous, n'est-ce pas ?

– Non. Est-ce à Londres que vous l'avez rencontrée ?

– A la gare de Victoria. Je reprenais le train... c'était l'an dernier. Je suis allé au buffet prendre une tasse de café et elle était là, en train de manger un pain au lait et buvant une tasse de thé. Je ne pouvais pas le croire. Voir assise là une femme qui aurait pu être Dillys. On fait bien sûr la part des ravages du temps, comme on dit. Mais elle n'était guère ravagée. – Son sourire était mince, contraint. – Je n'ai pas l'habitude d'aborder les femmes, mais j'ai pris mon courage à deux mains et j'y suis arrivé. Conversation inepte sur les trains et le temps. Je l'ai trouvée très amicale.

– Les prostituées ont la réputation de l'être.

Julian rougit.

– Mais ce n'était pas une prostituée. Je veux dire, pas vraiment.

Jury eut un sourire.

– Juste sur les bords ?

– Oh, pensez ce que vous voulez. C'était en réalité une actrice au chômage. Nous en avons eu une preuve, n'est-ce pas ?

– Oui. Donc vous avez fréquenté Gemma Temple pendant plus d'un an. Tous ces séjours à Londres...

– Une liaison imprudente, dangereuse manifestement, mais je ne pouvais pas m'en empêcher. Combien d'hommes ont dit cela, je me le demande. Mais c'était comme... de récupérer quelque chose. Quand maman et Rolfe, puis même Dillys ont disparu, je me suis senti volé, dévalisé. Pas seulement désolé mais dépouillé, profané. Comme si cette maison avait été pillée et qu'on avait tout emporté. Je ne sais pas comment l'expliquer. Mais la voir, c'était comme... de retrouver tout en place.

Il plongea dans le silence.

C'était Julian en réalité, bien plus que son père, qui était prisonnier de ce passé.

– Vos sentiments envers Dillys devaient être très profonds pour penser pouvoir la ressusciter ainsi en la personne de Gemma Temple.

Julian lui jeta un bref coup d'œil.

– L'*idée fixe* [1], est-ce cela que vous voulez dire ? Une sorte de folie ? – Il se tourna pour contempler le portrait de Lady Margaret. – J'étais son préféré. Préféré, *objet d'art* [1]... elle me faisait briller comme une pierre précieuse taillée à la perfection. J'étais beau. – Il y avait dans le ton du mépris et de l'amertume plutôt que de la vanité et de l'orgueil. –

---

1. En français dans le texte

J'étais quelque chose à mignoter, à caresser et à remettre dans la boîte garnie de papier de soie quand elle en avait fini avec moi. Une poupée aux cheveux de lin et aux yeux de saphir. Je ne crois pas qu'elle pensait que j'étais *là*, quand il n'y avait pas de public. Comme si je disparaissais purement et simplement. Mais je la vénérais, je l'adorais. Je restais éveillé le soir dans l'attente qu'elle revienne, qu'elle rentre d'une réception. Quand j'entendais la voiture arriver, j'allais sur la pointe des pieds jusqu'à la fenêtre. Si la nuit était trop sombre pour voir, j'écoutais. Elle portait des robes qui bruissaient. Curieux comme les robes des autres femmes pendent simplement sur elles, sans bruit... Mais je savais toujours que c'était elle, à cause du bruissement. – Il appuya la tête contre le dossier, ferma les yeux. – Pourquoi a-t-il fallu qu'elle meure avec *Rolfe* ? Ç'aurait dû être moi.

– Mais Dillys March. Nous parlions d'elle. Ressemblait-elle à votre mère autant que vous ?

– Pas physiquement, non. Mais elle me rappelait maman de bien d'autres manières. C'était sa *protégée*, presque son alter ego.

– Votre précédente déclaration... disant que vous détestiez Dillys... je suppose qu'elle n'était pas précisément vraie.

Julian tourna la tête et sourit légèrement.

– Ni vraiment un mensonge. – La lumière du feu accrocha une lueur dans ses yeux qui pouvait être des larmes ou un éclair de sabre. – Elle était séduisante, oui, Dillys l'était, mais pas gentille du tout. Elle aurait aimé la journée d'aujourd'hui ; elle aurait aimé la chasse et la mise à mort qui l'a conclue. La mort la fascinait. Je pense qu'elle était du genre à se complaire dans un pacte de suicide. Même à seize ans, même à *quatorze*, elle avait des hommes et en quantité.

– Vous avez raconté beaucoup de choses sur vous-même à Gemma Temple, n'est-ce pas ?

– Oui. Beaucoup.

– Même sur Olive Manning et son fils.

– C'est venu dans la conversation à un certain moment, oui. L'histoire de ma vie. Je ne la raconte pas souvent.

– Et le mariage, monsieur Craël ?

– Hors de question.

Il le prononça comme le claquement sec du couvercle de la boîte qu'il rabattit après y avoir pris une cigarette.

– Mais Gemma Temple pensait peut-être autrement. Elle a dû imaginer qu'elle avait attrapé un très gros poisson.

– J'espère saisir votre raisonnement, inspecteur. Gemma Temple, avec ce qu'elle savait de moi et avec tous les autres détails fournis par Olive Manning – Gemma venait ici avec l'idée de se faire passer pour Dillys. Et alors, par fureur, vengeance ou je ne sais quoi, je l'ai tuée. Aussi simple que ça.

– Non, monsieur. Pas si simple. Il y a la mort d'Olive Manning. Pourquoi tueriez-vous Olive Manning alors qu'elle était le meurtrier le plus probable de Gemma Temple ? Des voleurs qui se disputent ?

– Mon Dieu, inspecteur. Allez-vous finalement me sauver du banc des accusés ?

– Je vous en prie, ne jouez pas les cyniques avec moi. Racontez-moi ce qui s'est produit après l'arrivée ici de Miss Temple.

– La première nouvelle que j'en ai eue, c'est quand je suis entré ici. Ils étaient tous rassemblés dans cette pièce, mon père, Gemma, Olive Manning. Wood venait de servir le xérès. J'ai ouvert la porte et je me suis trouvé les yeux fixés droit dans les siens. – Il regarda Jury. – Cette femme que j'avais quittée pour la dernière fois, je le croyais, non sans larmes et cris de fureur parce que je ne voulais pas l'épouser – elle était là. Et elle souriait, ajouta Julian, donnant en quelque sorte à entendre que son sourire englobait toute la méchanceté de l'univers. Je crois que chaque mot prononcé cet après-midi est gravé à l'acide dans mon esprit. Elle a dit : « Salut, Julian. » Elle m'a tendu les mains. « Que diable fais-tu ici ? » ai-je dit. « Je ne m'étonne pas que tu sois bouleversé », a dit mon père. Il était tellement fou de joie qu'il était à peine capable de se contenir : « Elle est revenue... Dillys est revenue. »

Julian ferma les yeux.

– J'ai failli tout raconter sur-le-champ. Mais quelque chose dans ses yeux m'a arrêté. Cette satanée situation était tellement invraisemblable, j'ai éclaté de rire. L'idée qu'elle pouvait se faire passer pour Dillys...

– Vous l'avez tuée, n'est-ce pas ?

Avec lassitude, Julian tourna la tête pour regarder Jury.

– Non. Mais je sais que vous ne croirez...

Jury faisait du chef un mouvement de dénégation.

– Pas Gemma Temple. Dillys March.

Presque aussi soudainement que si des doigts avaient pincé pour l'éteindre la flamme d'une chandelle, la clarté du jour avait disparu. Au-delà du demi-cercle de lumière tracé par le feu tout proche, la pièce était noire. Les silhouettes obscures des chaises et des tables semblaient le reliquat d'une autre existence. Pendant un long moment, Julian garda le silence, puis il dit :

— Comment diable avez-vous compris cela ?

— Je m'en doutais depuis un certain temps. Elle ne paraissait pas le genre de personne à tourner le dos à un paquet d'argent. Mais vous venez de me le dire vous-même, en fait, il y a quelques minutes.

— Comment ?

— Ce récit de votre rencontre à Victoria. Après tout, Dillys était censée s'être enfuie à Londres. C'est là qu'on a découvert sa voiture. Pourquoi n'avez-vous pas pensé que cette jeune femme, ce « sosie », *était* bien Dillys March ? Parce que vous saviez qu'elle était morte.

— Seigneur, murmura Julian, en refermant les yeux.

Jury ramassa son verre, lui prépara un autre whisky à l'eau gazeuse et rapporta la boisson. Il resta debout un instant à côté de lui.

— Allez-y, racontez-moi. Cigarette ?

Machinalement, Julian accepta à la fois la cigarette et le verre, puis dit :

— Quand nous étions plus jeunes, Dillys et moi, nous avions fait le pacte de ne jamais avoir de secrets l'un pour l'autre. Nous l'avons même scellé dans le sang, en nous entaillant les doigts... c'était l'idée de Dillys ; elle avait vraiment du goût pour le théâtre. J'ai failli m'évanouir. Littéralement. Je n'ai jamais été capable de supporter la vue du sang et Dillys trouvait follement drôle de mêler son sang au mien... Mais je pense que vous n'avez pas envie d'entendre toute cette histoire.

— Si, si. Continuez.

Il s'adossa au siège, le verre enfermé entre ses doigts.

— Dillys était jalouse de Lily, c'était parfaitement clair, seulement elle serait morte plutôt que de le reconnaître. Le colonel avait une très grande affection pour Lily et Lily était en réalité plus jolie que Dillys ; mais Dillys était plus que « jolie » si vous voyez ce que je veux dire. Dans ce sens, elle était comme ma mère. Toutes deux possédaient une sorte de... feu, je suppose que vous appelleriez ça ainsi. Et pas toujours séduisant, non plus. Diabolique, quelquefois. Maman avait un caractère terrible. Elle cassait des choses, braillait comme une poissarde. Pauvre papa, pensais-je. Seulement c'était excitant, d'une certaine façon...

» Dillys était astucieuse, très convaincante – elle pouvait vous faire croire presque n'importe quoi. Ainsi, quand Mary a été accusée d'avoir pris des bijoux, c'était un mensonge pur et simple. Mary n'aurait jamais agi comme ça. Si quelque chose a été volé, c'est Dillys qui l'a pris, croyez-moi. C'est cette histoire avec Leo Manning qui a tout déclenché. Il ne tournait pas rond, le pauvre diable. Ou bien Olive mentait comme une arracheuse de dents ou bien elle s'illusionnait quand elle disait que Dillys était responsable de sa dépression. Certes, elle était capable de pousser quelqu'un à bout. Et Dieu sait qu'elle ne lui a pas fait de *bien*. Mais Leo était déjà dans un état affreux lorsqu'il est venu ici. Parfois, il avait l'air d'un flagorneur mielleux ; à d'autres moments, je regardais ce sourire et le trouvais coupant comme une lame. Il me faisait penser à ce personnage de théâtre qui se baladait avec une tête dans un carton à chapeau. Exactement le genre de psychisme que Dillys considérait comme un défi et adorait manipuler, à la façon d'un sculpteur qui modèle l'argile. Je donne un coup par-ci, je donne un coup par-là. Bref, ils devinrent amants. Il y avait un kiosque près des falaises où ils avaient l'habitude de se retrouver... c'est là qu'ils étaient ce soir-là.

» Je me promenais. Non, je la *cherchais*. J'ai vu une lumière sourde dans le kiosque, alors je me suis avancé un peu plus sur le sentier de la falaise et j'ai regardé à l'intérieur. Elle était là, nue. J'ai compris subitement. J'avais cru qu'elle s'amusait seulement à l'exciter ; je n'avais pas vraiment pensé... Vous n'imaginez pas l'effet que cela m'a fait. L'expression "voir rouge" est d'une vérité totale. J'ai eu l'impression de regarder par cette fenêtre à travers une vitre de sang. Alors j'ai attendu. Je ne sais pas combien de temps j'ai attendu là, dans le froid. Je n'oublierai jamais le bruit du vent qui soufflait de la mer et faisait claquer les branches comme des sabres. La haine m'a totalement submergé, telle la mer mais sans la froideur de la mer... plutôt une sorte de vague en fusion.

» Finalement, elle est sortie du kiosque, prenant le sentier conduisant à la maison. J'entends encore ses pas approchant sur le gravier. Elle fredonnait une chanson stupide, comme si rien ne s'était passé alors que c'était tout le contraire pour moi. Je lui ai barré le chemin, j'ai commencé à l'apostropher violemment. Dillys s'est contentée de rire.

» – Ça dure depuis combien de temps ? lui ai-je demandé.

» – Si cela te regarde... presque depuis que Leo est ici.

» – Alors il n'y restera plus longtemps. Pas quand j'aurai averti mon père. Et peut-être bien que toi non plus. Il n'admettra pas ce genre de chose.

» Et là elle s'est franchement moquée de moi.

» – Raconte-le, comme un écolier rapporteur. Mais c'est moi qu'il croira plutôt que toi. Je dirai seulement que c'est Leo qui a fait toutes les avances. Et il les a faites, d'ailleurs. Très expérimenté sur le sujet, Leo.

» Et elle m'a exposé avec les détails les plus saisissants tout ce qu'ils avaient fait cette année-là lors de chacune de leurs rencontres. J'étais pétrifié de rage. L'ironie de la chose est qu'elle portait ce manteau à capuchon tombant jusqu'à terre, qui lui donnait l'air d'une religieuse. J'ai saisi un caillou, la première chose qui m'est venue sous la main, et le lui ai asséné sur le crâne. Elle s'est effondrée. Je suis resté là à la regarder pendant un temps infini. Je crois que je m'attendais à ce qu'elle se relève, s'époussète seulement et rie. Je ne crois pas, je pense, m'être persuadé qu'elle était vraiment morte.

Julian se pencha en avant sur son siège, regardant intensément Jury comme s'il expliquait un point juridique très complexe.

– J'ai senti qu'il fallait l'enlever de là. Pas par peur, du moins à ce moment-là ; la peur est venue plus tard. Ce que je voulais, c'était simplement l'ôter de ma vue, de mon esprit. Annuler l'acte, l'effacer. C'était de moi-même que je voulais la cacher plus que de qui que ce soit d'autre. Je ne pensais même pas à la police.

» Au-dessous du sentier de la falaise, il y a à un certain endroit une sorte de creux avec un courant de fond terrible. Pas même un plongeur ne s'y risque, c'est trop dangereux. Ainsi, elle disparaîtrait, le corps ne serait jamais retrouvé. Je me tenais juste au-dessus. Je n'ai eu qu'à la pousser par-dessus le bord...

» Je suis retourné en courant à la maison, je suis monté dans sa chambre, j'ai jeté quelques vêtements à elle dans une valise et attrapé une autre de ces capes qu'elle affectionnait tellement. Elle me couvrait complètement. Quand Olive a regardé par sa fenêtre, elle a naturellement pensé que c'était Dillys qui prenait la voiture. J'ai emmené celle-ci au parking sur les hauteurs de Rackmoor, je l'ai garée là, au milieu de beaucoup d'autres. Puis je suis revenu à pied. Personne ne m'a vu. Personne ne s'est aperçu de mon absence. Le lendemain, bien entendu, on s'est un peu inquiété de ce départ en trombe de Dillys, mais elle en était coutumière. J'ai dit que j'avais envie d'aller en voiture passer la journée à York. J'ai conduit ma voiture au parking, je l'ai échangée contre celle de Dillys, puis je l'ai conduite à Londres où je l'ai abandonnée. J'ai pris ensuite le train pour York, un car enfin jusqu'à Pitlochary. Le soir même, je suis revenu à Rackmoor à pied et j'ai récupéré ma voiture. – Il leva les yeux vers Jury. – Croyez-moi, je sais l'impression que cela donne. Tout cela a l'air réfléchi. La cape, la voiture, le voyage... mais ça ne l'était pas à ce moment-là. C'était frénétique ; je me sentais agir complètement à l'aveuglette, avec la sensation de me mouvoir sous l'eau, dans un état léthargique. Une partie seulement de mon esprit fonctionnait. Le reste... était endormi. Après cela, j'ai été malade pendant une semaine, littéralement j'entends. C'était comme si mon corps entier rejetait comme un cœur transplanté ce qui était arrivé. J'étais incapable de l'assimiler. Cette nuit-là me parut quelque chose qui n'aurait pas dû se trouver là, comme un arbre qui s'abat subitement en travers de votre chemin, comme... oh, Seigneur, je ne sais pas comment l'expliquer.

Jury se leva de nouveau, prit son verre vide et y versa une giclée de whisky.

– Vous vous en êtes très bien tiré, à mon avis.

Il alluma une cigarette et s'assit.

– ... et, naturellement, une fois l'effervescence apaisée, Leo paraissait le meilleur suspect. Si on avait découvert un cadavre.

– Je n'y ai même jamais pensé. Vous vous demandez si, dans ce cas, je lui aurais laissé passer la corde au cou ?

– Je ne me demande pas grand-chose.

– Que vous dites.

– Seulement maintenant à propos de Gemma Temple.

– Que je n'ai pas tuée.

– Vous aviez un sacré mobile. Elle etait au courant à propos de Dillys, n'est-ce pas ? – Le teint de cendre de la figure de Julian lui donna la réponse. – Voilà pourquoi vous ne l'avez pas dénoncée sur-le-champ.

– Je l'aurais fait. J'étais sur le point de raconter au colonel toute cette sale histoire...

– Seulement vous n'avez pas eu à le faire, en l'occurrence.

A nouveau, un long silence s'établit et, dans la faible clarté, Jury distingua la larme qui traçait lentement son chemin le long du visage de Julian. Il leva les yeux vers le portrait de sa mère.

– Elle était coincée dans cette voiture, à ce qu'on m'a dit. Et Rolfe, Dieu le maudisse, était saoul quand ils sont partis. Je me suis toujours posé la question. Si j'avais été là, aurais-je pu la sauver ?

Jury détourna son regard de Julian. Mais il ignora le tableau et regarda en direction du brouillard, se déplaçant et évoluant derrière les fenêtres comme s'il allait trouver sa forme définitive et frapper fantomatiquement au carreau.

– Non, dit-il seulement.

6

– Crime passionnel ? dit Melrose Plant, les sourcils levés comme des ailes, tout son visage intelligent surpris au point qu'il donnait l'impression d'être prêt à s'envoler dans le ciel sombre. Julian *Craël* ?

– Pas précisément le cœur sec que nous imaginions, hein ?

Debout sur la promenade, le dos au parapet, ils regardaient en bas le *Vieux Renard Trompé*. Jury vit une fenêtre s'ouvrir et des bras revêtus d'un sweater – probablement ceux de Kitty – vider au-dehors un seau d'eau. La vie continue, songea Jury.

– Vous ne l'avez jamais beaucoup aimé, n'est-ce pas ?

– Je crois que non. Qu'est-ce qui lui arrive maintenant ?

– Je n'en parle pas pour le moment. Je veux d'abord liquider cette autre affaire. Un crime par passion vieux de quinze ans...

Jury haussa les épaules.

– Ce doit être terrible d'être entiché d'une femme au point de perdre tout sens de... la relativité.

La façon dont Plant s'exprimait fit sourire Jury.

– Il est capable de violence, oui. Mais pas nécessairement de violence préméditée.

– Vous le défendez bien, indéniablement. Alors qui est-ce qui, homme ou femme, enjambe des cadavres pour tenter d'atteindre la fortune des Craël ?

– Je ne le sais pas encore. – Jury regarda un cormoran plonger à la recherche de son petit déjeuner. – Dites-moi, monsieur Plant. Que pensez-vous de Lily Siddons ?

– Lily Siddons ? Je ne sais pas. Je n'ai guère eu de rapports avec elle. Je ne l'ai vue que de rares fois. Elle est assez fascinante, je dois le reconnaître. Elle tient un peu du caméléon. Vous la voyez dans le café avec un foulard sur la tête en train de pétrir de la pâte à pain et vous la trouvez quelconque. Mais quand je l'ai vue aujourd'hui, je *dois* dire... – Melrose plissa les lèvres dans un sifflement muet. – Montée sur ce cheval, elle avait plutôt l'air...

Il chercha les mots adéquats.

– De la demoiselle du château ?

– Maintenant que vous en parlez... oui.

– Je crois que c'est le cas.

Melrose le regarda avec surprise.

– Vous vous rappelez l'autre fils, Rolfe ? Subitement escamoté par Lady Margaret ? Rolfe, je pense, était son père. Lady Margaret a sans doute tout fait pour éviter que son mari ne le sache. Imaginez ce qu'il aurait éprouvé pour sa propre petite-fille... « gamine de la cuisinière » ou pas. Alors la mère l'a emmené en Italie.

– Mon Dieu. Mais Lily... elle ne le sait pas ? dit Melrose.

– Apparemment non. Cela peut expliquer en tout cas que quelqu'un veuille la tuer.

– Julian Craël, par exemple.

– Ou Maud Brixenham ou Adrian Rees. Avec son œil de peintre, je serais surpris qu'il n'ait pas compris depuis longtemps.

– Mais ce serait stupide. Pourquoi ne pas l'embrasser au lieu de la tuer ? L'épouser et mettre de cette façon la main sur le magot ?

– Il faudrait que Lily soit d'accord. Et elle semble curieusement... froide envers les hommes.

– Mais pourquoi tuer Olive Manning ? Savait-elle que Lily est une Craël ?

– Oui, c'est vraisemblable. Olive était la confidente de Lady Margaret. Et je pense qu'elle était très heureuse de garder à jamais le secret.

Plant secoua la tête.

– Cela ne rime à rien.

– Non. Mais cela finira par rimer. Une fois que Julian eut plaqué Gemma Temple, celle-ci avait une double raison de tenter l'imposture : l'argent et la rancune. Elle a dû trouver cela presque amusant. Elle avait besoin de renseignements plus complets et de quelqu'un dans la maison même pour endormir la méfiance du colonel au cas où il hésiterait. C'était astucieux de la part d'Olive d'avoir, au début, nié que cette femme était Dillys. Et ensuite, après le meurtre, eh bien, de toute évidence, elle a été obligée de continuer à le nier.

— Vous convenez sûrement que tout ceci donne à Julian Craël un mobile encore plus solide qu'avant.

— Il a aussi un alibi. Croyez-moi, Harkins l'a vérifié à fond.

— Oh, que non. — Melrose lança la réplique aussi négligemment qu'il jetait des miettes aux mouettes. — J'ai bavardé avec les domestiques. Vous ne vous souvenez pas de tous les extras que le colonel avait engagés ?

— Je vous en prie, ne me dites pas que Julian Craël circulait en habit de serveur, incognito...

Plant secoua la tête avec impatience.

— Devant sa chambre, là-haut sur le palier, il y avait une partie du couloir qui ressemblait, si vous vous souvenez, à une sorte de tribune. Les musiciens se trouvaient là-haut. En costume. — Melrose sourit. — Et ils allaient et venaient. Alors, supposons que Julian ait enfilé quelque chose, un manteau, mis n'importe quoi pour couvrir ses fameux cheveux, se soit masqué et muni, oh, d'un tympanon ? Bonté divine, je ne reconnaîtrais même pas ma tante si elle portait un tympanon. Il n'avait pas besoin de jouer de ce sacré machin. Il lui suffisait de descendre l'escalier. Ou de le monter. Qu'est-ce qu'un musicien de plus dans un drôle de déguisement ! Pourquoi secouez-vous la tête ?

— Julian ne m'a pas une seule fois jeté cet alibi à la figure quand je me suis entretenu avec lui. Il semblait presque accepter sa culpabilité comme un fait accompli. Ou du moins accepter que je le croie coupable. Et, de toute façon, Julian n'est pas...

— Si vous dites « pas le genre d'homme à commettre un meurtre », Harkins devra m'arrêter pour m'être livré à des actes de violence sur un policier.

— Harkins vous paiera à boire. — Jury était pensif. — Je dois l'admettre, ce que vous dites est une possibilité... Quoique assez mince, à mon sens.

— Ah, mais j'en ai assez de cet « alibi parfait » de Julian. Pourquoi vous est-il si difficile de croire qu'il est le coupable ?

Jury regarda vers le bas de l'escalier. Le sergent Wiggins approchait à une vive allure, montant les marches deux par deux.

– Cela m'est difficile de croire qu'aucun d'eux le soit, à franchement parler. Voici Wiggins.

Le sergent était hors d'haleine.

– Inspecteur, c'est... Les Aird... Miss Brixenham... dit qu'il était... dans Howl Moor ce matin... veut que vous... veniez parler au garçon.

Après un tel effort, Wiggins dut s'appuyer au parapet.

– Vous voulez dire qu'il a vu quelque chose ?

Wiggins hocha la tête, s'essuya le front avec un mouchoir, inséra une pilule sous sa langue.

– Eh bien, dans ce cas, allons à son cottage.

– Puis-je venir aussi, inspecteur ? Je sais qu'il s'agit d'une affaire de police, mais...

– Après tout le travail que vous avez fourni, monsieur Plant, je ne vois pas pourquoi vous ne nous accompagneriez pas. Et je suis sûr que vous serez d'un grand secours pour parler à Les. Somme toute, vous êtes plutôt bon en langues romanes.

7

– Il en est vraiment complètement bouleversé, cria Maud Brixenham pour dominer les décibels de la musique de rock.

Ils étaient là, tous trois comme des arbres secoués par le tonnerre, tandis que les cendriers tressautaient sur les tables. Maud martela le plafond avec le manche à balai. Le chahut s'atténua jusqu'à une sorte de grondement sourd, comme si le train par lequel vous vous attendiez à être écrasé avait soudain bifurqué sur une autre voie.

Melrose Plant, l'air parfaitement à son aise, s'assit, sortit son étui à cigarettes en or et le présenta à la ronde. Regardant vers le plafond tout en tapotant une cigarette sur l'étui, il commenta :

– Votre neveu a des goûts très conservateurs, n'est-ce pas ? Ce sont les Rolling Stones, je crois ?

Jury et Maud Brixenham le regardèrent avec des yeux effarés allumer sa cigarette puis leur sourire.

– Que s'est-il passé ce matin, Miss Brixenham ?

– Je ne m'étais pas doutée un instant que Les s'intéressait à la chasse. J'ai été proprement abasourdie quand il a dit qu'il s'était trouvé là-bas et avait vu – ou pensait avoir vu – ces deux personnes près du mur où elle... Olive... a été...

Elle tripota un bouton qui pendait au bout d'un fil. Il lui resta dans la main.

– Vous suivez la chasse à pied ?

– Oui. Je ne monte pas à cheval. Je déteste chasser.

– J'aimerais parler à Les. Vous permettez que nous allions là-haut ? – Elle acquiesça d'un signe de tête. – Peut-

être pourriez-vous donner au sergent Wiggins quelques renseignements sur vos propres déplacements.

D'un air malheureux, elle hocha de nouveau la tête.

– Bonjour, Les, dit Jury quand la porte s'entrouvrit et que
Les Aird regarda avec méfiance par une fente étroite. Voici
Mr. Plant. Pourrions-nous entrer ?

Une fois qu'ils furent dans la pièce, Les se dirigea vers la
chaîne stéréo, baissa le volume d'un décibel ou deux, et se
laissa retomber sur le lit. Ou plutôt ce qui était visible du lit
sous les vêtements sales amoncelés çà et là comme des
tumulus. Le papier peint à fleurs, passablement fané, était à
peine visible sous sa marée de posters : c'étaient des groupes
– des groupes de rock, présuma Jury – mais étaient-ce des
groupes différents ? Ou bien un seul groupe qui changeait
continuellement de tenue ? On retrouvait la même propor-
tion sur chaque affiche de visages glabres ou barbus, de
Blancs et de Noirs, de chapeaux flasques et de cheveux coiffés à l'Afro.

Au début, Jury crut que le disque était rayé ; puis il se rendit compte que c'était les chanteurs qui martelaient sans
arrêt la même phrase. Son expression avait dû le trahir, car
Les dit, sur un ton légèrement acide :

– M'est avis que vous ne mordez pas à ces jams, correct ?

Avant que Jury ait eu le temps de répondre, Melrose Plant
dit :

– Au contraire, ils se sont énormément améliorés depuis
qu'ils ont enrôlé Ron Wood. Pouvons-nous nous asseoir ?

Les Aird regarda Melrose, bouche bée. Puis il arbora un
large sourire et répliqua :

– O.K., mec. Relaxez. – Il fit tomber d'un fauteuil un
entrelacs de chaussettes répugnantes. – Z'êtes flic ?

Il avait l'air prêt à annuler les points que Melrose venait
de marquer.

– *Moi ?* Ciel, non, pourquoi m'abaisserais-je ?

Les sourit de nouveau.

– Je ne trouvais pas que vous en aviez l'air.

– J'espère bien que non.

Melrose s'installa dans le fauteuil ; Jury dut aller se chercher une chaise de bois. Les reposait sur le lit, ses petits bras
musclés en rempart devant sa poitrine, obscurcissant
presque sur son T-shirt la demi-lune de lettres arquées glori-
fiant *The Grateful Dead.*

– Cigarette ?

Melrose tendit son étui en or.

Les parut tenté, mais secoua la tête avec fermeté.

– Je ne fume pas. Trop jeune.

Jury remarqua que Les le surveillait du coin de l'œil, se méfiant visiblement d'être dénoncé par Scotland Yard. Étant donné les relents de fumée dans la pièce, Jury eut un mal fou à garder son sérieux devant le refus de Les.

– Ma foi, moi aussi, mon vieux, mais je le fais quand même.

Melrose tendait toujours l'étui et Les en saisit une, comme vaincu soudain par la folie du manque.

– Merci, mec.

La musique continuait son martèlement.

– Cela vous ennuierait de baisser un peu ça ? demanda Jury.

Les regarda Jury comme s'il n'attendait rien de mieux de lui, puis il se leva du lit à regret et se dirigea à pas de loup, en chaussettes, jusqu'à la stéréo.

Melrose Plant dit :

– Vous n'auriez pas *The Wall*, par hasard ? Pink Floyd n'est pas un de mes favoris, mais c'est une musique qui convient mieux à un interrogatoire, peut-être.

– C'est cool, mec. – Les s'accroupit au-dessus de sa boîte d'albums, les faisant défiler sous ses doigts. – Je croyais l'avoir, mais non. Par contre, j'ai *Atom Heart Mother.*

– Ça ira, répliqua Melrose.

Jury le considéra avec stupeur. On aurait dit qu'il était venu seulement pour le concert.

– Cet autre type, reprit Les en changeant les disques, il n'avait pas l'air d'un flic, non plus. Grand et mince.

– L'inspecteur Harkins.

– Oui. Il n'y est pas allé par quatre chemins. On aurait cru que c'était moi qui l'avais fait. Vous comprenez, je ne voyais vraiment pas ce qu'il avait dans le crâne.

– Qu'est-ce qui s'est passé ce matin, Les ? questionna Jury.

– Hein ? Qu'est-ce que vous dites ?

Les avait tourné son visage vers Melrose, l'expression innocente.

– L'inspecteur Jury veut que vous lui parliez de votre promenade sur Howl Moor.

– Oh, ça ? – Les souffla un rond de fumée et pointa sa cigarette au travers. – C'est vraiment un drôle d'endroit. Il y a toujours quelqu'un qui se fait descendre.

– Un vrai Dodge City, commenta Jury.

– Hein ?

Jury soupira. Les allait visiblement continuer à lui adresser ces coups d'œil incompréhensifs. Ou peut-être que Dodge City datait d'une autre génération. Jury tourna la tête vers Melrose Plant.

– Vous êtes allé jusqu'à Howl Moor. Et alors, qu'est-ce qu'il y a eu ? questionna Plant.

– Ouais. Je suis parti là-bas vers les six heures et demie, sept heures. Tante Maud, elle m'avait tanné pour que je sorte voir la chasse. Pas marrant de rester là à se les geler sur la lande dans l'obscurité. Ou la quasi-obscurité. Bref, je me suis lassé d'attendre les habits rouges, et j'ai commencé à marcher. J'ai abouti près de ce mur, vous savez, celui où elle a été découverte. Il faisait sombre et je ne voyais rien dans le brouillard, mais je pouvais entendre... pas des voix, exactement. Plutôt comme des chuchotements.

– De quelle direction veniez-vous ? Comment êtes-vous arrivé dans ce coin de la lande ?

– Par la Grand-Rue. De l'autre côté du parking, il y a un sentier qui finit par traverser la route. Des quantités de gens l'empruntent, tante Maud m'a dit que beaucoup de ceux qui suivent la chasse à pied passent par là. Ils ont tous l'air de connaître par où va la chasse. Moi, je m'en moquais éperdument. Mais j'ai pensé que pour une matinée, je n'en mourrais pas.

– Pourquoi n'avez-vous pas attendu de partir avec votre tante ?

– Hein ?

Les tourna les yeux vers Jury.

– Pourquoi, questionna Plant, y êtes-vous allé seul ?

D'un geste négligent, Les fit tomber un peu de cendre de sa cigarette.

– Oh, sais pas. – Son regard alla nerveusement de l'un à l'autre. – O.K., O.K. ! Comprenez, je pensais que ma petite amie me rejoindrait par là... elle habite Strawberry Flats, vous savez... ces maisons du lotissement municipal près de la route de Pitlochary. Elle ne s'est pas manifestée.

– Continuez. Vous avez entendu des voix. D'hommes ? De femmes ?

– Sais pas. Elles étaient trop loin.

– Ce pouvait être d'autres gens à pied, non ? suggéra Jury. Qui attendaient la chasse ?

D'un balancement, Les descendit ses jambes du lit et se pencha en avant, s'animant peu à peu mais aussi se rapprochant des cigarettes de Plant.

– J'ai entendu ce bruit, vous pigez ? Ça tenait du cri et du gémissement. M'a littéralement terrifié. J'ai regardé tout autour de moi mais, comme j'ai dit, on n'aurait pas aperçu un éléphant dans ce brouillard. – Il accepta une autre des cigarettes de Melrose et, quand elle fut allumée, il tira de fortes bouffées comme pour tenter de compenser toutes celles qu'il n'avait pas eues. – Écoutez, j'ai fichu le camp, mec. Seigneur, quel endroit effrayant. On sent une main sur son épaule, on se demande si elle est accrochée à un corps. La ville des spectres. Qu'est-ce qui se passe ici, mec ? Et comme si ça ne suffisait pas, cet autre flic s'en vient fouiner par ici de bonne heure ce matin après qu'on l'a découverte et me pose un tas de questions, et vous savez ce qu'il dit : « Vous êtes peut-être la dernière personne à avoir vu Olive Manning vivante. » Oh, fichtre, c'est agréable à entendre. J'étais là-bas sur cette foutue lande avec un assassin ?

Lorsque Jury et Melrose Plant retournèrent au salon, Maud Brixenham buvait une gorgée de son xérès à l'étrange couleur d'eau en donnant de brèves réponses aux questions de Wiggins.

– Pauvre garçon, dit-elle. Ça l'a complètement abattu.

La musique, une fois de plus au volume maximum, n'en témoignait nullement, songea Jury. Pas plus que Les Aird lui-même. Abattre Les Aird n'était pas chose facile.

– Êtes-vous allée seule sur la lande, Miss Brixenham ? questionna Jury.

– Non. J'étais avec les Steed. Un jeune couple de la Rue-Qui-Grince.

– Êtes-vous restée avec eux ?

Elle soupira.

– Non. J'aurais diablement préféré l'avoir fait. J'ai vu Adrian Rees un peu plus tard. J'en ai été vraiment surprise, parce qu'il trouve d'habitude que chasser est un crime abominable. Mais il était là qui avançait en traînant les pieds. Il a prétendu se documenter pour un tableau, vous vous rendez compte. Pourquoi peint-il ça s'il le déteste ?

Maud haussa les épaules et but à petites gorgées son mystérieux xérès.

– Où étiez-vous quand vous l'avez vu ?

– A Momsby Cross. Près de Cold Asby. C'est marécageux par là. Et il y a ce ruisseau qui coule au milieu, mais l'endroit n'est pas plus mal qu'un autre pour avoir une vue d'ensemble de la chasse.

– Et où cela se trouve-t-il par rapport au mur ?

Elle avait le visage aussi pâle que son xérès.

– Momsby Cross est, oh, à environ quatre cents mètres, mais je n'en suis pas sûre. Demandez à Adrian. C'est dans cette direction qu'il est allé... – Elle plaqua la main sur sa bouche dans ce qui parut à Jury un geste théâtral. – Mais je ne veux pas dire... eh bien, il a continué simplement son chemin.

– Et quelle heure était-il ?

– A peu près sept heures et demie, je crois. Très tôt.

– En quels termes étiez-vous avec Olive Manning, Miss Brixenham ?

Elle poussa un soupir.

– Inspecteur Jury, je viens de discuter de tout cela avec votre sergent et la police du Yorkshire. C'était encore cet inspecteur Harkins qui est venu.

– Je comprends bien. Mais étant donné la quantité de gens qu'il avait à voir, l'interrogatoire était nécessairement superficiel.

– *Superficiel ?* Ce n'est sûrement pas le mot que j'emploierais. Je crois que ce fonctionnaire rentre chez lui le soir pour planter des épingles dans des poupées.

– L'inspecteur Harkins est minutieux, oui. Seulement il y a quelques personnes qui ont des liens particuliers avec l'affaire...

Maud se redressa sur son siège.

– Vous entendez par là « les principaux suspects », n'est-ce pas ?

– Jusqu'à quel point étiez-vous liée avec Mrs. Manning ?

– Je ne l'étais guère. Je me suis efforcée d'être amicale, mais j'ai trouvé cela pénible.

– Vous ne voyez pas qui aurait pu souhaiter sa mort ?

– Grands dieux, non !

Pendant tout ce temps, elle n'avait pas regardé Jury mais tour à tour Plant ou Wiggins, comme si c'étaient eux qui posaient les questions.

– Vous dites qu'Adrian Rees était avec vous à Momsby Cross, puis qu'il a passé son chemin. Et ce Mr. et cette Mrs. Steed ? Où sont-ils allés ?

– Ils avaient l'intention, m'ont-ils dit, de marcher jusqu'au Creux du Danois. C'est souvent là que Tom Evelyn fait la curée. Mais je ne m'en suis pas senti le courage. Il y avait encore près de huit cents mètres à parcourir jusqu'au Creux du Danois.

– Avez-vous revu Mr. Rees, après qu'il vous a quittée à Momsby Cross ?

– Non.

– Quand avez-vous appris la mort d'Olive Manning ?

– Quand Mr. Harkins est venu ce matin.

Jury se leva et Plant et Wiggins l'imitèrent.

– Merci beaucoup, Miss Brixenham.

Elle les suivit jusqu'à la porte. En cours de route, son châle tomba en vol plané derrière elle.

– *Pink Floyd ?* dit Jury en arrêtant Melrose sur le chemin au sortir de la maison. Où avez-vous diable fait la connaissance de Pink Floyd, pour l'amour du ciel ?

De sa poche, Melrose extirpa un numéro plié du *New Musical Express* et le tendit à Jury.

– Vraiment, inspecteur, vous n'aboutirez jamais à rien dans ce métier si tout ce que vous lisez est Virgile. – Il consulta sa montre extra-plate en or massif. – Je vois que l'heure de notre thé est passée. Puis-je, messieurs, vous offrir un Brouillard de Rackmoor ?

8

— Vampires ! cria Bertie à tue-tête en fonçant à travers la cuisine, un vieux couvre-pieds au-dessus de la tête, battant des coudes, dispersant les relents de fumée des tranches de lard qui avaient brûlé pendant qu'il voletait dans la pièce.

Il poussa d'une haute voix de soprano le son aigu qu'il estimait pouvoir être proféré par une chauve-souris.

Arnold recula d'un pas. Si c'était un nouveau jeu, Arnold n'y participait pas.

Bertie commença à marcher sur la pointe des pieds, en faisant voleter la couverture piquée.

— Ils sucent le sang, voilà ce qu'ils font, mon vieil Arnold.

Ses dents pointaient en saillie au-dessus de sa lèvre inférieure, figurant des dents de vampire. Le rire perçant de Bertie aurait fait se hérisser n'importe quel autre chien. Arnold bâilla.

Avec un soupir, Bertie rejeta le couvre-pieds et inspecta les tranches de lard carbonisées. Ils seraient obligés de se contenter de toasts. Bertie rationnait les tranches de lard à trois par semaine : deux pour lui, une pour Arnold. Bertie veillait de très près à son budget.

— En tout cas, dit-il en embrochant le pain sur une fourchette à rôtie, c'est l'impression que j'ai. Un tas de trous à travers elle, elle devait ressembler à une passoire.

Il présenta le toast au-dessus du feu et le retourna soigneusement, puis le brandit pour qu'Arnold l'inspecte.

— Brun et croustillant. Je pense que nous aurons un œuf à la coque pour le thé.

Il posa sur le feu une petite casserole d'eau, y plongea

deux œufs pris dans un bol sur l'étagère, planta une autre tranche de pain sur la fourchette.

– Mouillettes de toasts et œufs. – Il fredonna un peu en réfléchissant. – M'est avis que les trous, ils étaient trop gros et trop espacés...

Il retourna le pain et fredonna encore pendant que la tartine grillait jusqu'à atteindre un ton brun doré. Puis il la retira de la fourchette et commença à en transpercer une autre. Il s'arrêta et regarda la fourchette elle-même. Des dents.

– Ça n'a fait que deux trous, hein, Arnold ?

La truffe d'Arnold remua. Il ne s'intéressait pas à la fourchette à rôtie, il s'intéressait au toast et aux tranches de lard.

Soudain les yeux de Bertie s'arrondirent et il chuchota :

– *Arnold !*

Arnold, qui se grattait sous son collier, se tendit. Le ton de Bertie laissait présager quelque chose dont il valait la peine de s'occuper, comme un chat qui aurait sauté sur le rebord de la fenêtre au-dehors.

– Arnold ! La queue-de-pie !

9

Melrose Plant et Sir Titus Craël se trouvaient ce soir-là dans la salle Bracewood, en train de boire. Julian était invisible, parti en promenade, peut-être, et Melrose n'en était pas mécontent. Il commençait presque à le plaindre. Depuis le matin, les réactions de Julian avaient été particulièrement léthargiques, comme s'il paraissait attendre tout simplement que sa vie s'achève. Mais la sympathie ne changeait pas l'opinion de Melrose. Il le croyait toujours coupable. Qui avait le meilleur mobile ? Julian n'aurait jamais laissé la jeune femme réussir son coup. Ce que Gemma Temple avait en tête était peut-être un coup de chantage : *Je m'en vais si tu me donnes ça et ça.*

Il fut tiré de ces réflexions par la voix du colonel Craël :

– Je suis désolé, mon garçon, que vous soyez tombé dans tous ces ennuis.

Melrose rougit un peu. Il songeait au rôle qu'il jouait dans « tous ces ennuis ».

– C'est moi qui devrais m'excuser, Sir Titus, de vous encombrer de ma présence. Je me proposais de partir aujourd'hui.

Ce qui était un mensonge.

Le colonel émit des petits clappements de langue, écartant les mots d'un geste de la main, comme de la fumée.

– Pas du tout. Au contraire, je suis terriblement content que vous soyez ici. Qu'est-ce qui ne va pas avec Julian, le savez-vous ? Je ne peux pas croire qu'il est bouleversé à cause de cette pauvre Olive. Il ne l'a jamais beaucoup aimée ; ma foi, elle n'était pas vraiment sympathique... mais je parle mal des morts.

Il prit une gorgée de whisky et s'essuya le visage entier avec un énorme mouchoir, comme un fermier au milieu d'un champ écrasé de chaleur.

– Seigneur, je ne sais pas. C'est trop.

– Oui, effectivement.

– Parlons d'autre chose, voulez-vous ?

– Pour quand projetez-vous votre prochaine chasse ?

– Je ne crois pas que nous en ferons une autre cette saison après ce qui est arrivé.

– Mais la période favorable pour chasser est loin d'être écoulée. Vous pouvez chasser ici beaucoup plus longtemps qu'à Northants, n'est-ce pas ?

– Oh, oui. Jusqu'en avril, généralement.

Il se pencha pour secouer l'habit rouge qu'il avait accroché sur une chaise et tourné vers le feu.

Melrose se demanda pourquoi il n'avait pas chargé les domestiques de cette tâche modeste consistant à faire sécher le drap humide. Peut-être était-ce un petit rite que le colonel aimait célébrer lui-même.

Sir Titus dit quelque chose à propos d'un menu trou dans la manche usée. Il eut un clappement de langue compatissant comme si l'habit pouvait comprendre.

– La vieille guenille rouge. Il faudra que je l'envoie au tailleur de Jermyn Street. Je vais être obligé de me contenter du queue-de-pie pendant un temps. Quoique le grand veneur n'en porte pas ordinairement. Ah, bah, faire des cérémonies, de nos jours, ne rime pas à grand-chose. Avez-vous lu Jorrocks ? demanda-t-il à Melrose, qui secoua négativement la tête, son esprit préoccupé non par la chasse mais par le corps transpercé d'Olive Manning.

Le colonel récita :

– *Je ne connais pas de cérémonie plus mélancolique que d'ôter le cordon de sa cape de chasse et de replier la vieille guenille rouge à la fin de la saison – un vieil habit différent de tous les autres, d'autant plus aimé et plus attachant qu'il devient plus vieux et de moins en moins utilisable.*

– « Queue-de-pie » ? dit Melrose subitement en se tournant vers le colonel.

– Je vous demande pardon ?

– Vous avez dit « queue-de-pie ».

– Eh bien, oui, l'habit que j'endosse quand...

Mais le colonel s'interrompit car Melrose Plant avait jailli de son fauteuil, renversant son verre, et s'était précipité hors de la pièce au pas de course.

10

Le chat gris rayé de roux était couché comme une masse contre la fenêtre de la galerie, apparemment habitué maintenant à ces interruptions de ses siestes, car il n'esquissa pas un mouvement autre que celui de se retourner d'une allure de somnambule quand Jury mit ses mains en abat-jour autour de son visage pour regarder à l'intérieur. Il n'y avait personne – les affaires devaient être nulles en hiver. L'intérieur était sombre, mais comme la pancarte OUVERT était coincée dans la vitrine, Jury présuma que Rees était là et ouvrit la porte. La cloche tinta et le chat s'étira, tournant plusieurs fois en cercle avant de reprendre sa posture originelle, couché en rond.

Jury lança un « Bonjour, il y a quelqu'un ? » et bientôt un claquement de souliers descendit l'escalier du fond. Adrian apparut dans son tablier plein de taches de couleur. Les cheveux noirs qui lui tombaient sur le front semblaient légèrement emmêlés, comme s'il avait transpiré. Il les rejeta en arrière d'un geste du bras, la main toujours crispée sur un pinceau en poils de martre.

– Ah, inspecteur Jury. Je pensais bien que vous alliez venir. Retournons à la cuisine, d'accord ?

Quand Jury se fut installé devant une table bancale plaquée contre le mur, dans une cuisine à peine assez grande pour admettre deux corps debout, Adrian ouvrit vivement une fenêtre et tira à l'intérieur deux bouteilles d'ale qui étaient à rafraîchir.

– Pas pour moi, merci...

Adrian replaça une bouteille dans son petit tas de neige sale.

– Je pense que vous êtes ici à cause d'Olive Manning. L'inspecteur Harkins m'a presque convaincu que c'est moi qui l'avais tuée. – Adrian décocha un sourire à Jury. – Mais pas tout à fait.

– Vous suiviez la chasse, ce matin. Pourquoi ? Vous détestez ce sport, à ce que j'ai appris.

– Sapristi, vous connaissez bien mes goûts et mes dégoûts. Où avez-vous entendu raconter ça ?

– Un petit oiseau.

Adrian déboucha sa bière, s'assit et renversa en arrière d'un même mouvement son siège et sa bouteille. Il s'essuya la bouche d'un travers de main et déclara :

– C'est vrai. J'estime que la chasse au renard est un des sports les plus stupides qui existent. Un faux sport, en fait.

– Pourquoi y êtes-vous allé ce matin, alors ?

– Parce que le colonel voulait un tableau de la Chasse de Pitlochary. Un grand, pour mettre dans la longue galerie. J'étais là simplement en observateur.

– Maud Brixenham dit que vous étiez avec elle à Momsby Cross. Elle a déclaré que vous étiez parti dans la direction de Cold Asby.

– Ah, voilà votre petit oiseau. Maud ne me porte pas particulièrement dans son cœur.

– Je n'en ai pas eu le sentiment. Elle n'a jamais rien dit contre vous.

Adrian laissa retomber sa chaise d'aplomb avec un claquement et émit un rire sec de mépris.

– Oh, allons donc, inspecteur. Elle est trop rusée pour ça. La façon de faire de Maud n'est pas l'attaque directe.

– Qu'aurait-elle contre vous ?

– Je pense qu'elle est jalouse de quiconque a une prise sur le colonel. Il a de la sympathie pour moi ; en fait, il m'admire.

Adrian sourit, baissa brusquement la tête, et fit tomber d'une tape la cendre de son cigare.

– Je ne comprends pas pourquoi cela vous surprend. Vous êtes très bon, du moins d'après ce que j'ai vu. Étiez-vous quelque part à proximité de ce mur ?

– Je n'en suis pas bien sûr. Je ne connais pas la lande à ce point, pas comme ceux qui suivent les chiens, c'est certain.

Jury sortit une carte d'état-major, l'étala sur la table, indiqua Momsby Cross :

– Vous et Maud vous vous trouviez ici. – Jury fit courir son doigt sur la carte. – Le Creux du Danois, Cold Asby, Momsby Cross. Le cadavre a été découvert ici. C'est à quatre cents mètres environ de Momsby Cross.

Adrian regarda en plissant les paupières les lignes, points et ombres de la carte, puis secoua la tête.

– Peut-être ces tumulus là-bas... je crois que je suis peut-être passé devant. Mais cela ne paraît pas particulièrement près du mur.

Jury plia la carte, la fourra dans sa poche de derrière.

– Vous êtes ensuite revenu au village ?

– Oui. Les premières nouvelles que j'ai eues de cette histoire, c'est quand l'inspecteur Harkins est venu frapper à ma porte il y a plusieurs heures.

– Pour revenir au tableau : si vous détestez tellement la chasse, pourquoi prenez-vous cette commande ?

– L'art et la morale, est-ce là le sujet du sermon ? Inspecteur, j'accepterais n'importe quelle commande. Pas de scrupules. Si Scotland Yard désirait me commander des portraits-robots, je le ferais, croyez-moi. Tenez, *à propos*. – Adrian recula sa chaise dans un grincement, planta le cigare dans sa bouche et se leva. – Venez là-haut.

Adrian rejeta le linge qui couvrait la toile posée dans l'angle de la pièce.

– Fait de mémoire, bien sûr, mais vrai, je pense, dans les détails. Et dans l'atmosphère, j'espère. Il vous plaît ?

Jury était abasourdi. Le personnage semblait enveloppé comme d'un suaire, non pas tant par la cape noire que par la nuit et le brouillard. De frêles vrilles de brume s'enroulaient autour de la femme, figée avec autant de raideur que si elle avait posé pour le portrait, et Jury imagina que ce n'était pas précisément comme cela qu'elle était apparue à Adrian ce soir de la Nuit des Rois. La forme était allongée, longiligne, le cou et les mains étiolés, le visage masqué de noir et assez effrayant. Le côté gauche avait un éclat spectral ; le côté droit était noir et se fondait presque dans l'arrière-plan sombre. Le jeu entre ombre et lumière était magnifique. La brume traçait une auréole d'argent autour du réverbère. C'était, en son genre, aussi impressionnant que le portrait de Lady Margaret.

Jury tendit la main pour le prendre – la toile n'était pas très grande – et dit :

– Puis-je ?

– Bien sûr.

Il l'apporta près de la lampe et l'étudia de nouveau.

– C'est remarquable. Mon seul regret, c'est que vous ne l'ayez pas terminé plus tôt. L'avez-vous montré à Harkins ?

Adrian était en train de fourrager dans un pot de pinceaux ; il les rejeta et se retourna.

– Bon Dieu ! Philistins ! Tout ce à quoi vous êtes capables de penser, c'est au meurtre.

– Cela occupe assez mon temps, oui. Est-ce le Pas de l'Ange à l'arrière-plan ?

Adrian qui essuyait les pinceaux hocha la tête.

– C'est diablement meilleur qu'un portrait-robot si c'est réellement ce que vous avez vu.

– Je suis un artiste, rappelez-vous. L'observation, c'est mon métier.

La cloche tinta au rez-de-chaussée. Adrian regarda vers le plancher, surpris.

– Ça ne peut sûrement pas être un client. J'ai oublié à quoi ils ressemblent. Ça ne peut pas être vous, vous êtes là. Quelqu'un a dû s'égarer dans le brouillard.

– Pourquoi n'allez-vous pas voir ?

Adrian se passa la main sur les cheveux pour les remettre en ordre et descendit.

Tout ce que Jury entendait venant d'en bas était des voix assourdies ; il était toujours absorbé par le tableau. Il fronça les sourcils.

Quelque chose clochait. Une image, obscure, opaque, flottait dans son esprit. Un visage dans une vague, un reflet dans un étang. Son esprit fit un bond en arrière pour s'observer lui-même devant la glace au *Vieux Renard Trompé...*

– Monsieur Jury ! cria Adrian du bas de l'escalier. Descendez ; vous avez un visiteur.

Avec soin, Jury replaça la toile sur le chevalet, l'image de nouveau perdue pour lui. Mais quelque chose le taquinait toujours.

S'il y avait quelqu'un qu'il ne s'attendait pas à voir, c'était bien Percy Blythe : enveloppé de chandails, revêtu d'un lourd manteau, emmitouflé dans des écharpes presque jusqu'au nez, il roulait en tapon son bonnet de tricot dans ses mains et jetait des coups d'œil rapides aux tableaux sur les murs.

– Bonjour, Percy. Vous vouliez me voir ?

– Oui, je le veux. – Un regard sombre papillonna vers Adrian Rees. – Seul.

Adrian prit congé avec une courtoisie étudiée et une fois que ses pas se furent éloignés, quand Percy Blythe fut certain qu'il était hors de portée de sa voix, il dit :

– C'est Bertie. L'enfant est entré chez moi, pour voler.

– *Bertie* ? Oh, allons donc...

– Vu de mes propres yeux. – Il désigna les siens pour s'assurer que Jury comprenait bien qu'il en possédait deux. – Je r'montais l'Allée de la Dague et je l'ai aperçu qui sortait de chez moi avec Arnold. Y s'dissimulaient dans l'ombre.

– Mais ne venaient-ils pas simplement vous rendre visite, Percy ? Ils entrent quand vous...

Devant sa façon de secouer la tête, Jury s'interrompit.

– C'est pas l'entrée qui me chiffonne, mais la sortie. Et puis ils étaient drôlement furtifs, ils se faufilaient comme deux anguilles.

Arnold en anguille ! Jury se retint d'éclater de rire.

– ... avec l'arme du crime.

– *Quoi ?*

– L'arme du crime, garçon. Ce avec quoi elle a été tuée. J'aurais pu vous dire ce qui l'avait tuée dès que j'ai su que c'était des perforations, ses blessures.

11

Bertie n'aimait pas prendre cet itinéraire en plein jour, à plus forte raison la nuit.

Il tenait la queue-de-pie la pointe des dents tournée vers le sol et avançait avec précaution. Il n'avait pas envie qu'elle l'éborgne au cas où il trébucherait, ce qui était des plus probables dans la brume et sur ce terrain marécageux. Des racines d'arbres masquées par des lambeaux de brouillard gisaient en travers de son chemin comme les pieds de monstres préhistoriques. Il manqua de tomber une ou deux fois.

Il progressait vers cette partie de la falaise située entre la Vieille Maison et le parapet où il y avait un endroit (d'après Percy Blythe) d'où l'on pouvait jeter par-dessus bord n'importe quoi sans qu'on le revoie jamais. C'était là qu'il avait l'intention de jeter la queue-de-pie. Naturellement, *lui* savait que Percy n'avait trempé en aucune façon dans le meurtre. Mais cela ne suffirait pas à empêcher la police de le penser si elle trouvait ça dans son cottage. Quelqu'un avait dû entrer le prendre en son absence puis revenir le remettre en place.

Bertie savait qu'il détruisait peut-être des indices ; il avait vu assez de séries télé américaines pour savoir ça. Cela l'avait retenu des heures assis à sa table de cuisine devant une tasse de thé, la tête dans les mains, à réfléchir. Il avait même oublié les Weetabix d'Arnold. Finalement, il était parvenu à trouver de bonnes raisons. Rien ne prouvait que le meurtre avait bien été commis avec la queue-de-pie. Il existait des quantités d'objets avec des dents comme ça. La fourchette à rôtie, par exemple. Des quantités.

Quelque chose de dur lui heurta le pied – une racine, supposa-t-il – et il faillit choir de nouveau. « Avance, mon vieil Arnold », chuchota-t-il et il se demanda pourquoi il chuchotait. Il n'y avait personne pour l'entendre. Et il n'avait pas à dire à Arnold d'avancer parce qu'Arnold ne le quittait pas d'une semelle. C'était plutôt pour entendre le son de sa propre voix. Pour s'assurer qu'Arnold ne traînerait pas à l'arrière-garde, il avait croché un doigt dans son collier. « Avance », dit-il encore. Il entendit le Taureau de Whitby ; dans ce silence spectral la corne de brume lui parut se trouver tout près de son oreille. Peut-être approchait-il de la mer.

Afin de garder une main libre pour tâtonner devant lui dans le brouillard, il avait fourré la queue-de-pie dans le haut de son ciré. Il aurait dû mettre son manteau noir ; ce vieux ciré jaune n'était pas assez chaud. Et la torche dont il s'était muni ne lui servait pas à grand-chose, sa sourde clarté jaune était plus effrayante qu'utile, car elle éclairait des branches avec des bras de squelette, des buissons comme des animaux tapis prêts à bondir. Il aurait bien aimé que Percy Blythe n'ait pas fait ces plaisanteries idiotes à propos d'Arnold, disant que c'était un chien-esprit, un *bargast*. Ce n'était pas drôle. Il aurait aimé aussi qu'il ne parle pas tant de chasse fantôme, ces aboiements de meute invisible, présages de mort selon la tradition populaire (en réalité le *tadadadat-tadadadat* ou *klang-klang* des vols migrateurs d'oies sauvages). Et les fosses à sacrifice des druides ! C'était formidable d'entendre parler de tous ces trucs en sécurité derrière les murs du cottage de Percy Blythe ; mais cela n'avait rien de réjouissant d'y penser quand on était ici dehors. Il aurait dû passer par la digue, mais c'était prendre le risque de rencontrer quelqu'un dans la Grand-Rue ou le Passage de la Treille. Bertie aurait bien aimé entendre quelque chose d'autre que le bruit de succion de ses pas sur le sol marécageux ou Arnold reniflant des broussailles humides comme un limier suivant une piste. Bertie tira d'un coup sec sur son collier. Il devinait maintenant le bruit du ressac et il pressa légèrement le pas, entraînant Arnold, qui n'avait pas besoin d'être entraîné. Quand il entendit déferler les vagues tout près, il fut soulagé ; il ne tarderait pas à être débarrassé...

Quelque chose bougea.

Bertie se retourna vivement, faisant décrire au rayon de sa torche un cercle complet en criant :

– Qui est là ?

Mais au milieu des branches fouettées par le vent et dans la brume, c'était difficile de dire ce qui était stationnaire, et ce qui ne l'était pas. Le dos à la mer, il apercevait sur sa gauche les lumières du village de Rackmoor, celles des maisons qui étaient de l'autre côté de l'anse. Arnold gronda, doucement et bas, comme sous l'impulsion de la propre imagination de Bertie, puis ils firent demi-tour et reprirent leur marche vers le bord de la falaise. En fait, c'était toutes ces réflexions sur les chasses fantômes et les *bargasts*...

Quelqu'un approchait derrière lui. Aucun doute, cette fois, il percevait des pas, ou quelque chose avançant péniblement à travers les broussailles. Mais comme les arbres eux-mêmes dans le noir et le brouillard prenaient des formes quasi humaines, c'était difficile de dire si ce quelque chose était humain.

Arnold gronda de nouveau, du fond de la gorge.

Il y eut un bruit de ruée dans les broussailles, comme du vent qui s'engouffre dans un couloir. Arnold aboyait maintenant pour de bon et le cuir chevelu de Bertie fut parcouru de picotements de peur, exactement comme s'il avait été coincé dans un tunnel avec le train fonçant sur lui. Une lumière vive brilla soudain sur sa figure, l'aveuglant de son œil de cyclope. Bertie eut le réflexe de lever le bras mais une main s'était déjà tendue vers lui et avait fait tomber ses lunettes.

Arnold aboyait avec fureur. Bertie pouvait tout juste le deviner qui fonçait sur la tache sombre – sur cette silhouette qui avait projeté ses lunettes par terre et empoigné son ciré, le lui arrachant des épaules. Quelqu'un cherchait à avoir la queue-de-pie, il en était sûr.

L'aboiement d'Arnold était quasi frénétique, on aurait dit deux chiens qui se sautaient mutuellement à la gorge. Sauf que l'autre chien ne proférait aucun son ; aucune voix n'en provenait, seulement une respiration oppressée. Bertie avait peur de bouger sans ses lunettes. Sans elles, il ne pouvait rien voir bien nettement et il savait qu'il était près du bord de la falaise, car il entendait le déferlement violent des vagues au-dessous de lui.

Il sut à quel point il en était proche quand des mains le poussèrent dans le vide.

C'est un instrument de roncheur, dit Percy Blythe à Jury, une fois qu'ils furent à l'intérieur de son cottage. Il désigna le mur où les autres instruments étaient suspendus et étiquetés. La queue-de-pie manquait.

– Y vient chez moi pour un oui pour un non, chercher quelque chose ou pas. Peu m'importe. Mais qu'est-ce que Bertie et Arnold voulaient faire de ça ?

Il le décrivit à Jury comme ayant quarante-cinq centimètres de long, fourchu, et avec des dents aussi pointues qu'on peut les aiguiser.

Jury demanda qui le connaissait. Tout le monde, répliqua Percy, oui, même les Craël.

– Ils sont venus ici. Le vieux est venu pour parler de bouchage de terriers ou de remise en état de haies. Le jeune est venu aussi, une, deux fois.

Non, il ne verrouillait jamais sa porte, et la Rue Sombre était vide à cette époque de l'année. N'importe qui aurait pu s'introduire chez lui.

En dépit de la chaleur régnant dans le petit cottage et de ses deux chandails plus son blouson, Jury sentit quelque chose de très froid courir le long de son épine dorsale. Bertie se baladait en ce moment avec ce qui était probablement l'arme du crime.

La chute avait duré quelques secondes mais elle avait aussi bien pu durer des heures ; la notion du temps s'était totalement évanouie pour lui dans le trou noir de son esprit. Ses mains avaient agrippé quelque chose sur le flanc de la falaise, quelque chose comme un gros bout de bois – il ne le voyait pas ; peut-être une vieille racine mais assez ferme pour qu'on s'y accroche.

L'ennui, c'est qu'il n'arrivait pas à s'assurer un point d'appui avec ses pieds. Il avait beau racler la roche, en quête d'une saillie où les poser, elle donnait l'impression d'amorcer un léger retrait et ses pieds ne faisaient que passer sur du lichen puis... du vide. Si bien qu'au cours du bref laps de temps où il avait été suspendu là, ses bras étaient déjà fatigués, presque désarticulés. Il en avait du moins l'impression. Un bruit de tonnerre résonnait dans ses oreilles, plus fort encore que celui des vagues. « Sainte Marie, mère de Dieu... » commença-t-il. Mais il ne se rappelait que cela, tout le reste des mots avait sombré, était tombé de sa mémoire comme le schiste avait glissé de cette falaise désolée. Puis il entendit un grattement, un son qui se rapprochait et une respiration laborieuse. Il y eut soudain cette odeur familière de fourrure mouillée. Il plaqua sa figure contre le rocher, en pleurant. Au moins, Arnold n'avait pas été transformé lui aussi en écumoire. Puis, miraculeusement, il sentit quelque chose sous ses pieds. Il était soutenu par en dessous, juste un peu, juste assez pour soulager ses bras de ce poids effroyable. Ce quelque chose s'était avancé sous lui et, avec le soulagement de ses muscles, le rugissement s'était éteint dans ses oreilles et il entendait Arnold, haletant fortement, Arnold qui connaissait les petits sentiers étroits de ces falaises et savait y circuler comme un bouquetin.

Il devait y avoir une corniche juste au-dessous, quelque chose de suffisamment large pour Arnold, et une sorte de chemin, aussi, un mince vestige de ce qui était là, il y avait bien des années, avant qu'un pan de la falaise cède et envoie trois maisons basculer dans la mer. Ne pas penser à ça.

Ni tout à fait suspendu ni vraiment debout, Bertie pressa sa figure contre les rochers, moula son corps sur la falaise dure et froide, comme si c'était une douce forme humaine, ce qu'aurait pu être une maman si elle ne s'en était pas allée. Mais il ne voulait pas penser à cela non plus. Et il oublia de bénir la Sainte Vierge, Jésus, l'ange Gabriel, les étoiles, le soleil, la lune.

Il bénit seulement Arnold.

Il n'y avait personne dans le cottage de la Rue-Qui-Grince. Les vitres étaient noires, la porte fermée. Mais pas à clef, aussi Jury entra-t-il, chercha à tâtons le commutateur, vit le téléphone sur son petit socle dans le vestibule. Il cria le nom de Bertie une ou deux fois, sans escompter de réponse.

Il forma le numéro de la Vieille Maison et Wood décrocha. Non, il n'avait pas vu le jeune Mr. Bertie et, non, Mr. Plant n'était pas là. Il avait quitté les lieux il y avait moins d'une heure dans un état de précipitation terrible – et, à dire vrai, Wood pensait qu'il était parti à la recherche de l'inspecteur Jury.

Jointe au téléphone, Kitty non plus n'avait pas vu Bertie.

Quand Wiggins vint en ligne, Jury lui raconta ce qui était arrivé, lui dit d'appeler Harkins et de faire amener assez d'hommes pour fouiller le village, Howl Moor, les bois près de la Vieille Maison, ainsi que du côté de la falaise.

– Qu'est-ce que c'est qu'une queue-de-pie ? questionna Wiggins.

Sa voix était étouffée et rocailleuse. Ce qui signifiait qu'il couvait quelque chose. Que Dieu les protège tous.

– ... Pourquoi diable Bertie l'a-t-il prise ?

– Qui sait ? Pour aider la police, jouer au détective ou protéger Percy. Trop de télé américaine. Je veux qu'il soit retrouvé *maintenant*. Je passe par le Pas de l'Ange et les bois. Cela ne me plaît pas que Bertie se promène avec ce machin.

– Est-ce qu'Arnold est avec lui, monsieur ?

– Je ne sais pas, mais n'y est-il pas toujours ?

– Alors pas de souci à se faire, dit Wiggins dans un faible effort d'humour.

Un caillou, une motte de terre – quelque chose se détacha et glissa le long de la falaise. Et le poids d'Arnold se déplaça un tout petit peu. Bertie entendait les ongles de ses pattes crisser sur la pierre et il eut la certitude qu'ils allaient dégringoler tous les deux. Bertie se pressa contre les rochers humides et se servit de la racine pour essayer de se hisser un peu afin de soulager de son poids le dos d'Arnold. Le froid était glacial ; il ne sentait pratiquement plus ses doigts et il était suspendu maintenant par ses poignets croisés.

Arnold aboya. Bertie interpréta cela comme le signe qu'il avait consolidé sa position et il rabaissa ses pieds dans ces deux ou trois centimètres d'espace pour les appuyer sur le dos d'Arnold.

C'est alors qu'il capta un son différent, qui provenait d'au-dessus de lui. Un raclement sur la terre et la pierre : quelqu'un descendait, par la même voie qu'il avait entendu Arnold emprunter.

Le soulagement l'envahit dans une vague chaude. Quelqu'un avait entendu Arnold aboyer, quelqu'un arrivait à la rescousse.

Ou peut-être retournait-il sur ses pas pour finir le travail ?

Son sang eut à peine le temps de se glacer quand il perçut une voix très près de lui qui disait, sur un ton autoritaire plutôt qu'amical :

– Donne-moi ta main.

La voix était inconnue et froide. Bertie sentit, plutôt qu'il ne le vit, un bras allongé vers lui. Il était impossible à quiconque d'approcher davantage ; quel qu'il fût, il ne pouvait pas avoir beaucoup de place pour se tenir debout, ni un très bon équilibre.

– *Donne-moi ta main !*

La voix le frappa comme un coup de poignard et, terrorisé, il se cramponna à la falaise comme si c'était le corps de sa propre mère. Un paroxysme de peur lui causa un tremblement de la tête aux pieds et il craignit que cette vibration même le précipite dans le vide.

C'est alors qu'Arnold se dégagea de sous lui.

Bertie tendit la main avec la rapidité d'une flèche vers la voix, vers le souffle de l'autre, conscient seulement de cet unique instant supplémentaire de vie avant que la main qui se refermait autour de la sienne le lâche à jamais dans les ténèbres.

C'était juste cela : un moment encore de vie.

Mais alors il entendit d'autres bruits au-dessus de lui. Des voix. Des chiens. Pendant un instant fantastique, tandis que la main agrippant la sienne le faisait pivoter à bas de son perchoir et qu'un autre bras le saisissait par les épaules, il se demanda si ces sacrés imbéciles étaient en train de chasser à courre.

– Bertie !

Cette voix-là venait du haut de la falaise et il la connaissait : c'était celle de l'inspecteur Jury. On le traînait vers le haut, opération pénible d'après le son de la respiration de la silhouette indistincte à côté de lui. D'un dernier élan, il fut balancé vers le haut par son bras, et finalement déposé fermement en terrain solide.

Bertie ne voyait toujours rien sinon de vagues lueurs et des masses informes, qui se déplaçaient comme en rêve dans son champ de vision. Mais ce n'est pas à elles qu'il pensait.

– Arnold ! cria-t-il.

Le terrier aboya et Bertie se laissa choir à genoux et jeta ses bras autour de la fourrure mouillée du chien.

Quelqu'un était à côté de lui, qui essuyait la figure du jeune garçon avec un mouchoir.

– Bertie, mon petit vieux. – C'était l'inspecteur Jury. – Tiens, nous avons trouvé tes lunettes.

Il les mit en place sur le nez de Bertie.

Le paysage s'anima comme si on avait levé un rideau. Bertie se demanda si c'était ce qu'éprouverait un aveugle s'il pouvait soudain recouvrer la vue. Au cœur de la nuit noire, les gens apparaissaient telles des statues blanches dans un jardin sombre.

L'un d'eux avança et il reconnut l'inspecteur Harkins, en train d'allumer un cigare, les mains en coupe autour d'une allumette. Derrière Bertie, Jury parlait à quelqu'un – pas Harkins mais quelqu'un d'autre.

– C'est une bonne chose que vous vous soyez trouvé là.

Bertie se retourna et vit Julian Craël debout derrière lui.

Il se tenait juste au-delà du cercle de lumière projeté par les torches électriques. Il s'essuyait les mains avec un mouchoir. Il y avait une grande déchirure en travers de sa manche de chemise. Son manteau, qu'il avait dû abandonner pour qu'il ne le gêne pas dans sa descente périlleuse, était resté sur le sol. Il le ramassa et l'enfila.

– Une vraie coïncidence, commenta Harkins.

Julian ne dit rien.

Comme si cette pilule amère lui était destinée, Jury déglutit. Ce devait être dur à supporter – d'être accusé d'avoir tenté de tuer la personne que vous venez de sauver.

– Je pense que nous ferions bien de retourner à la maison discuter de ça, déclara Harkins.

– Je ramène Bertie chez lui, dit Jury.

– Nous avons besoin d'interroger le gamin, riposta sèchement Harkins.

– Je peux le faire une fois qu'il sera rentré. Pas ici.

Harkins tourna les talons d'un air écœuré et Jury tira Wiggins à part.

– Accompagnez-les à la Vieille Maison et veillez à ce que Harkins ne le lynche pas. Puis venez me rejoindre au cottage de Bertie

Harkins donna des directives à deux de ses hommes pour qu'ils continuent à chercher l'arme, puis se mit en route avec Julian.

– Monsieur Craël !

Bertie s'arracha à la main de Jury, courut à Julian et lui jeta les bras autour de la taille, comme si Julian aussi était couvert d'une épaisse fourrure humide.

Quand il lâcha prise, Julian esquissa un petit salut de la main.

– A ton service, vieux.

Arnold aboya et sa queue battit l'air une fois comme un fouet.

Aussi près de frétiller de la queue qu'il n'y parviendrait jamais, songea Jury.

VII

Jacques a dit

1

Comme Bertie tombait presque de sommeil, ils l'avaient mis au lit et Jury avait tenu à rester avec lui, affirmant qu'il piquerait un somme sur le divan. Noblement, Wiggins avait renoncé à sa chambre au *Renard Trompé* et était resté aussi. Et Melrose Plant, qui ne voulait rien manquer, s'était réveillé aux premières heures du jour avec une épaule très douloureuse pour avoir dormi dans un fauteuil.

Maintenant ils étaient tous groupés autour de la table de la cuisine recouverte d'une toile cirée : Jury, Bertie, Melrose, Wiggins et Arnold. Melrose avait abandonné la dernière chaise à Arnold et avait lui-même pris place sur un tabouret.

Bertie l'avait répété à n'en plus finir, tandis qu'ils le bourraient de thé et de mouillettes de toast. Non, il n'avait rien vu ; il n'avait rien entendu ; non, il n'avait rien senti qui lui donne un indice pouvant permettre d'identifier qui l'avait poussé.

Comme si la corruption avait un pouvoir magique sur la mémoire, Jury posa deux tranches de lard supplémentaires sur l'assiette de Bertie et d'autres aussi sur celle d'Arnold.

— Il doit bien y avoir quelque chose, Bertie.

— Ma foi, ce n'est pas le cas, répliqua Bertie d'un ton ferme en piquant sa tranche de lard. Qui paie pour ça ?

Il présentait une tranche de lard à la pointe de sa fourchette.

— C'est moi qui l'offre, dit Melrose. Le sergent Wiggins

que voici a frappé à la porte de ce vieux marchand dès potron-minet.

Wiggins n'avait pas du tout bonne mine après sa nuit blanche. Il tâtait sans conviction le jaune d'un œuf avec une mouillette de pain grillé.

– Ma foi, merci, alors. Nous aimons bien le lard, moi et Arnold.

– Quelqu'un vous a suivis là-bas, dit Jury. Il devait penser que tu allais porter cet outil de roncheur à la Vieille Maison ou à la police, et que tu avais vu la personne qui l'avait pris dans le cottage de Percy.

– Mais je ne l'ai pas vu, hein?

– L'assassin ne le savait pas. Pour quelle autre raison l'aurais-tu pris?

– Pour que Percy n'ait pas d'ennuis.

– C'est très loyal de ta part, déclara Wiggins, la bouche pleine de toast, mais cela s'appelle du détournement de pièce à conviction, fils.

Il pointa sa fourchette sur Bertie.

Lequel devint un peu plus pâle.

– Qu'est-ce qu'on va me faire?

– Oh, te donner une médaille, probablement, dit Melrose, en changeant de position sur son tabouret où il était mal assis. – Puis il soupira. – J'ai encore une fois raté l'essentiel. Je pense que je ferais mieux de rendre mon tablier.

Jury sourit et but son thé.

– C'est *moi* qui devrais démissionner. Même pas penser aux outils de Percy.

– Eh bien, vous ne les aviez pas examinés comme moi. Il y en avait partout sur les murs. Comme je n'avais rien d'autre à faire ce soir-là...

Il en était encore ulcéré.

– C'est ce vieil Arnold qui mérite la médaille, dit Bertie.

– Je suis d'accord, acquiesça Melrose Plant. Peut-être pourriez-vous lui obtenir une de ces cravates dont vous m'avez parlé. Une cravate de la Police judiciaire. Elle irait bien à Arnold.

Bertie lui jeta un coup d'œil.

– Je sais qui *ce n'était pas*, je peux vous le dire. Cet inspecteur Harkins est cinglé. Ce n'était pas Mr. Craël.

Melrose s'interrompit dans l'acte d'allumer son cigare et regarda Bertie par-dessus la flamme crachotante de son briquet.

– Tu dis cela parce qu'il est descendu en rampant puis t'a remonté. Ce serait, évidemment, hautement louable s'il n'avait pas commencé par te pousser dans le vide. En nous entendant tous là-haut, il ne pouvait guère te laisser choir à ce moment-là.

Bertie secoua la tête.

– C'est à cause d'Arnold.

– Je dois être bouché, dit Jury. Explique-nous ça.

– Arnold s'est *déplacé*. Quand Mr. Craël m'a ordonné de lâcher prise, Arnold a cessé d'aboyer et il s'est enlevé de dessous mes pieds. J'ai été obligé de lâcher à ce moment-là. Je n'avais pas le choix, hein ? Vous ne croyez pas qu'il aurait fait ça si ç'avait été cette personne qui nous avait suivis pour avoir la queue-de-pie, dites ? Vous ne croyez pas qu'*Arnold* est idiot, hein ?

– Absolument pas, dit Melrose, qui ouvrit le journal du matin à la recherche des mots croisés.

– Bertie a un bon argument sur ce point-là, commenta Jury.

Wiggins dit :

– Mais on ne peut pas toujours se fier à un chien, non ?

Jury le regarda, pour voir s'il plaisantait. Mais l'expression de Wiggins, qui versait une cuillerée de sucre en poudre dans son thé, était presque vénérable dans sa gravité. Jury alluma une cigarette. Elle avait un goût de vieille chaussette.

– On peut se fier à Arnold, répliqua Bertie à Wiggins. C'est le chien le plus intelligent que j'aie jamais vu. – Bertie fourra une autre mouillette dans sa bouche. – Il sait jouer à « Jacques a dit ».

– Ah, épatant, lança Melrose qui essayait de trouver un mot en six lettres pour *obscurcir le jugement*.

– Regardez donc. Arnold, *Jacques a dit : fais ça.*

Bertie sauta sur sa chaise.

Arnold imita le mouvement en soulevant son arrière-train.

– Voyez ? déclara Bertie. – Puis à Arnold : – Arnold, *Jacques a dit : fais ça !*

Tout jubilant, Bertie plaqua la main sur un côté de sa figure.

Arnold leva sa patte jusqu'à son œil.

– Aoh, *allons*, Arnold !

– Eh bien, il l'a fait, non ? dit Melrose, fasciné, malgré lui, par les mouvements du chien.

Avec un geste de désapprobation, Bertie répliqua :

– C'était le mauvais côté.

Melrose plaqua sa propre main sur son front.

– Pour l'amour du ciel, tu ne peux pas t'attendre à ce qu'Arnold comprenne ce qu'est l'inversion d'une image dans un miroir, voyons ?

Melrose fouilla dans le fond de la boîte de Weetabix et aligna deux autres biscuits près de l'assiette vide d'Arnold.

Bertie reprit avec nonchalance :

– Le chien aurait dû savoir.

Wiggins rit sous cape.

Jury regarda dans le vide.

Comme un pétrel qui fend l'eau et reprend de la hauteur avec sa précieuse pêche, cette image évanescente au fond du puits de l'esprit de Jury remonta à la surface. Le reflet de lui-même dans la glace, changeant un mouchoir d'un côté à l'autre... une autre image... La main de Les Aird passant sur son visage pour décrire l'étrange aspect de la personne dans le brouillard... et plus encore que tout, Adrian Rees. Ce tableau. Oui, tout le monde avait commis la même erreur. Et il s'était montré le plus grand imbécile de tous. Son esprit passa en revue dans le rapport de police la description du corps de Gemma Temple... ou peut-être qu'il l'avait seulement refusée, cette réponse qui hantait, fugace, le fond de son esprit.

Tous le regardaient.

Sans même s'en rendre compte, il s'était levé.

– J'ai une visite à faire. Wiggins, j'aimerais que vous me rejoigniez d'ici un quart d'heure. Finissez votre petit déjeuner.

Machinalement, il empocha ses cigarettes.

Wiggins eut l'air surpris.

– Vous rejoindre, monsieur ? Où cela ? Il y a quelque chose qui ne va pas ?

– Non. Je veux que vous veniez me retrouver chez Adrian Rees dans quinze minutes.

2

– Qu'est-ce qui s'est passé? demanda Melrose Plant à l'ensemble des assistants, Arnold compris.

– On aurait dit qu'il venait de voir un spectre, dit Wiggins, en finissant de boire son thé.

Melrose revint à ses mots croisés. Peut-être était-ce frivole, mais puisqu'il en avait fini avec la détection policière, autant en revenir à un passe-temps auquel il semblait plus apte. *On pourrait jouer de la musique sur son nom.* Un personnage de Shakespeare. Cinq lettres. Il mâchonna le crayon. Le quinze dans l'autre sens était *Idiot.* Un terme adéquat, il en avait le sentiment.

Jouer de la musique. *Piano.* Non, Shakespeare n'aurait jamais appelé personne *piano.* A ce rythme, il n'aurait pas terminé ces mots croisés en un quart d'heure, son temps habituel. Oh, pour l'amour de Dieu, pensa-t-il, *Viola !* Dans *La Nuit des rois.* Opportun, tout bien considéré.

Viola et Sebastian, jumeaux...

Son esprit se mit en branle. Pendant les quinze minutes suivantes, il y réfléchit, se tourna finalement vers Bertie et dit :

– Puis-je emprunter Arnold ?

3

Elle sortit du brouillard, avançant vers lui dans le Passage de la Treille, sans chapeau, une brise qui soufflait de la mer soulevant ses cheveux blonds.

– Kitty vient de me mettre au courant pour Bertie, dit Lily. Je prenais à l'instant le café avec elle, au *Renard*. C'est affreux, affreux. – Des larmes brillaient dans ses yeux. – Qui peut faire une chose pareille ?

Elle le regarda avec tristesse, d'un air d'attente, et il fut de nouveau frappé par sa pâle beauté et le pathétique de sa vie. Il voulut répondre, mais sa bouche était engourdie. Il finit par dire :

– Nous ne savons pas.

– Je vais au restaurant. Était-ce là que vous vous rendiez ?

– Non. Non, je vais à la galerie.

– Passez ensuite boire un café, je vous en prie.

Jury la remercia et la regarda s'éloigner. Était-ce seulement hier qu'il l'avait vue sur cette jument alezane, si élégante en velours vert ? Il continua à contempler l'endroit où elle avait disparu, s'éclipsant dans le brouillard qui s'était refermé sur elle comme un gant.

4

Le chat gris et roux tentait d'attraper à coups de patte répétés sur la vitre les flocons de neige qui frappaient les fenêtres de la galerie de Rackmoor et venaient y fondre. Il poursuivit cette chasse frustrante même quand la cloche tinta et que Jury entra.

Il faisait plus sombre à l'intérieur qu'au-dehors, mais à peine. La neige avait commencé de tomber au moment où Jury quittait le cottage de Bertie et à présent, avec la brume, Rackmoor gisait blotti dans une obscurité crépusculaire.

De la petite cuisine au fond montèrent un fracas – une poêle qu'on laisse échapper peut-être – puis des obscénités diverses, suivies d'un air sifflé faux.

– Monsieur Rees ! appela Jury.

Adrian apparut, la faible lumière jaune de la cuisine dessinant sa silhouette dans l'embrasure.

– Ah, inspecteur ! Juste à temps pour partager mon humble petit déjeuner de galette d'avoine rassise. C'est ce que la pauvre petite Jane Eyre avait à manger dans cette horrible école. Ma foi, en réalité, je fais des œufs au lard, mais je me sens toujours un peu « brontë-ien » par les journées comme celle-ci. Qu'est-ce qui se passe ?

– J'aimerais revoir ce portrait, celui que vous avez peint de la dame Temple.

– Enfin un client ! Combien m'en donnerez-vous ?

Adrian eut un sourire moqueur et précéda Jury à l'étage.

L'huile était posée sur le chevalet qu'Adrian avait placé près d'une fenêtre pour attraper le peu de jour qu'elle pouvait dispenser. L'effet sur Jury fut le même ; des fantômes arpentaient son esprit.

– Vous êtes sûr que c'est l'aspect qu'elle avait ?

Adrian soupira, coinça de côté la cuillère dans sa tasse de café et but.

– Vous me le demandez sans cesse. Oui, oui et encore une fois *oui*.

– Ce n'était pas Gemma Temple.

Jury tourna les talons et repartit vers le rez-de-chaussée, laissant Adrian contempler bouche bée l'escalier vide, puis reporter son regard sur le portrait.

Jury tira de sa poche la casquette irlandaise et l'enfonça sur sa tête. La neige ne tenait pas ; il le regretta. Comme il regretta, en descendant la Grand-Rue, qu'il n'y en ait pas d'énormes épaisseurs – sèches, blanches, foisonnantes...

Derrière lui résonna une voix qui criait son nom. Il se retourna et vit Wiggins qui courait pour le rattraper.

– Qu'est-ce qui s'est passé avec Adrian Rees ?

Le sergent haletait et sortait son inhalateur quand ils se remirent en marche côte à côte.

– Rien. J'ai voulu simplement voir cette peinture.

– Peinture ? Quelle peinture ? J'avais cru que vous étiez parti l'arrêter. Vous aviez l'air si...

Wiggins ne trouvait pas de mots. Il appliqua l'inhalateur à sa narine.

– Une peinture qu'il avait faite de Gemma Temple. Ou, plutôt, croyait avoir faite. J'expliquerai...

Ils avaient tourné dans le Chemin du Pont, monté les petites marches étroites quand Jury s'arrêta court, regardant en direction du pont même.

– Qui diable est-ce là ?

Wiggins plissa les paupières pour voir à travers la neige qui épaississait.

– Cela me paraît être Mr. Plant. *Et* Arnold.

5

Melrose Plant fumait, adossé au mur du *Café du Chemin du Pont.* Il désigna la minuscule pancarte derrière la vitre : FERMÉ.

– Ça ouvre à dix heures. Nous avons quelques minutes devant nous.

D'un ton qui n'était pas inamical, Jury questionna :

– Que diable faites-vous ici ? Et avec Arnold ?

Arnold en laisse ? Il ne pouvait pas le croire.

– J'ai pensé que vous n'oseriez jamais poser la question. Oh, comme c'est agréable d'arriver quelque part avant vous. Cigarette ?

Jury secoua négativement la tête.

– Me lancerai-je dans une longue, lassante, quoique jusqu'à un certain point brillante explication, ou ne devrions-nous pas attendre une démonstration ? Mais je vois à l'expression glacée de votre figure qu'il faut que ce soit tout de suite. Très bien. Arnold...

Le rideau voilant la porte se releva d'un seul coup. La petite pancarte fut tournée côté OUVERT et Lily scruta l'extérieur en souriant. Elle ouvrit la porte et dit :

– Désolée, je ne savais pas...

Puis son regard tomba sur Arnold.

Le regard d'Arnold tomba, aussi, sur Lily. Arnold gronda.

Il n'était pas fort, mais ce grondement émanant d'une gueule presque fermée semblait provenir de son estomac. Il était soutenu et menaçant.

Lily recula d'un pas. Elle tenta de plaisanter.

– Que diable... qu'est-ce qui arrive à Arnold ?

Melrose regarda Jury et Jury fit un signe d'acquiescement. Melrose tira légèrement sur la laisse mais Arnold resta sur place, campé, ferme, inébranlable. Jury comprenait maintenant la raison de la laisse, que Melrose avait enroulée plusieurs fois autour de son poignet. Il lui donna une secousse.

– Viens, mon vieux.

D'abord il n'y eut aucun mouvement de la part d'Arnold puis le terrier, avec plus de maîtrise de soi que Jury n'en avait jamais vu chez un être humain, se détourna à la secousse suivante imprimée par Melrose et s'éloigna en trottinant à côté de lui le long du Chemin du Pont.

Un monsieur et son chien sortis pour une promenade matinale.

Lily avait commencé à fermer la porte mais Wiggins interposa son pied dans l'embrasure, sa main maigre déployée sur le chambranle.

– Nous aimerions un peu de café, Miss.

Jury faillit rire. Il entendait si rarement un semblant d'humour dans la bouche du sergent Wiggins. Et Wiggins devait avoir été très surpris par cette visite.

Au milieu de la pièce, Lily se tenait droite comme un *i*, le teint blafard.

– Votre nom est Lily Siddons, dit Jury avec une raideur glaciale. – Il n'y eut, naturellement, pas de réponse. – Nous sommes ici pour vous arrêter pour les meurtres de Gemma Temple, d'Olive Manning, et la tentative d'assassinat sur la personne de Bertie Makepiece. Je dois vous avertir que tout ce que vous direz peut être retenu et utilisé comme preuve contre vous devant un tribunal.

Pendant un instant, la pièce entière sembla vidée de toute couleur par son silence. Seul le rompait le léger sifflement de la neige contre la vitre. Wiggins avait sorti son carnet de notes.

Puis elle rit. C'était déroutant. Elle se laissa choir dans un fauteuil à dossier droit, apparemment pliée en deux par le rire.

– Et qui va être votre principal témoin, inspecteur ? – Elle reprit son souffle. – Ce *chien* ?

Le rire semblait réel, ce qui parut horrible à Jury.

– Non. Malheureusement.

Comme elle s'apprêtait à se lever, Jury dit :

– Restez assise.

– J'ai besoin d'un peu d'eau.

– Le sergent Wiggins ira vous en chercher.

Sur une table, près de la fenêtre latérale, il y avait de l'eau et des verres. Wiggins remplit un verre et le lui apporta.

Tout en buvant à petites gorgées, elle regarda Jury par-dessus le bord du verre. Il n'avait jamais vu des yeux changer comme les siens. Pâles, de la couleur du clair de lune, à la couleur de la cornaline en passant par le doré tacheté du papillon.

– Vous semblez oublier, dit-elle, que quelqu'un a essayé de me tuer, *moi*.

Sa voix était douce ; ses lèvres esquissaient un sourire.

– C'était le plus astucieux. Vous placer en situation de victime désignée. Qui s'imaginerait que la victime est l'assassin ? Mais nous n'avions que votre parole sur la question, n'est-ce pas ?

Lily sourit avec une sérénité déroutante.

– Je n'avais pas de mobile, pour ne rien dire de l'occasion.

Elle était debout maintenant et Jury la laissa marcher, circulant entre les tables, remettant en place un verre ici, des couverts là, comme si Jury et Wiggins n'étaient réellement venus que pour prendre un café. Jury n'aurait pas pu le boire, en tout cas ; sa gorge était serrée, sa bouche sèche.

– Vous aviez le meilleur mobile de tous. En tant que petite-fille du colonel Craël, vous auriez récolté des millions.

Elle leva les yeux de la serviette qu'elle repliait avec un calme parfait.

– C'est absurde.

Il était obligé de lui tirer son chapeau. Elle n'avait même pas tiqué.

– Depuis combien de temps le savez-vous ? Pas long-temps, à mon avis. Olive Manning était au courant ; c'était la confidente de Lady Margaret. Votre mère s'est suicidée à cause de Rolfe Craël, n'est-ce pas ? Rolfe partant comme ça, se laissant escamoter. Et le vol de ces bijoux...

Elle arracha l'anneau de son doigt et le lui jeta à la figure si vite et avec tant de fureur que Jury s'en rendit compte seulement quand la bague cliqueta par terre.

– Il la lui avait donnée ! *Donnée !* Elle porte leurs initiales et une date. Celles de maman et... de Rolfe Craël ! Qu'ils crèvent tous en enfer, ils l'ont poussée à se tuer. Et j'ai autant de droit qu'eux à l'argent, à la maison, à la situation, au nom. Je suis *Lily Craël !*

Jury l'attrapa par les épaules. Elle resta d'une immobilité de pierre sous ses mains et il crut qu'elle avait recouvré son sang-froid jusqu'à ce que la main se lève, se rabatte et que les ongles s'enfoncent dans son visage comme de petits couteaux. Il sentit jaillir le sang. Sans un mot, il la poussa dans un fauteuil tandis que Wiggins, dans sa tentative pour venir au secours de Jury, renversait celui sur lequel il était assis.

– Ça va.

Il prit le mouchoir que tendait Wiggins.

Elle resta assise là, en silence. Sur la table, au centre, il y avait la boule de cristal qu'elle apportait ici pour amuser ses clients, comme une gitane diseuse de bonne aventure. La boule était posée sur son petit piédestal d'ébène dans un drapé de velours noir. Lily la regardait comme si la boule pouvait lui prédire son avenir.

Jury pressa le mouchoir contre sa figure et reprit l'interrogatoire. Wiggins recula jusqu'à la table à côté d'eux, son carnet ouvert, l'œil vigilant.

– C'était facile pour vous de prendre dans le cottage de Percy cet outil de roncheur ; vous êtes amis.

Elle cueillit une cigarette dans un petit étui de porcelaine et la porta à ses lèvres.

– Je ne sais pas de quoi vous parlez.

– Si, vous le savez. J'allumerai cette cigarette si vous croyez pouvoir la tenir éloignée de ma figure.

Il sourit à demi, craqua une allumette.

– Vous êtes un policier très intelligent. – Elle laissa ses yeux errer sur son visage et dit : – Je suis désolée pour cela. Vraiment désolée. – Posant son menton dans la paume de sa main, elle pleura silencieusement, les larmes roulant sur ses joues pâles. – C'est vrai. J'ai compris quand j'ai trouvé une boîte avec des affaires à elle. L'anneau, cette photo que vous aviez emportée. J'y ai découpé son visage... celui de Rolfe. Il était avec elle. – Elle se pencha vers la bague qui avait roulé à terre, la ramassa, resta assise à la regarder, la laissa choir sur la table. – Je ne la portais pas quand j'étais auprès du colonel. Mon Dieu ! Je leur *ressemblais* même ! Pourquoi personne ne s'en est-il jamais aperçu ?

Sa voix était aiguë et empreinte de souffrance.

– Vous avez fait en sorte qu'Olive Manning vous rejoigne près de ce mur. Et vous pensiez que Bertie vous avait vu prendre la queue-de-pie, n'est-ce pas ? – Silence. – Vous avez dû envoyer à Gemma Temple un mot, quelque chose pour l'amener au Pas de l'Ange. Avez-vous prétendu que c'était Julian qui voulait la rencontrer ? Ou Adrian Rees ? A mon sens, c'est Adrian. Voilà pourquoi Les Aird l'a vue venir dans la Grand-Rue. Elle ne savait pas qu'Adrian était au *Renard* parce qu'elle n'était pas passée par le bar. J'imagine que Maud Brixenham avait lâché une ou deux allusions sur leurs relations.

Le silence persistant de Lily valait l'aveu qu'il n'était pas loin de la vérité, autant que si elle avait acquiescé à chaque mot qu'il avait prononcé.

– Vous pourriez aussi bien me le dire, Lily. C'est fini, vous savez.

– Il n'y avait aucun moyen pour moi d'aller de mon cottage au Pas de l'Ange juste en quelques minutes. Même *vous* l'avez affirmé.

– Vous n'étiez pas dans votre cottage quand elle a été tuée. Ce n'est pas Gemma Temple qu'Adrian a vue dans le Passage de la Treille. C'est vous. Gemma Temple était déjà morte. Vous l'avez tuée entre le moment où Les l'a vue et le moment où Adrian vous a vue, *vous*, avançant dans le Passage de la Treille.

Elle avait le visage blanc, la voix âpre.

– Qu'est-ce que vous entendez par là ?

– Ce que je dis. Elle a été assassinée *avant* onze heures et quart. Pas après, comme nous avons tous été amenés à le croire.

Jury se pencha vers elle, oublieux de la lacération qu'elle venait de lui infliger. Dans ses traits il eut l'impression de voir s'effacer les restes de la beauté de Lady Margaret.

– Lily...

Cela fut encore plus rapide que ses coups d'ongle. Le bras levé, la boule de cristal à moins de trois centimètres de sa tête et le pied de Wiggins qui se projetait en l'air, renversant tout – table, sièges, verres, couverts et Jury lui-même – pour tenter d'écarter la main de Lily du crâne de Jury.

– Mon Dieu ! s'exclama Jury en se relevant. Où avez-vous appris *ça* ?

– Karaté, monsieur. – Wiggins haletait. – Bon pour les sinus, paraît-il.

Jury était appuyé sur un genou à côté de Lily, qui gisait inconsciente sur les dalles de pierre.

– Elle a dû se cogner la tête. Y a-t-il seulement un médecin à Rackmoor ? Voyez si vous pouvez en dénicher un. Je vais rester avec elle.

Jury prit son anorak et le fourra sous la tête de Lily.

– Avez-vous une aspirine, Wiggins ? J'ai un mal au crâne abominable.

C'était une chose sur laquelle il pouvait toujours compter. Que le sergent Wiggins ait de l'aspirine.

Par la fenêtre, il regarda Wiggins remonter la rue au pas de course dans une clarté qui s'assombrissait constamment. A travers la neige de plus en plus épaisse, il jeta un coup d'œil en direction du petit pont enjambant le ruisseau. Ses balustrades étaient recouvertes d'un velours blanc.

Jury retourna à la table, s'assit, observant dans la pénombre le visage de Lily. D'une pâleur de marbre, de cendre. Elle bougea légèrement, émit un petit son plaintif. Il se demanda s'il devait lui donner du cognac. Y en avait-il ? Mieux valait attendre le médecin. Il resta assis à étudier son visage, dans lequel il distinguait les traces, comme de la fumée, du visage de Lady Margaret.

Jury se prit la tête dans les mains. *Quel gâchis*, songea-t-il.

6

– Lily ? dit le colonel Craël. *Lily* ? De toutes les personnes... vous ne parlez pas sérieusement !

Il regardait Jury debout au centre de la salle Bracewood, comme si celui-ci avait sûrement fait erreur, comme s'il avait confondu Lily avec quelqu'un d'autre.

– Je suis navré, colonel Craël.

Il y eut un silence.

– J'aimerais la voir, si c'est possible.

– Non. Pas maintenant, du moins.

Jamais, si Jury avait son mot à dire. Peut-être que la relation de Lily avec la famille Craël finirait par se savoir. En tout cas, Jury n'avait nullement l'intention d'en parler maintenant. Que le colonel découvre à présent, où il n'avait aucune possibilité au monde d'agir, que Lily était sa petite-fille... après toutes les pertes que le vieil homme avait subies, c'était vraiment trop.

Du moins pouvait-il trouver quelque consolation dans le fait que Julian fût innocent.

– Alors Julian... eh bien, Dieu merci, il n'est plus en danger.

Julian, qui était appuyé à la cheminée, regarda Jury et lui adressa un petit sourire singulier.

Après le départ du colonel, revigoré par du whisky et la compagnie de Melrose Plant, Julian dit à Jury :

– Malheureusement, je ne suis *pas* hors de danger, n'est-ce pas ? D'ailleurs, je ne l'ai jamais été. Je suis content que ce soit fini.

Jury se demanda comment Julian lui-même réagirait en apprenant que Lily était une Craël, l'enfant de son frère Rolfe.

Ajouté au fardeau des liens de sang dont Julian semblait avoir souffert toute sa vie, ce serait pour lui un poids supplémentaire. Jury espérait qu'il ne le découvrirait jamais.

– Vous savez, monsieur Craël, je ne pense pas que les tribunaux vont se montrer tellement sévères envers vous. Au bout de quinze ans... – Jury haussa les épaules. Il ne voulait pas dire un *meurtre* remontant à quinze ans. – Et vous avez sauvé la vie de Bertie.

– Vous avez presque l'air de vous excuser, inspecteur. Bertie est plutôt un gentil petit gars, n'est-ce pas ? C'est moche que sa mère soit partie comme ça. Je jetterai un coup d'œil sur lui. Un de ces jours. Si je suis libre.

Il avait tiré cette phrase finale de son stock d'ironie, dans une tentative pour recouvrer sa vieille indifférence, une habitude d'esprit avec laquelle il avait dû rompre pendant les dernières vingt-quatre heures.

Julian lança sa cigarette dans le feu et, sans rien dire, tendit la main. Jury la serra.

A la porte de la salle Bracewood, Julian se retourna et déclara :

– J'ai décidé de ne pas déposer cette plainte à Scotland Yard.

– Une plainte ? A quel sujet ?

– Brutalité policière.

Avec le premier franc sourire que Jury lui ait jamais vu, Julian referma la porte sans bruit.

– Je ne sais que dire, monsieur... mon Dieu...

La voix de Wiggins résonnait dans le téléphone, aiguë et tendue par l'anxiété.

Jury ferma les yeux en entendant la nouvelle.

– Cela s'est produit comment ?

– Elle a dit qu'elle voulait du thé et j'ai dit oui, mais qu'il fallait que je l'accompagne. Je la guettais comme un faucon sa proie, pas moins... franchement. Je ne la quittais pas des yeux...

– Continuez. Qu'est-ce qui s'est passé ?

– Nous étions dans la cuisine. Elle n'a pas branché la bouilloire électrique ; je suppose que cela aurait dû m'alerter. Elle a mis une casserole d'eau à chauffer. J'étais debout à côté d'elle, près du fourneau. Et avant que j'aie eu le temps de comprendre, elle me l'a jetée à la figure... la casserole, l'eau, tout à la fois.

– Ça va, vous ? Est-ce que vous avez été gravement brûlé ?

– Non. C'était pénible sur le moment et naturellement j'ai levé vivement les bras, cela lui a donné le temps de filer. Elle est passée par la porte et l'a fermée au loquet. Il m'a fallu cinq minutes pour la fracturer, mais à ce moment-là... Elle avait disparu.

– Harkins est déjà là-bas ?

– Ils sont arrivés juste avant que je vous appelle. Je crois qu'il va me tuer, monsieur.

C'était dit sur un ton tellement prosaïque que Jury se retint de rire.

– Bah, il aura probablement besoin de types supplémentaires en renfort. Envoyez tout de suite quelqu'un au parking en haut du village. Voir si sa voiture est là-bas.

– C'est la première chose que j'ai faite, monsieur. J'avais pensé que c'était là qu'elle irait, mais apparemment non. La voiture est là-bas. Il n'y a que cette route pour sortir du village. Harkins l'a bloquée.

– Il y a des quantités de chemins pour partir à pied. Il nous faudra établir un cordon de police autour du village entier.

Jury le salua et s'apprêtait à raccrocher quand la voix de Wiggins le rappela :

– Monsieur ?

– Oui ?

– Je n'essaie pas de me trouver des excuses, mais elle a été si vive, monsieur. Je veux dire, je n'ai jamais vu quelqu'un agir avec une telle célérité.

– C'est O.K., Wiggins. Ç'aurait pu arriver à n'importe qui. Je sais qu'elle est vive. Je l'ai regardée manier un couteau.

Wiggins essaya de rire.

– Mieux vaut de l'eau bouillante qu'un couteau.

7

Tout l'après-midi, ils passèrent le village au peigne fin, en particulier l'entrepôt vide à côté de *la Cloche* et la totalité des cottages laissés vacants par les estivants. Jury se rappela les paroles de Maud Brixenham : *c'était autrefois un repaire de contrebandiers. Facile de s'y cacher, dans ces petites rues tortueuses.*

Rien n'aurait pu être plus vrai. Rues, allées, culs-de-sac serpentant vers le haut, vers le bas, s'entrecroisant comme un motif décoratif. Une douzaine d'hommes ou plus, Melrose et Bertie compris, avaient arpenté Rackmoor, dedans et alentour, interrogeant, cherchant.

De l'avis de Jury, Lily Siddons était maintenant dans la ville d'York ou en route pour Londres.

Il faisait presque nuit, à présent. Jury et Harkins étaient assis au *Renard Trompé*, engloutissant leur nourriture, la première qu'ils prenaient depuis l'aube. En état de choc, Kitty avait néanmoins réussi à préparer deux assiettes de fromage avec du pain et des oignons marinés.

– Rees et moi avons commis la même erreur, dit Jury. Cette peinture qu'il a exécutée montrait le côté gauche de sa figure maquillé en blanc. Bien sûr qu'il l'était, si vous la regardiez. Mais Les Aird a dû indiquer le côté *droit* parce qu'il a vu Gemma Temple, pas Lily. Le rapport de police mentionnait « le côté gauche ». Mais vous le considériez, comme j'aurais dû le faire, comme le côté gauche de la victime. C'est donc Lily Siddons qu'Adrian Rees a croisée dans le Passage de la Treille. Elle s'est assurée que quelqu'un la voie, elle voulait avoir la certitude que nous croirions

Gemma Temple encore en vie au moment où Kitty serait là pour lui fournir un alibi.

– Le reflet dans un miroir, commenta Harkins, visiblement satisfait que le rapport de police ait été exact alors que personne d'autre ne l'avait été. A-t-elle pris la toile pour mouiller Rees?

– Peut-être ; je n'en suis pas certain. Mais j'aurais dû remarquer le fard blanc sur le mur gauche du Pas de l'Ange. Gemma Temple a imprimé cette trace quand elle a basculé en arrière dans sa chute. C'est le côté gauche de sa figure qui a marqué la pierre.

Harkins coupa le bout d'un cigare.

– Je dois reconnaître que Miss Siddons mérite un coup de chapeau : satané sang-froid ! Détourner d'elle les soupçons en inventant cet assassin mythique qui cherchait à la tuer, *elle*.

– Les freins de sa voiture, le râteau à foin. Ce n'était que sa parole, n'est-ce pas ? Elle avait confectionné deux costumes identiques. La seule chose qu'elle ne pouvait prévoir, c'est de quel côté de son visage Gemma Temple étalerait le fard blanc. Je ne serais pas surpris que l'idée ne lui en soit pas venue du tout... qu'elle ait commis la même erreur que moi. Je crois que nous l'avons tous faite. Quoique je ne pense pas que vous auriez commis cette erreur. A mon avis, vous auriez compris immédiatement, si vous aviez vu ce portrait d'Adrian.

Harkins garda le silence, examinant l'étui à cigares en peau de porc comme si c'était un objet nouveau pour lui.

– J'avais l'avantage, néanmoins, n'est-ce pas ? J'avais vu le corps ; j'avais vu le visage ; pas vous. – Il offrit l'étui. – Cigare ?

Jury sourit. Ils étaient revenus apparemment au point de départ.

Ils se levaient pour partir quand Wiggins entra en trombe au *Renard Trompé* leur annoncer qu'on avait retrouvé Lily Siddons.

8

Au moins deux douzaines de personnes – des policiers, quelques villageois dont Bertie, et Melrose Plant – étaient debout au bord de la falaise, presque à l'endroit exact où Bertie était tombé la soirée précédente. Tous regardaient en bas.

Deux des hommes de Harkins, une corde nouée autour de la taille, effectuaient une lente descente le long de la falaise. Mais la même configuration rocheuse qui avait empêché Bertie de trouver pour ses pieds un point d'appui les empêchait de continuer plus bas. Il n'y avait aucune descente possible, même cette fois pour Arnold, que Bertie tenait solidement par le collier.

Lily Siddons avait suivi à pied l'étroit estran de galets entre Rackmoor et la Baie du Contrebandier, le même chemin qu'avait dû emprunter sa mère tant d'années auparavant. Jury avait du mal à la distinguer en bas, là où elle se tenait la tête redressée. Déjà à ses chevilles, l'eau ne tarderait pas à monter jusqu'à ses genoux, puis...

Elle leva le bras. On aurait pu la prendre pour une baigneuse en vacances, saluant du geste des amis restés sur le rivage.

Jury se débarrassa vivement de son manteau. Il avait à demi enjambé le bord avant que personne ne s'en aperçoive, quand Wiggins cria :

– Mon Dieu ! Vous ne pouvez pas descendre là !

Du groupe rassemblé au sommet de la falaise jaillirent des hurlements de protestation, entre autres ceux de Harkins et de Plant qui lui intimèrent à tue-tête dans leurs idiomes respectifs l'ordre de *remonter, espèce de satané imbécile !*

Seul le cri de Bertie fut efficace.

– Va le chercher, Arnold !

Avant que Jury ait progressé de trois centimètres, il sentit la gueule du terrier se refermer sur son poignet. Cela donna à Plant, Harkins et Wiggins juste le temps de le ramener de force au sommet.

– Nous n'avons pas besoin de vos extravagances héroïques, Richard !

Harkins jeta le manteau de Jury autour de ses épaules.

– .Il ne s'agissait pas de ça... dit Jury qui écarta ses cheveux de son front pour regarder, tout étourdi, par-dessus le bord de la falaise.

C'est ainsi qu'il vit le déferlement de la dernière vague noyant la tête de Lily et le bras dressé émergeant des eaux sombres de l'hiver.

On eût dit qu'elle faisait un geste d'adieu.

9

Ils disaient au revoir à Bertie.

– Le Château de Meechem était particulièrement bon ce soir, Copperfield, déclara Melrose Plant en fourrant dans la poche de chemise de Bertie un pourboire d'un montant incroyable. Et le repas excellent, bien que le saumon fumé promis ait une fois de plus brillé par son absence.

Bertie fit claquer la serviette dont il se servait pour épousseter les tables et la drapa sur son bras.

– Ce n'est pas la saison du saumon, je pense.

– Bertie, dit Jury, j'ai idée que ta mère séjournera encore quelque temps en Irlande du Nord. En tout cas, tu devrais recevoir très bientôt de ses nouvelles. Ainsi que Miss Cavendish. Alors si l'une d'elles – Frog Eyes, Codfish, n'importe laquelle – vient te titiller avec ses questions, dis-lui simplement qu'il y aura quelque chose au courrier. Et si cela ne les satisfait pas, dis-leur de me téléphoner.

Il enfonça une carte portant le numéro de New Scotland Yard dans la même poche où Plant venait d'enfourner l'argent.

Bertie rayonnait.

– Comment savez-vous...

Puis il se ravisa et se mit simplement à caresser avec vigueur la tête d'Arnold.

– Au revoir, Bertie, et ne t'en fais pas, répliqua Jury en tendant la main.

Bertie la lui serra.

– Vous ne couchez pas ici ce soir, alors, monsieur?

– Non. Je prends un train de nuit à York. Mais appelle-moi un de ces jours, veux-tu ? Pour me mettre au courant de ce qui se passe ?

Jury lui adressa un clin d'œil.

– Pour sûr, monsieur. Serre la main, Arnold. N'as-tu donc pas d'éducation ?

Arnold tendit la patte.

– Au revoir, Bertie, dit Melrose Plant. Et puisses-tu ne jamais dépasser l'âge de treize ans.

Une fois dehors, Jury et Plant déambulèrent le long du parapet pour regarder une dernière fois le village.

– Je ne pense pas que l'argent était en cause, commenta Jury. Je ne pense pas qu'elle désirait l'argent ou les privilèges qui vont de pair avec le nom des Craël. Je crois qu'elle ne voulait que la famille.

Plant ne dit rien, et Jury se tourna pour contempler les vagues sombres qui accouraient.

– Parfois j'ai l'impression que c'est comme, je ne sais pas, une fausse vocation. Et me voilà maintenant sur le point de passer commissaire. J'ai en quelque sorte le sentiment qu'on me demande de dispenser la justice. Comment puis-je m'en acquitter ? Quand vous voyez quelqu'un comme Julian Craël ou comme Lily, vous estimez que ce sont des victimes, tout autant que le reste d'entre nous... et pourtant elle est censée avoir exécuté tout cela de sang-froid...

Il regarda vers le large comme si la mer pouvait lui rendre Lily.

– Ce n'est pas à moi de décider, n'est-ce pas ? Tout ce que je suis censé faire, c'est leur mettre la main au collet et les ramener. Seulement, parfois je ne les ramène pas. Je me pose des questions à propos de la justice.

Un instant, il garda le silence, les yeux fixés vers le large.

– Je me pose des questions sur la fonction de commissaire, aussi.

Plant alluma une cigarette.

– C'est la vie.

Et, tournant le dos à la mer, ils marchèrent à nouveau vers les brouillards de Rackmoor.

Achevé d'imprimer
en janvier 1994
par Printer Industria Gráfica, S.A.
08620 Sant Vicenç dels Horts, 1994
Depósito Legal: B. 1539-1994
pour le compte de
France Loisirs
123, boulevard de Grenelle,
Paris

Numéro d'éditeur : 23273
Dépôt légal : janvier 1994
Imprimé en Espagne